宮本憲一

# われら自身の希望の未来

## 戦争・公害・自治を語る

宮本背広ゼミナール 編

かもがわ出版

著者近影

# われら自身の希望の未来――ゼミナール七〇年のメッセージ

地球は戦争の世紀に入ったのか。ウクライナ、ロシア、イスラエル、パレスチナ。惨状を報道で知るにつけ、暗鬱な気分が頭から離れない。民間住宅への爆撃、地下室に逃げ込む市民、犠牲になった子どもたち、避難民の列、寒さと食糧不足、劣悪な公衆衛生……。コロナ・パンデミック（世界的大流行）が地球を覆う中で戦争は起きた。未知のウイルスによる感染症を防ぐのは至難の業だが、戦争は人間の英知と不断の努力で止められる。痛切な体験を経て誓ったはずだ。

九四歳の環境経済学者宮本憲一先生は、新型コロナウイルス感染症、迫りくる気候崩壊、ウクライナやパレスチナで起きた戦争を「三大危機」と捉え、環境、自治、平和が重大な転換点に立たされていると警鐘を鳴らした。現代社会を揺るがす問題の根底にあるのが、際限ない成長を求める資本主義の矛盾にほかならない。制御できるのか、どう乗り越え、どんな未来社会を描くのか。そして最大の環境破壊である戦争をどう食い止めるのか。

先生は七〇年にわたってゼミナールを続けてきた。勤務した金沢大学、大阪市立大学、立命館大学でゼミを指導し、退職後も卒業生らでつくる「背広ゼミナール」で毎月、古典や時論を輪読する一方、阪神・淡路大震災や東日本大震災の被災地、沖縄、水俣、四日市、西淀川、尼崎、泉南といった地域開発や公害の現場に足を運んできた。七〇年以上活動するゼミは日本の大学史上、空前絶後ではないか。さらに、大学の枠を超えて、地域再生を目指す市民らとともに「大阪をあんじょうする会」や長野県佐久市の「もちづき宮本塾」を指導してきた。

ゼミの行動理念は今も昔も「歴史に学び、現場へ行く」だ。活動は揺れ動く同時代にあってますます盛んになった。マルクス研究を軸に脱成長を唱えたベストセラー『人新世の「資本論」』で脚光を浴びた斎藤幸平さんをゼミにお呼びして資本主義に代わる道を話し合った。ノンフィクション作家の澤地久枝さんには沖縄の窮状に思いを寄せつつ戦争を防止し、平和を実現する道筋として憲法の普遍的価値を聞いた。公害の原点である水俣の教訓をどう生かすかについて環境活動家アイリーン・美緒子・スミスさんに登場願った。地域と自治体の未来像について都市政治研究の第一人者の加茂利男さんに縦横に語っていただいた。

これらキーマンとの対談で浮かび上がるのは宮本先生の並外れた行動力とセンサビリティー、そして問題解決に力を尽くそうとする正義のパトスだ。同時代の証言ともいえる、二〇冊を越す単著をはじめとする著作群が示す通り、矛盾が噴出した環境破壊の現場を調べ、事態の本質を見抜き、歴史的な経過や責任の所在、さらには問題解決の展望までを指し示した。現実と社会思想、歴史を往来する中で構築した理論体系は大きく三つに分かれる。まず、社会資本、都市、国家、環境を包含した「共同社会的条件の政治経済学」は、市場機構を対象とする従来の経済学を超えて人類を支えている環境を含めた「共同社会」を政治経済学の体系に取り込んだ。斎藤幸平さんが提唱する「コモン（共有）」や宇沢弘文さんの「社会的共通資本」に重なる部分だが、容器の経済学と呼ばれるとおり包括する範囲は大きく、維持する主体もはっきりしている。その確かな手掛かりとして示されるのが広範なフィールドワークを基に築いた地域論だ。地域経済や文化の独自性を踏まえ、地域開発、地方自治の歴史や現状分析で先駆的な仕事を重ねた。全体の土台にあるのが財政学・公共政策だ。公共投資・公共事業や地方財政論に加えて経費論、財政投融資論、財政史の分野で業績がそろう。この三つの幹が重なり合い、環境と開発、戦争と平和、国家と個人、自治体と参加といった私たちの未来を左右するテーマを射程に入れながら、資本主義に代わる新しい道を拓く主体として市民の自治の地平が示される。

本書は二〇二一年刊行の論集『未来への航跡——環境と自治の政治経済学を求めて』（かもがわ出版）の続編に当たる。いま起きている三大危機に突き動かされるように宮本先生は現場に赴き、対談や講演を重ねた。その発言や行動を背広ゼミの手で編集した。構成は、マルクスと環境▽戦争と沖縄▽四日市と水俣▽自治と未来—の四部にわたる。

時代は宮本経済学を求めている。資本主義が岐路に差しかかる中、コミュニティーやコモンの領域から、体制を変革する新たな主体、時代を切り開くエネルギーが生まれてくるのか。耳を澄ますとこの問いへの答えが私たちを励ますかのように通奏低音として響いていることに気付かされる。不透明感が強まり、状況が厳しいときだからこそ希望の旗を高く掲げ、環境が保全され、自治が行き渡り、平和の鐘が鳴り響く未来を創造したい。いつの時代も若きゼミナリステンに語りかけてきた宮本先生のメッセージを本書から読み取っていただければ幸いである。

編集委員　加藤正文

## 目次

# 第2部　戦争と沖縄

# 第3部　四日市と水俣

## 第4部　自治と未来

＊本書に掲載している講演は、すでに出版されているもの、未公開のものの両方が含まれています。本書への掲載にあたっては、著者による加筆・修正および編集委員による表記や図表の点検・変更を行っています。
各章の講演、対談についてはは章末に初出、実施についての情報、著者による加筆・修正について付記しています。
文中の登場人物については、所属等は話題になっている当時のものを付しています。また、敬称については付している場合と省略している場合の両方があります。

装丁／上野かおる
ＤＴＰ／小國文男

# 序章　戦後社会の重大な転換期をどう生きるか

## 1. 資本主義の衰退と三大危機に直面して

戦後資本主義は第三期に入った。第一期の高度成長時代は、一九七〇年代の後期にスタグフレーションによって終焉し、一九八〇年代中期からサッチャー・レーガン・中曽根に代表される新自由主義の時代に入った。新自由主義は民営化、規制緩和、社会福祉を縮小するなどの小さな政府を志向した。別な角度から見れば重化学工業から金融・情報・観光業のグローバルな資本主義へ移行した。この新自由主義は極端な貧富の格差、南北の対立を生み、温暖化など地球環境を危機に陥れた。二〇〇八年リーマンショックを契機に新自由主義の破綻は明らかになった。このため世界の経済団体の集まりであるダボス会議は「グレートリセット」を提言し、新自由主義を廃棄し、株主資本主義をステークホルダー資本主義＝公益資本主義に変革する必要を提言した。しかし、この「新しい資本主義」の提案は実現しないいま、次の三大危機が世界を震撼させている。

第一は気候危機である。三〇年前の国連環境開発会議で採択された気候変動枠組み条約に基づき、ＩＰＣＣ（気候変動に関する政府間パネル）が二〇一四年、温暖化は人間の社会活動による可能性が極めて高いとして、二〇五〇年までに産業革命以来の温度上昇を一・五度にとどめなければ重大な自然災害などの危機に陥ることを表明した。これを受けて二〇一五年にパリ協定が結ばれ、化石燃料廃止などのエネルギー革命が始まった。これは無限の経済成長を目指した資本主義体制の根底を揺るがすような変革を要求している。

第二は二〇一九年末に始まった新型コロナによるパンデミックである。これも人間活動の自然資源略奪による生態系の破壊が基本的原因といってよい。六億人の感染者、死者約七〇〇万人の犠牲を出し、完全な終息を見ていない。この衝撃によって、これまで経済力の集積を動力として大都市化を進めてきた資本主義の国土利用は転換をしなければならないだろう。さらに新自由主義で弱体化した教育・福祉（介護・保育）、医療などのエッセンシャル事業の欠陥が明らかになり、これまでの産業構造の転換が必要となった。

第三は二〇二二年に始まった国連憲章違反のウクライナ戦争である。NATO（北大西洋条約機構）と日本がウクライナ政府を全面的に支持し、ウクライナに対し武器援助をするとともに、ロシアに経済規制をした。このため核による世界戦争へ発展する重大な危機が続いている。さらにこの経済制裁によって、エネルギーと食料などの不足が始まり、温暖化政策は修正を余儀なくされている。二〇一五年のパリ協定による石炭など化石燃料の廃止は先送りとなり、原発の再生が進むこととなった。

このような世界危機は日本の政治経済に大きな影響をもたらした。この三〇年の間に日本は新自由主義とアメリカの圧力のために、経済的な発展がストップし、産業技術は相対的に衰退し、非正規雇用の増大など新しい貧困に悩まされてきた。アベノミクスはこの慢性的デフレ状態の改善を計画し、円高による輸出産業の景気回復を図り、株式の買い入れや国債の半分を日銀に引き受けさせるという異常な金融財政政策をとった。このため株価は上昇し、輸出産業の景気は維持されたが、企業は賃上げや設備投資を怠り、経済は停滞を続けた。この中央銀行を政府に従属させる異常な財政政策は、GDPの二倍に達する赤字国債を抱えるに至った。日本の三〇年にわたる経済の沈滞を生む原因は新自由主義と新保守主義の結果であるが、一九八〇年代後半のアメリカの半導体・自動車の規制さらにバブル崩壊以後の公共事業の強制など、日米同盟の悪影響があったことを忘れてはならない。

岸田内閣は「新しい資本主義」を政権の旗印に掲げたが、その政策はアベノミクスを是正するのでなく、むしろウクライナ戦争を利用して、アメリカの対中国敵視政策を進める先兵の役割を始めた。二〇二二年暮れに安保三文書を発表した。これは憲法の恒久平和主義を完全に否定し、四三兆円規模の大軍拡をし、アメリカの中国敵視政策に同盟し敵基地（中国基地）攻撃能力保持を決めた。

さらに岸田内閣は公約を裏切るようなGX（グリーン・トランスフォーメーション）を制定した。それは原発の操業期間を六〇年以上に伸ばして、ベースロード電源として再開し、新原発の開発や核燃料循環方式を開発する。水素・アンモニアの導入で、石炭など化石燃料を維持するとした。これは化石燃料・原子力燃料全廃、再生エネルギー一〇〇％で温暖化防止を計画するGR（グリーンリカバリー）の環境保全路線に真っ向から対立する。政府のGX路線は温暖化防止に名を借りた経済成長路線である。果たして老朽原発再開や核燃料サイクルの推進、水素・アンモニア火力の技術開発が計画通り進むのか、パリ協定の実現は可能かなど疑問である。大軍拡やGXによる温暖化対策など自民党岸田内閣の「新しい資本主義」政策は、軍拡によって台湾有事による沖縄戦の再来さらには中国戦争の危険、財政破綻による亡国経済の道に歩む危険がある。またGXは温暖化による災害だけでなく、南海トラフ・首都直下地震の可能性が高い状況で、大災害の原因を作る可能性も指摘しておかねばならない。

私が最悪の危機の時代に入るのではないかと懸念するのは、この状況に対して、マスメディアの批判が弱く、国民がまだ危機を自覚していないことである。世論調査では政府の安保政策に五〇％を超える賛成があり、日米安保条約に賛成が八〇％である。また原発政策の再開は、エネルギー価格の上昇もあって、半数に近い賛成を得ている。戦前の滝川事件では学生の反対運動が起こったが、日本学術会議会員六名の任命拒否に対する学生運動は起こっていない。戦争国家の犠牲になるのは青少年であり、学生である。この状況を変えるにはどうするか。

## 2. 維持可能な社会を求めて

現在の危機の中でまず進めなければならないのは、ウクライナ戦争を停戦し、ロシアは撤兵し、ウクライナ＝ＮＡＴＯとの間に平和条約を結ぶことである。そして台湾有事を起こさないようにし、沖縄戦を防止することである。ウクライナ戦争を見れば戦争は最大の人間と環境の破壊であり、一旦戦火を開けば停戦がいかに難しいかを示した。この事態を見ればアメリカに従い、歴史的教訓を忘れて中国との緊張関係を悪化させ、軍拡に走ることをやめなければならないことは明らかである。日中間の正常な経済文化の交流を続けることに全力を続けるべきであろう。

ここでは温暖化問題と今後の資本主義の行方について述べたい。

最近の国際情勢で未来を感じさせる二つの重大な動きがあった。第一は国連総会で二〇一七年七月、核兵器禁止条約が一二二か国の賛成で承認され、批准は五〇か国を超えて、二〇二一年一月発効し、核廃絶の第一歩が踏み出された。第二は二〇二二年七月に国連総会において環境権を確立する決議が一六一か国の賛成、反対なし、棄権八か国で承認された。これは温暖化防止のパリ条約を後押しするだけでなく生物多様性など環境破壊を防止する画期的な決議である。この新しい動きの中で重要なのは、二つの決議は欧米でなく、いわゆる途上国といわれてきたアジアや中南米、アフリカなどが主導権を握り始めたということである。アメリカの覇権は明らかに衰退した。中国だけでなく、インド、インドネシアなどの東アジア、メキシコ、ブラジル、チリなどの中南米などが国際政治の主導権を持つ時代の入り口に立った。したがってこれからの温暖化防止やSDGs（持続可能な開発目標）は新興国の動向で決まるといってよい。

では日本資本主義の危機はどうなるか。二〇二二年六月に発表された岸田内閣の「新しい資本主義」の実行計画はダボス会議の決議に比べても新しいどころか、新自由主義に逆戻りをしている。金融所得税・法人税課税や社会政策による格差是正の政策はない。イノベーションによる供給改善のために半導体、EV（電気自動車）、水素・アンモニアなど新エネルギーの開発のための企業援助や金持ちの財産の倍増が中心である。軍拡と武器輸出による景気回復策は死の商人の利益になるが生活の改善にはならない。このままで軍拡をすれば、財政危機から大増税か破滅的なインフレになるかであろう。

ウクライナ戦争の行方のいかんにかかわらず、資本主義の危機と温暖化による環境と社会の危機は進行している。先述のようにダボス会議ですら、いまの体制の危機を表明しているように、体制の改革と変革は避けがたい。岸田内閣温暖化政策のGXは炭素税の施行をあとに回し、原発の再開・新設、アンモニア・水素活用などの技術開発を内容とし、これではパリ協定を履行できないであろう。

ところで最近の著作を見れば、国内の知識人は共通して危機意識を持ち、体制の改革を主張している。たとえば優れた日本経済の分析『成長の臨界』（慶應義塾大学出版会、二〇二二年）の著者河野龍太郎によれば、日本経済は特に財政金融の失政によって危機の臨界に来ていることを明らかにしている。彼はこの臨界を脱するには政府の財政に依存できず、公としてのコミュニティに未来を託している。このコミュニティの具体的な内容や政策は明らかではないが、民営化などの自由主義路線も、ケインズ主義的福祉国家路線にも未来がないというのである。広井良典は『科学と資本主義の未来』（東洋経済新報社、二〇二三年）において、科学技術とそれと両輪をなす資本主義は、いずれも生産性上昇、経済成長で、その時代はおわっており、これからは定常型の経済、GNPの上昇でなくウェルビーイング（幸福）という尺度で測る「持続可能な福祉社会」を目指すべきだとしている。ここでも温暖化対策はコミュニティ中心の地域分散型が求められている。

地球危機から体制変革を求める主張はピケティやナオミ・クラインなど多くの論者に見られるが、日本では斎藤幸平の『人新世の「資本論」』（集英社新書、二〇二〇年）などが典型であろう。斎藤の理論はこれまでの唯物史観ではなく、マルクスが資本論の最後に用意していたのは、無限成長の資本主義の環境破壊だというのである。このままでは資本主義に未来はないのであって、これを救うのは共同体による再生である。現代においても、バルセロナやアムステルダムなどのミュニシパリズムが地球環境危機を救う例としている。このミュニシパリズムは最近評判の杉並区長岸本聡子が『地域主権という希望』（大月書店、二〇二三年）でも紹介している。ここでは紹介をこれ以上しないが、現代の危機を打開する論者は、共通して、国家ではなく、コミュニティ、コモン、自治体を変革の主体としていることである。「国家と革命」でなく、自治体改革あるいはパリコンミューンのような革命を求めていることである。これは温暖化対策という地球環境危機対策にも共通する。

再生エネルギー一〇〇％によって地球温暖化を解決する提案、たとえば大島堅一、明日香壽川のGRあるいはGN（グリーンニューディール）は、九電力中心の中央集権・独占型でなく地域分散型の供給、再生エネルギーと食料中心の地域循環型経済を求めるものである。これは体制改革・変革を求める理論家の未来像と共通している。これに対して政府のGXは九電力独占による中央集権型原料輸入の貿易中心の対策である。

これで明らかなようにこの重大な危機を打開する未来路線が明確に対立している。現状維持の独占資本と政府の複合した企業国家の外来型開発路線か、住民の民主的自治を主体にした維持可能な内発型開発の路線かである。このいずれが主導権を握るかによって、日本の未来を決めることになろう。この維持可能な内発的発展に向かって、市民は主体的に行動を起こすであろうか。

# 第1部　マルクスと環境

## 歴史を学び、現場へ行く

大転換の時代。気候危機、コロナ・パンデミック（世界的大流行）、ロシア・ウクライナ戦争が人類、地球の存在そのものを脅かす。現代社会を揺るがす問題の根底にあるのが、際限ない成長を求める現代資本主義の矛盾にほかならない。制御できるのか、どう乗り越え、どんな未来社会を描くのか。「歴史を学び、現場へ行く」をテーマに鍛え上げてきた宮本経済学の視座がいま光を放つ。

本章に収録したのは、経済思想家で東京大准教授の斎藤幸平氏との対談「人新世の環境学へ」と、講演「環境経済学の方法論と課題」（二〇二一年七月一〇日、中部大学）、「なぜいまカール・マルクスなのか」（二〇二一年九月二四日、国家経済研究会）である。

# 第1章　人新世の環境学へ

## 対談 斎藤幸平×宮本憲一

マルクス研究を軸に脱成長を唱えたベストセラー『人新世の「資本論」』で脚光を浴びた斎藤幸平さん。マルクスの晩年の草稿を精査し、思索のテーマが資本と環境の関係に及んでいたことを解明。経済学批判がエコロジーで完結することを明らかにした。マルクス再評価の鍵となる概念が「コモン」(共有の意)だ。生産手段の共有や地域内の資源循環、定常型経済、社会的平等など。資本主義によって解体されたコモンズの再生と管理——というメッセージだ。

一方、長年、公害問題を研究し、社会資本・都市・国家・環境の「共同社会的条件」の政治経済学を確立したのが宮本憲一さんだ。社会資本・都市・国家・環境について従来の経済学は外部性として経済現象——市場過程の外部に置いていた。この共同社会的条件は経済を維持しているにもかかわらず資本主義経済はこの条件を無視したり破壊したりすることで数々の問題を引き起こし、結果、危機に陥る。「容器の経済学」と呼ばれる宮本経済学の核心部分だ。新進気鋭とベテランの経済学者の対談は白熱した。

## グリーンリカバリーか、脱成長か

**宮本**　イギリスのグラスゴーで開催された第二六回国連気候変動枠組み条約締約国会議（ＣＯＰ26）では、産業革命前からの気温上昇を一・五度に抑える努力を追及するとした合意文書が採択されました。この一・五度問題とコロナのパンデミックは、ある意味で、地球の未来についての転換を示す出来事で、資本主義にとっては二つの危機といってもいいかもしれません。政策の変更にとどまらない、体制の危機を一般の市民にも示しているとおもいます。

体制転換の必要性ということでは、ダボス会議でも「グレートリセット」が提言され、株主資本主義から公益資本主義への転換が唱えられました。日本政府も「新しい資本主義」といって新自由主義からの転換を唱えていますが、中身はまあ、いままでと変わらないから実際に転換できるかどうかは分かりません。しかし、どういう資本主義をつくっていくのかがこれからの大きな問題であることは疑いありませんね。同時に、「新しい資本主義」「公益資本主義」などといわれるものでほんとうに地球環境の危機が解決できるのか、という問題が残ると私は考えています。

新しい資本主義でこの危機を乗り越えるのか、もう資本主義は限界にきて別な体制を考えなければならないのか。そういう二つの道があるわけです。別な体制というのは、欧米でいわれているエコロジカル社会主義のような、新しい社会主義ですね。

温暖化問題にも二つの流れがあるようです。一・五度問題を解決するための政策としてグリーンリカバリーが示されていますが、ひとつは、日本政府のように科学技術で解決する、つまり、石炭火力も原発も維持しながら科学技術で新しい経済成長を切り開こうという路線。もうひとつは、石炭火力も原発もなくす、技術開発に頼らず自然エネルギーを中心にグリーンリカバリーをしようという路線です。グリーンリカバリーの二つの流れに対して、いずれも経済成長路線の継続で問題の解決にはならない、と批判しているのが斎藤幸平さんですね。

ともあれ、資本主義を継続しつつ今の状況を打開するか、あるいは、資本主義そのものに限界がきたので新しい体制への模索をはじめていくか。これが直面している課題ではないかとおもいます。資本主義の歴史を振り返れば、戦争や大恐慌から体制が危機に陥ると、体制選択の問題が出てくるということが分かります。一九二九年の世界恐慌後は福祉国家へ、一九七〇年代の石油ショック危機後は福祉国家路線から新自由主義へ、という転換が起きました。

今回は戦争でも恐慌でもなく、地球環境の問題から資本主義の体制が問われています。コロナのパンデミックも地球環境問題に原因があるといってもいいわけですからね。私にとっては生涯最後の時期に、

**斎藤幸平**（さいとう・こうへい）　一九八七年東京生まれ。東京大学中退、米ウェズリアン大学卒業後、渡独。ベルリン自由大学哲学科修士課程、フンボルト大学哲学科博士課程修了。二〇一八年、マルクス研究の最高峰、ドイッチャー記念賞を日本人初、史上最年少で受賞。大阪市立大学准教授を経て東京大学准教授。著書に『大洪水の前に――マルクスと惑星の物質代謝』（堀之内出版、二〇一九年）、『マルクス解体　プロメテウスの夢とその先』（講談社、二〇二三年）など。

人類の歴史にたいへん大きな意味をもつ局面に遭遇しているとおもっています。

**斎藤**　私が『人新世の「資本論」』で脱成長をいいはじめたのは、まさに宮本先生が指摘されたとおり、気候変動危機をグリーンリカバリーが目指す「緑の資本主義」「緑の経済成長」で克服できるのかという疑念からです。たしかに、再生エネルギー、ＥＶ、ＤＸ（デジタル・トランスフォーメーション）といった緑の近代化を推し進めることで、資本主義に若干の修正を施して脱炭素化を目指すほうが現実的だという議論が支配的です。なぜなら環境を犠牲にしない経済成長が可能であれば、企業も気候変動対策に積極的に取り組むし、「成長と分配」によって、階級闘争を迂回して、一丸となってある種のシステムチェンジを実現する可能性が開けるからです。

けれども、気候危機は緑の近代化では克服できないと私が考える第一の理由は、タイムリミットの問題です。ＣＯＰ26で掲げられた各国の二〇三〇年時点の目標がすべて達成されたとしても、二一世紀末までに気温は二・四度上昇してしまいます。この約束は実現されるかも分かりませんし、仮に実現したとしても、二・四度という温度は、島国を中心とした途上国にとっては死刑宣告にほかなりません。にもかかわらず、先進国が一・五度目標に整合的な削減目標を掲げられないのは、短期間での大胆な排出削減が経済成長と両立できないからにほかなりません。この矛盾は、ＥＵが原発と天然ガスを「グリーンエネルギー」とみなすという妥協的判断にも表れています。

さらに、タイムリミット問題とは別に、現在の経済成長を優先した浪費的ライフスタイルを維持したままエネルギー転換しようとすれば、例えば石油や石炭を使わなくなってもＥＶ製造のために銅、ニッケル、リチウムをふんだんに使うとか、牛肉生産のために森林伐採をするという形で結局、途上国からの資源収奪が必要となります。私が唱えている脱成長とは、より持続可能なだけでなく、公正で平等な世界へ移行するために、先進国が途上国からの掠奪をやめ、経済をスケールダウンさせていくものです。

それは別にあらゆるものを我慢するという意味ではなく、過剰なもの、例えば、ファスト・ファッション、ファスト・フード、二四時間営業のコンビニ、大型のＳＵＶ車などを手放していくことから始めることができるでしょう。それに合わせて、労働時間の短縮や再分配による社会的平等を担保できれば、脱成長でも必ずしも幸福度は低下しません。

脱成長の発想は以前からありますが、旧来の脱成長派の問題は、あたかも資本主義の特徴である市場経済や私的所有に手を付けることなく、脱成長が可能であるかのような議論を展開していることです。古くはジョン・スチュアート・ミルがそうでしたし、日本では宇沢弘文が類似した主張をしています。ミルは資本主義が発展していけば利潤率が低下し、いつかは定常状態になるとしていますが、それは楽観的すぎる。なぜなら、資本主義はどうしても成長を重視するから、結局、もっと商品をつくろう、もっと消費をしよう、とならざるをえないからです。その過程で、労働者の搾取や自然からの掠奪は強まっていくとマルクスなら言ったでしょう。

一方、「成長しない」という選択をすれば、いまある富をより多くの人とシェアせざるをえなくなります。私は、社会的に人々に共有されて管理されるべき富、例えば水や電力、住居、医療、教育などを「コモン」と呼んでいます。コモンを民主主義的に管理していくような自治の取り組みを通じて、みんながコモンにアクセスできるようになれば、低賃金、長時間の労働を強いられることもなくなるし、住宅ローンを背負っていつ仕事を失うか不安を抱えながら競争しつづける必要もなくなります。社会におけるコモンの比重が大きくなれば、より分散的で参加型の社会になり、ソーシャルビジネスや協同組合が多く参入することで企業のあり方も変わってきます。私はそのような社会を「脱成長型のコミュニズム」と表現したわけです。

## SDGsが生まれた背景

**宮本**　国連が掲げるSDGsについて、斎藤さんは「SDGsはまさに現代版『大衆のアヘン』である」と批判していますね。そもそもSDGsがどのような背景から生まれたか、私の体験も交えて話してみたいとおもいます。

人類が地球環境の限界を知り、環境保護のために社会をどのように変えなければならないかを討議した最初は、一九七二年にストックホルムで開催された国連人間環境会議でした。ストックホルム会議とも呼ばれたこの会議の本来の主題は、それまでの西欧型近代化に代わる思想や社会のあり方を討議することでした。ところが、いわゆる〝開発途上国〟であるブラジルとインドが「先進国が環境保全のために成長をやめよというのは環境帝国主義だ」と強く反発しました。はじめて途上国が参加した国連の環境会議で、ほんとうは統一見解を出すはずだったのに、「貧困こそが環境問題だ」と途上国に反論されて先進国は困ってしまった。ストックホルム会議でそういうことがあったので、翌年に日本で予定されていた会議が開けなくなったんですよ。

その後、国連の環境会議は二〇年間開けませんでした。そして、一九九二年にブラジルのリオで開催された国連環境開発会議（リオ地球サミット）で、非常に妥協的な「持続可能な発展」という統一的な結論を出すことになりました。

ローマクラブが一九七二年に発表した「成長の限界」というレポートはよく知られています。ストックホルム会議に向けての提言でもあったのですが、じつは当時、都留重人さんをはじめとする公害研究委員会のメンバーは「成長の限界」を批判しました。ローマクラブの「成長の限界」は、化石燃料がなくなるといけないからいかに成長を制御しながら資源を残すか、という考え方だった。

我々は、資源の限界ではなく、地球の限界を問題にしていました。公害研究委員会が実質的な主催者となって一九七〇年に公害や環境の問題を討議する国際会議を東京で開いたのですが、そのときには基本的人権としての「環境権」を提唱してもいました。ですから、ローマクラブの「成長の限界」に対して、「それで地球を維持できるのか」と批判したわけです。

そのとき考えたのが、マハトマ・ガンジーのことでした。ガンジーは、インド独立のときの有名な論文「真の独立への道」で、インドがイギリスと同じような発展をしたら地球がいくつあっても足らないと言っていた。ガンジーといえば糸車をまわす写真が有名ですが、彼は共同体を軸にしながら、自給自足の共同体の連合を独立後のインドの姿として考えていたんですね。だけど結局、インドもイギリスの後を追うことになり、ガンジーの志と違う道を歩みました。インドの国際会議でガンジーの話を持ちだしたことがあるのですが、みんな黙って何も言わなかったですね。

何がいいたいかというと、ほんとうはストックホルム会議で「地球には限界がある」と示されたとき、新しい発展の形態を考察しなければいけなかったんですね。とくに発展途上国が西欧諸国に対して、「こういう発展の仕方がある」と示す必要があったとおもう。西欧型近代化に代わる発展の方法を。ところが、逆に、「貧困こそが環境問題だ」と環境問題を脇に追いやってしまった。回答が出せないうちにチェルノブイリの原発事故などがあって、ブルントラント元ノルウェー首相が座長を務めた国連の「環境と開発に関する世界委員会」は一九八七年にまとめた報告書「我々の共通の未来」で、「Sustainable Development（持続可能な開発）」という非常に妥協的な提言をしたわけです。これを受ける形で一九九二年のリオ地球サミットがあり、二〇一五年に国連で採択される「ＳＤＧｓ」へとつながっていく。「経済」も発展しなきゃならない、「環境」も守らなきゃならない、「社会」も大事だと。どうしたらそんな「持続可能な発展」が実現できるか分からないけれども、一九九二年以来、とにかく「持続可能な発展」が国連の基本方針です。

こうした経緯を振り返ってみると、「持続可能な発展」という方針が、ある意味では、妥協の産物でしかないことが分かるとおもいます。

**斎藤**　仰る通りだと思います。だからこそ、少なくとも欧米では、気候変動をきっかけにシステムチェンジの機運が高まってきています。グレタ・トゥンベリたちZ世代がなぜ声をあげているのか。北欧のグリーン資本主義派でうまくいっているのであれば、全く説明できません。だから、私は彼女たちの主張に「脱成長コミュニズム」の萌芽をみるわけです。もちろん彼女たちはそういう言葉は使いませんが、「システムチェンジ」はたんに電力源を変えろとか交通手段を変えろといったものではなく、資本主義のシステムそのものを変えなくてはいけないという主張ですし、「絶滅への反逆（XR：Extinction Rebellion）」のように明示的に脱成長を掲げる運動も実際にでてきています。

私はドイツにいたので分かるんですけど、ドイツではチェルノブイリのときに始まった反原発の運動の伝統がずっと残っていて、福島の原発事故のときにすごい力となって政府を動かしました。それを主導した世代の人たちが今度は気候変動問題に取り組み、石炭火力をやめようと声を上げると、影響を受けたより若い世代がもっとドラスティックな気候変動対策を求める運動、たとえば「エンデ・ゲレンデ」という採掘場の占拠運動などにつながっています。その際重要なのは、選挙運動やロビイング、企業へのアプローチだけではけっして解決しないので、直接行動を重視する運動が展開されているということです。そこが、日本の現状と大きく違いますよね。

## 公害反対運動はどこへ行ってしまったか

**斎藤**　疑問におもうのは、なぜ日本はそうなっていないのかということです。七〇年代ぐらいまでをみれば、公害問題で日本全国でいろいろな闘争があったし、それが革新自治の運動にも結びついていました。たんに公害をなくすということだけじゃなく、平等や人権をふくめた大きな問題と捉えて、社会を変革していこうという機運が、かつてはあったはずなんですけれども、それがすっかり消えてしまったように見えます。宮本先生は当時からずっと見てこられているわけですが、今後の運動の可能性について、ぜひ教えていただければとおもいます。私自身は、妥協的でないものを日本でも求めたいし、世界の流れにつながっていきたいと考えています。

**宮本**　公害反対運動からの流れが全く途絶えてしまったわけでもないんですよ。革新自治体が崩壊する直前の一九七〇年代後半に政府の環境政策が後退したので、都留重人さんと相談して一九七九年に日本環境会議を立ち上げました。一九七七年に当時の石原慎太郎環境庁長官が、公害問題が深刻だった時期に確立した環境行政をやめ、経済の成長と環境の保全が調和する行政に転換したいと言い出したんですね。要するに経済成長を優先するということですがそれ以降、水俣病の認定基準が変わったり、窒素酸化物の環境基準が三倍緩められたり、大規模な公共事業も再開しました。

その時期に革新自治体も衰退していくわけですが、そうした動きをとめたいと創設した日本環境会議はいまも活動を続けていますし、大阪に本部がある地球市民環境会議（ＣＡＳＡ）は西淀川の公害反対運動などから派生した地球環境保護の運動です。ですから、全くなくなったわけじゃないけれども、かつてと違うのは運動が総合してないということ。かつても公害に反対する運動はたくさんありましたが、それらが総合してひとつの力に統一されていました。いまはバラバラで、そういう意味では斎藤さんが言われるとおり、公害反対運動のときのような力はなくなっていますね。

ぼくはグリーンリカバリーの運動で成功するのは、分権型の自然エネルギーを開発しようと動いている住民運動だとおもいますよ。おそらくその力がないと、二〇三〇年あるいは二〇五〇年のエネルギー削減計画は失敗に終わる。いま期待しているのは分権型自然エネルギーの住民運動で、たとえば飯田市とか長野県にはかなりあります。もちろん長野県だけじゃありませんが、そういう住民運動こそがグリーンリカバリーを成功させるのであって、政府のように技術開発任せではとても間に合わないでしょう。

## 株式会社に変わる経営形態の可能性

**宮本**　気候変動という環境問題から体制の問題が問われているわけですが、そこで重要なポイントになるのが、じつは株式会社です。株式会社は資本を社会化するひとつの企業形態ですね。これがじつは大きな発明で、おかげで資本主義は大規模な投資をし、技術を革新していく方法を得ることができました。

二〇〇八年のリーマンショックを契機とした世界金融危機以降、株式会社は新たな投資対象を探して変質を始めました。例えば、ＥＳＧ（環境・社会・企業統治）投資ですね。環境や社会、ガバナンスの要素を考慮した投資へシフトしようと。けれども、果たして株式会社がそんな簡単に行動原理を転換できるのか。これは公益資本主義とかステークホルダー資本主義が実現可能かという問題でもあります。

元経済同友会代表幹事でいまは東京電力ホールディングスの取締役会長をしている小林喜光さんという経済人がいますね。良識的で哲学的な経済人ともいわれていますが、その小林さんが日本学術会議の機関紙『学術の動向』（二〇二〇年七月号）に「地球と共存する経営」という論文を載せています。彼はそのなかで、社会的な投資、地球環境投資はしなければならないけど、株式会社である以上は収益力八割程度、技術力と環境などへの貢献はそれぞれ一割程度と結論付けている。つまり、優れた経営者でも、株式会社である以上は八割ほどは株主配当や株価上昇を考えないといけないということですね。ですから、ＥＳＧ投資が増えて株式会社の性格がある程度変わっても、限界があるとおもう。公益資本主義とかステークホルダー資本主義といっても、主要企業が株式会社である以上は資本主義の本質は変わらないということです。むしろ、株式会社という企業形態に代わる企業形態が、資本主義のなかで新しくできてくるとすれば、これはまさに「新しい資本主義」になるかもしれない。ただし、そういう社会を資本主義と呼べるのかどうかという問題がでてくるとおもうけれども。

**斎藤**　『資本論』は道徳的な非難ではない、とマルクスは言ってますよね。経営者、資本家がどれだけいい人であっても、資本主義のもとで競争にさらされれば、同じ行動をとらざるをえない。とらなければ自分の会社がつぶれてしまいますからね。

私たちが直面している環境問題の何が一番難しいかというと、不可逆的な変化がどんどん進む事態に突入しているということです。気候変動問題は、これまで何百年間も化石資本主義を支えていた化石燃料をあと数十年間で実質的に全撤廃しないといけないような、きわめて本質的な転換を求めるようになっている。以前は私もそんなことできるはずがないとおもっていました。

ところが、これは『人新世の「資本論」』出版後ですけど、世界中にコロナ感染が広がり、社会を混乱に陥れた。コロナ・パンデミックの負の側面をあげればきりがないですが、他方で、たとえばロックダウン、入国規制、休業命令などこれまでは不可能とみなされていた市場への介入措置が断行されました。国民の命を守るために資本主義に対する規制が行われたわけです。また不十分とはいえ、政府は補償金を出し、生活保障を実現しようとしました。さらに、テレワークで電車がガラガラになったり、渋谷のハチ公前から一気に人がいなくなったり、私たちが本気になれば消費活動、生産活動を一夜にして、劇的に変化させられることが明らかになりました。だとすれば、気候変動問題についても不可能に見えることをできる可能性があるのです。

当然、断固とした対策は、配当や利潤を優先する株式会社、あるいは資本主義の根幹的なロジックと対立します。つまり、階級闘争が求められる。だからこそ、ＳＤＧｓだとかグリーンリカバリーによる成長みたいな話で、私たちの想像力の芽を摘んで、これまで通りの生活を続けさせようとしているわけですね。

でも、そのようなイデオロギーを乗り越えれば、もっと大きな変化を起こすことはできるし、逆にそれくらいやらなければ危機に対処できない。その事実が露わになったことがコロナ危機の大きな教訓ではないでしょうか。コロナ危機でロックダウンをやったなら、化石燃料を多く使う産業に同じようにシャットダウンをやるべきではないか。そういうＸＲのロジックも成り立つわけですね。

**宮本**　私は「共同社会的条件の政治経済学」を提唱して、じつは、ひとつだけやり残したことがあるんです。人類社会が将来的にどういう経済組織をつくり、かつそれが新しい社会のなかで株式会社に代わってどういう形態をとりうるのか。それを書きたいとおもっていたのですが、体力的にも時間切れですね。資本主義がグローバル化してここまで長く続いたのは、株式会社のおかげです。だけど、株式会社という企業形態をそのままにして公益資本主義は達成できないとおもう。「新しい社会主義」が生まれるためには、株式会社に代わる優れた経営の形態を生みださなければならないんじゃないでしょうか。

## カール・マルクスが注目される理由

**宮本**　私は、市場機構を対象とする従来の市場経済学ではなく、人類を支えている環境も含めた、より広い〝共同社会〟を対象にした政治経済学を基礎にしなければならないと考え、「共同社会的条件の政治経済学」をつくってきました。公害が契機になったのですが、その経緯を少しお話したいとおもいます。

私が三〇代のとき、一九六〇年代に日本は高度成長に入り、全国で国土開発が進められました。重化学工業地域と農業地域に分業化して、地域間を高速鉄道・道路や高速通信網で結んでいく。まず重化学工業化の拠点を開発するので、「拠点開発」と呼んでいました。その中心に社会資本の問題があったんですね。ここでいう社会資本は物的なものが中心で、道路、ダム、港湾、飛行場、あるいは住宅、学校、福祉、医療などを充実させて、重化学工業化と大都市化を急速に進めたのが日本の戦後復興でした。

私は、高度成長の中心的な問題は社会資本充実政策にあると捉えました。この高度成長政策の過程で、かつてない社会的な災害や環境の破壊が起こっていたからです。私が最初に調査したのは「東洋最大のコンビナート」と呼ばれた四日市コンビナートで、「しのびよる公害」(『世界』一九六二年一一月号)は社会科学者が著したはじめての本格的な公害の論文となりました。これを読んだ都留重人さんが私に声をかけたのがきっかけとなり、翌年には学際的な研究グループ「公害研究委員会」が創設されました。

公害の調査は、私の経済学の転機となりました。公害で死んだり苦しんだりしている人たちの取り返しのつかない損失、埋め立てられて二度と元に戻らない海岸、そういう負の側面を評価できない経済学は経済学たりえないのではないか。GNPのような市場計算による国富計算には基本的な間違いがある、と確信したのです。公害の調査で腹が立っていまして、怒りが原動力となりましたね。この頃の話は『世界』二〇二一年四月号(「いま私たちは何をなすべきか」)で話したので詳細は割愛しますが、庄司光教授との共著『恐るべき公害』(岩波新書、一九六四年)は『人新世の「資本論」』のようなベストセラーだったんですよ(笑)。

公害の研究を始めた際、背後に社会資本充実政策があると分かっていましたから、それを理論化してみたいと考えました。問題になったのが「社会資本」の定義です。マルクスの『資本論』に「社会資本」という言葉はでてくるけれども、「総資本」のことで社会資本の定義には使えません。『経済学批判要綱』

を読み直していたら、道路や鉄道に触れた箇所があって、「こういうものは共同社会的条件だ」とマルクスは書いていた。これに非常に示唆を受けましたね。つまり、資本の循環に入らないけれども、共同社会を維持するためにどうしても必要なものがある。資本主義が高度に発達するとその一部、たとえば都市計画などを民間企業がやるようになるかもしれない、ということまでマルクスは言及していました。

社会資本を共同体の基礎的な条件と捉えれば、「形態」いいかえれば体制論から始める必然性はありません。当時は「質料」と書きましたが、「質料」あるいは「素材」から入ればいいじゃないかと。素材面から分析するというのは、資本主義という体制面の問題はさしあたり脇に置くということです。例えば古代ローマでも、街道や上下水道があってはじめて都市が維持される。共同体が成立しているかぎり、体制には関わらず社会資本が基礎的条件としてあるわけです。それで、「社会資本は歴史貫通的な概念だ」として叙述をはじめました。このように踏み切るときには食事ものどを通らないほどでした。

じつは、社会資本の問題がいかに重要かを最初に私に悟らせたのはマルクスではなく、制度学派のジョン・モーリス・クラークや開発経済学のアルバート・ハーシュマンでした。公害論を理論的にまとめる際は、ウィリアム・カップの社会的費用論に示唆を受けています。『社会資本論』(有斐閣、一九六七年)では、不変資本充用上の節約というマルクスの概念とカップの社会的費用をくっつける形で、社会的費用としての公害論を著しました。

マルクスが暗示したように、社会資本は利益も生みだすということで、資本主義では民間が経営する場合もでてくる。例えば、エネルギーとか鉄道とかですね。ただし、社会資本には公共性があるので、民間経営でも公共料金制などさまざまな規制を受ける。そういうことを『社会資本論』で明らかにしたわけですが、日本の場合、社会資本の建設や経営を支えたのが公共事業や財政投融資だったので、政府の公共事業そのものが公害を引き起こす原因ともなりました。

近代経済学は、公害の問題は外部不経済の問題だから分配論に入らないと考えるんですね。しかし、それは間違いで、明らかに分配の問題です。公害や災害でもっとも被害を受けるのは貧しい人たちで、公的な救済がなければ死ぬわけですから。さらに重要なのは、公害が不可逆的で絶対的な損失を引き起こすということです。人間が死ねば民事的な補償はあるかもしれませんが、生命は戻りません。環境の破壊も、例えば海岸を埋めたてれば元には戻せないので絶対的損失です。要するに、分配論で救済を考えないといけない問題と、それだけでは済まない絶対的損失の問題がある。だから、被害が起きた後の補償ではなく、事前に予防することが第一となる。それが私の公害論の核心でした。

ところが、『社会資本論』を出版した際、一部のマルクス原理主義者から批判されましてね。「素材」から入る、つまり使用価値から議論を始めるのが気にくわないんですね。「資本でないものを資本と呼んでる」「制度学派で説明するのはおかしい」などと批判されました。でも、財政学者からは評価されて、『社会資本論』が版を重ねるうちにマルクス経済学者も認めるようになってくれたんですけども。

私は社会資本を、マルクスの再生産表式からヒントを得て、社会的生産手段と社会的消費手段（社会的生活手段）に分けました。資本主義では、社会的生産手段が資本の再生産の基礎条件となり、社会的消費手段は労働者（市民）の生活の基礎条件となる。その後の歴史で非常に重要な意味をもってきたのは、むしろ社会的生活手段のほうでしたね。高度経済成長期には社会的生産手段がどんどんつくられる一方、社会的生活手段は立ち遅れました。だから、公害をはじめ満員電車や交通渋滞など都市問題が深刻化した。資本主義のもとでの高度成長においては、必ず社会的生活手段が立ち遅れることを『社会資本論』では日本はじめ各国の例で示しました。政策論として、「資本主義の限界」を示したことになるかともいます。

その後、都市化の問題を考えるなかで、都市的な生活様式の重要性に気づきました。都市の住民の中心は労働者ですが、農村のような自給自足的な生活ではないので商品の消費者にならざるをえません。地価が高いので狭い共同住宅で集住生活をして、上下水道や清掃施設などの社会的生活手段も必要になります。一方で、農村の都市化は都市的生活様式を共有することですから、農村の経済的な疲弊を招くことになります。そういう形で、都市化を都市的生活様式の普及で説明する都市経済論を展開しました。

生産様式より生活様式に理論の活路を求めたわけですが、そのとき重要な示唆を受けたのが『資本論』第一巻第二三章の「資本制蓄積の一般的法則」でした。ここでマルクスは、「労働者の貧困は職場外の貧困だ」と語っています。職場の貧困は当然として、マルクスが非常に重視したのが職場外の貧困でした。マルクスが資本論を著していたのは、工場法ができ、労働日の問題とか国家の介入がでてくる時期です。労働者の住宅問題や環境問題が政府の公衆衛生報告にもでてきて、これをマルクスはふんだんに引用しています。マルクスは、労働者の貧困を賃金問題や労働時間の問題だけではなく、住宅問題や公害問題としてもとらえているのです。さらに彼は、労働者は衛生教育を受けていないので不潔な住居や腐敗した飲料水などはストライキの誘因にしないということも引用しています。

私は『地域開発はこれでよいか』（岩波新書、一九七三年）で、公害・環境破壊や社会的生活手段の貧困は福祉国家でも社会主義国家でも解決していない現代的貧困だと述べ、労働運動だけでは解決しないとも指摘しました。労働運動と市民運動の両輪がないと解決できないという結論に対して、都留重人さんから「市民運動を労働運動と同格に扱って大丈夫か？」と脅かされ、実際に自治労幹部には「宮本さんは市民主義だ」と批判されました。ですが、マルクスが指摘したとおり職場の問題と職場外の問題があるから、社会運動は労働運動と市民運動の両輪で進んでいかないと資本主義の問題は解決できない。それが私の考え方なのです。

少し長くなりましたが、「共同社会的条件の政治経済学」の端緒をお話ししました。

## 気候変動問題と体制問題

**斎藤**　私はややもすると訓詁学的とみられる研究をしてきました。マルクスの未刊行の資料をアーカイブで掘り起こし、これまで見逃されてきたエコロジーの視点がマルクスにあることを明らかにしようとしたわけです。マルクス研究者からは高く評価された一方、マルクスの思想にそれほど興味のない人には、『大洪水の前に』は「正しいマルクスの解釈」にとどまっていると受け止められました。いや、そうじゃないんですよということで書いたのが『人新世の「資本論」』です。つまり、マルクスの体制論とエコロジーの問題を結びつけて読み解くことが、現代の環境問題を論じる際に役立つことを明確にしたくて、「脱成長コミュニズム」の議論を展開したのです。

マルクスのエコロジー思想を読み解く際、宮本先生が公害問題に取り組んだときに鍵となった「素材」の概念がきわめて重要なんですね。「素材」と「形態」の両面を考慮するのがマルクス独自の方法だからです。「価値」や「資本」といった「形態」は担い手となる素材なしでは存在しないので、「素材（Stoff）」あるいは「質料（Materie）」とペアで論じられるわけです。例えば、価値や資本が増殖する過程では、自然環境を含めてさまざまな「素材」が必要です。しかし、資本は「素材」の限界を考慮しないので、最終的には「形態」つまり体制に矛盾があらわれてくる。宮本先生が話されたように、マルクスは住宅の問題や公害に言及していますが、資本主義の矛盾を論じる際に重要なことは労働者の搾取の話だけではないということです。私は留学していたので、この視点に辿り着くまでに、いろいろな資料を読んだりして回り道をしたのですが、半世紀前から宮本先生が見事に定式化されていたわけですよね。

実際、「素材」から入れば、宮本先生が『社会資本論』で論じたような話に自然に広がっていく。しかしこれまで、先生のような少数の例外を除き、マルクス研究者たちはマルクスのエコロジカルな視点を見逃してきました。なぜかというと、マルクスの「物質代謝（Stoffwechsel）」という概念を軽視したためです。私は「物質代謝」という概念に強い関心をもち、「素材」の概念に注目するようになりました。きっかけは平子友長さんや佐々木隆治さんのマルクス研究なのですが、都留重人さんの研究からも大きな影響を受けました。事実、都留さんは『公害の政治経済学』（岩波書店、一九七二年）で、マルクスのアプローチが「素材」と「形態」の矛盾に着目していることを定式化して、環境経済学のうちにマルクスの洞察を取り込んでいます。宮本先生も都留さんも、主流派のマルクス主義者に対するアンチテーゼというか、「あなたたちはここを見ていない」という批判的なアプローチで、それが私の視野を大きく拡げてくれました。

宮本先生はさきほど、公害を研究するときに「形態」つまり体制論からではなく、「素材」の分析から入ったと話されました。たしかに、かつての公害問題はいわゆる「社会主義」体制で解決する問題ではなかったし、実際にソ連や東欧でも公害が起きていました。なぜかと言えば、生産力の上昇というのは、素材次元の変容であり、「社会主義」と呼ばれる体制になったところで、むやみやたらに経済成長を求めれば、環境破壊が起きるのは当然のことだからです。にもかかわらずマルクス主義は、技術革新によって生産力を上げ、経済成長をする必要性を疑わず、社会主義になれば緑の経済成長が可能になるかのような幻想に陥ってきました。その認識を改め、脱成長という理念を受け入れられるかどうか。そこに、左派が資本主義と異なる未来社会のあり方を提起できるかどうかがかかっています。

なぜ、ソ連が崩壊したにもかかわらず、二一世紀に資本主義と違う社会システムを構想しなければならないかといえば、気候変動問題はかつての公害問題とはスケールの違う大きな問題だからです。技術開発で汚染物質は除去できるかもしれませんが、化石燃料のような資本主義にとってきわめて本質的なものは、生産活動の根幹にある以上、そう簡単にはなくせない。マルクスのいう「本源的蓄積」は、生産手段を持たないプロレタリアートの創出だけでなく、油井やパイプラインの建設によって大量の化石燃料を独占的に採掘する過程にまで拡張すべきでしょう。「化石資本」という形での「形態」と「素材」の癒着は非常に強固であり、両者を切り離さそうとすれば、資本主義そのものに挑まざるを得なくなるはずです。なので、気候変動問題における「素材」と「形態」の関係は、エコソーシャリズム的な視点、「最終的には体制を変える必要がある」という視点をどこまで強く出すかが焦点になるはずです。

この点、体制の問題について宮本先生はどのようにお考えでしょうか。分かりやすくいえば、グリーン資本主義で対処できるのか、それともエコロジカル社会主義へと体制転換しないと解決できないのか。ぜひ先生のお考えを教えていただきたいとおもいます。

**宮本**　ぼくの経済学の大きな枠組み、あるいは、思想というか、それはやっぱり社会主義的な思想なんですよ。

**斎藤**　宮本先生が社会主義の立場だと分かって、それだけで私はもう満足しています。

**宮本**　資本主義では気候変動という環境問題は解決できない。骨組みとしては「新しい社会主義が必要だ」ということなのですが、ただし、現状を分析するときは思想だけではだめで、現場へ行きデータを見て、災害の問題であれば被害者、加害者、公共機関を調べないといけない。徹底した調査に基づいて理論をつくらないといけないわけですが、その場合に必ずしも従来のマルクス経済学や社会主義の理論だけでは解けません。ぼくが最初に公害にぶつかったとき、さきほど話したように制度学派の理論を使いました。経済学は人間の行動が大きな比重を占める社会を対象とするので、自然科学とは異なります。ひとつの思想や理論だけで資本主義の基本的な問題を解決しようとしても限界があります。

「新しい社会主義をつくる」という骨組みを持ったうえで、しかし、問題を分析する道具はマルクスだけにこだわらない。ぼくはそういう考え方です。誰から習ったかというと、都留重人さんですよ。都留さんは完璧に資本論を読み込み理解している人でしたが、問題を分析するときにはじつにうまく他人の、マルクスではない理論を使うんですよ。次々と道具を取り出してくるから「都留さんのおもちゃ箱」とぼくはいってたんだけど。

「経済学批判への序説」(『マルクス＝エンゲルス全集』一三巻、大月書店六一五頁)のマルクスのプランの中では「国家の形態でのブルジョア社会の総括」として財政が分析される予定になっていたが、実現しませんでした。だから、我々財政学者は資本主義批判のうえに立ちながらも、ある意味で自由に、財政制度や現実の財政を見ながら財政学をつくれた。完璧なマルクス経済学があるわけではないんですよ。

いま人類は非常に重大な分岐点に来ていますが、「新しい社会主義」を選ぶとするなら、相当いろんな途中経過が必要になりますね。たとえば、グローバルな社会主義を実現するには、福祉国家の延長線上にある今の社会保障や社会制度ではうまくいかない。マルクスの『ゴータ綱領批判』は共産主義とその第一段階としての社会主義についてのべた古典です。また示唆的ですが、市民社会を総括する権力の内容を書いていいます。この論文が社会主義についての基本的な理論とされていますが、生産手段の社会的所有など具体的な制度や形態については問題が残っています。社会主義国家の在り方についても、民主主義や人権を基礎にした現代資本主義国家の公共的側面の継承が課題ではないでしょうか(宮本憲一『現代資本主義と国家』岩波書店、一九八一年、参照)。

ソビエト社会主義や中国社会主義がいい反面教師で、生産手段の国家的所有はうまくいかなかったわけでしょう。中国は国有化した土地の利用権の売買が命取りになるんじゃないかという感じもありますけど、そういう失敗を目にしながら、これまでの経験のなかから確信できるもの、平和とくに核戦争の防止、絶対的貧困の克服、地球環境の保全、差別の撤廃、そういうものを土台に、どういう未来社会をつくれるか。SDGsだって問題がたくさんあるわけで、あれを理想というわけにはいかないですよ。

**斎藤**　気候変動問題は「スローバイオレンス」と呼ばれるくらいゆっくり進行するので、日本をふくめ先進国ではとりあえず豊かな暮らしを続けることができて、それがかえって問題の構造を見えにくくしています。けれども、ポイントオブノーリターンを超え、不可逆的で急速な変化が起き始めている可能性があるなかで、ヨーロッパであれだけ運動が盛り上がっていることを考えれば、日本でもできるはずです。そのために必要なのは、オルタナティブは存在するということを信じられるようになるビジョンであり、私は思想家として、そのような大きなビジョンを描きたいと考えてきました。かつてはマルクス主義の理論が良くも悪くも影響力を持ち、労働運動や学生運動が盛り上がりました。大きなビジョンがあってこそ、社会を変えるんだという、実存的な動機ができる。それがなくなってしまったのが一九九〇年以降の三〇年間でした。

でもいま、ようやく変わりつつあります。世界では、トマ・ピケティやナオミ・クラインでさえ、社会主義を掲げるようになっている。とはいえ、日本では、左翼っぽい人たちでさえ、「資本主義が問題だ」と言わなくなってしまっている状況がまだまだ続いていますが。

## 研究者として一市民として

**宮本**　斎藤さんに期待してることがあるんですよ。斎藤さんがいる大阪市立大学（対談当時）は社会政策学者の関一《せきはじめ》（一八七三―一九三五）が大阪市長のときに構想した市立大阪商科大学が前身ですね。当時は市町村が大学を設立することはできなかったので、関市長は政府に法律を改正してもらい、市民の支持を得て全国初の自治体大学をつくった。その伝統が生きていて、ぼくが大阪市大にいるときも校風はとても自由でした。

当時、公害問題を大学の教育に持ち込みたいとおもって、宇井純さんと相談していました。宇井さんは東大で反対されて結局、自主講座を開きましたが、ぼくは大阪市大ならできるとおもった。実際に、理学部の生態学が専門の吉良竜夫さんとぼくが責任者となり、一九七〇年四月に公害問題論の講座を立ち上げました。全学向けの講座として講堂でやったんだけど、たいへん人気がありましてね。学外の人もたくさん聴講に来て、若い人たちに影響を与えることができた。

いま、これだけ地球環境の危機が叫ばれているんだから、斎藤さんもそういうことをやるべきだとおもいますよ。大学の学際的な講義として。いまの大学を見ていると、自分の研究や研究費をいかに守るかばかりで……研究費がどんどん削られるから仕方ないとはいえ、みんな縮こまってますよね。だけど、それじゃだめで、やはり社会が直面している重大な問題にこたえるのが大学ですよ。

**斎藤**　そのとおりだとおもいます。私は運動の現場にも行きたいし、理論の研究もしたいし……時間にかぎりがあるなかで研究者として活動のバランスをどうとるべきか、宮本先生からアドバイスをいただければ。

**宮本**　環境問題はようやく研究が緒についたところでしょう。私が日本で最初となる『環境経済学』(岩波書店)を出版したのが一九八九年で、学会ができたのはそのあとですからね。それぐらい遅れているから、やるなら専念しないと。必要なかぎり住民運動に参加し、助言もしますけど、研究者であるという立場は崩してはいけない。ぼくはそう考えてずっとやってきました。まあ、研究以外あまり能力がなかったというのが本音ですけど(笑)。研究者が社会運動に関わる場合、これは宇井純君によく言ってたんですが、運動家や市民から批判されたときに研究者の立場で反論してはだめだし、逆に、研究者から抗議がきたときに「あなたは運動をやってないじゃないか」と批判してはいけない。運動との関係でいえば、研究者は観測班みたいなものだとおもいますね。運動が対峙している相手の言い分がほんとうに正しいかどうか、それを判断するすぐれた観測班であればいい。

**斎藤**　宮本先生は公害や災害の問題、沖縄の基地問題でも、必ず現場に行くことを重視されていますよね。やはり現場主義が根源にあるということでしょうか。

**宮本**　現場に行くことは絶対に必要ですね。パソコンのキーボードを叩けばある程度情報は入るけど、そういう情報には必ず誤りがありますから。あなたの水俣のルポはすばらしかったですよ（「斎藤幸平の分岐点ニッポン」『毎日新聞』二〇二一年一〇月三日付）。ただ、ひとつ注文をつけるとすると、せっかく水俣に行ったんだから原因企業のチッソの工場（現ＪＮＣ水俣製造所）を訪れるべきでしたね。ぼくならばまず事業所へ行き、残された被害者への償いと水俣の再生のためにどのような事業をしていますか」と聞きます。斎藤さんにはぜひこれからも現場をまわってほしいんだけど、これからは被害者だけでなく、加害者、公共機関、市民運動なども丹念にまわってください。

**斎藤**　宮本先生のお話をうかがうことができて、研究者として一市民として、どういう活動をしていくべきか、たいへん多くの示唆をいただきました。宮本・都留・宇沢がいて、社会運動があった時代を、もう一度日本に取り戻したいと思います。どうもありがとうございました。

＊初出は『世界』「人新世の環境学へ」二〇二二年四月号、六月号。二〇二一年一二月一一日に宮本背広ゼミ研究会で対談。構成＝佐々木実。

# 第2章　環境経済学の方法論と課題

## 1．共同社会的条件の政治経済学

私の政治経済学は、『社会資本論』を原論とし、これまで近代経済学が外部性として分析してこなかった人間社会の共同条件である社会資本、都市、国家、環境を政治経済学の体系の中に組み込む仕事をしてきました。これは従来の市場原理主義経済学への根本的批判にもなるのですが、環境経済学はその到達点です。

「共同社会的条件」という言葉は、「共同社会資産」としてもよろしいのですが、マルクスの『経済学批判要綱』が使っているものですから、こだわって使います。この「共同社会的条件」を学生に分かりやすくするために、比喩的に「容器」と言っています。封建制や資本主義は、この「容器」の中で生成発展する液体のような中身であるといってもいいと思うのです。「容器」というとハードな制度を想像するわけですが、市民自治のようなソフトな条件も含んでいます。

### 社会資本とは何か

『社会資本論』は民間資本から見た外部経済である社会資本の定義と、外部不経済である公害—社会的費用の定義という二つの内容から成っています。この理論の上に立って、この本では、資本主義の発達の中でそれがどのように変化し、政治経済社会問題を生んだのか、どういう改革を提起すべきかを書いたのです。私の経済学の原論です。

社会資本は労働の産物なので、マルクスの『資本論』から出発しようとしたのですが、これに適当な概念がありません。『資本論』の中に「社会資本」という言葉はあるのです。しかし、これは社会総資本を示しているのでありまして、私が一番示唆を受けたのが『経済学批判要綱』で、この中に私とは少し違うのですが、「共同社会的条件」という言葉を使って道路や鉄道の説明をしているところがあります。どうしたことか、マルクスの死後の『資本論』第二巻、第三巻を編集したエンゲルスはこの『資本論』のノートと言ってよい『経済学批判要綱』の大事なところを落としてしまっているのですね。私はもともとマルクス原理主義には反対で、現代経済を『資本論』だけで語ることはできないと思っておりましたので、ほかのこれまでの経済学の成果を入れたいと思い、社会資本を扱っている制度学派、開発経済学の成果を吟味し、この本では参考にしたのです。

「社会資本」は、正式には「社会共通（間接）資本（Social Overhead Capital）」と呼びます。略して「社会資本」と言っているのです。社会資本は国土と地域を形成し、人間共同社会の生活・生産を持続するための基礎条件と言っていいと思います。災害時にはこの社会資本の事を分かりやすく「ライフライン」と言いますが、エネルギー、水、交通、通信、共同住宅、医療、福祉、教育、文化といった現代社会の人間の生存・生活における基本的人権を維持するために不可欠の施設・サービスであり、これを保障することは今日の国民国家の憲法上の基本的義務とされています。

私が方法論の上で最初に苦労したのは、『資本論』の範囲内では価値規定から入るが、社会資本の領域は資本主義の産物ではなく、素材（質料）から入らなければならないということでした。共同社会的条件は人間社会の発生のときから共同体の必須の物的基盤として維持・建設・管理されてきたのです。

例えば、古代ローマを支えたのは、アッピア街道や、壮大なローマの水道や下水処理施設です。人間社会が形成された古代のころから、歴史貫通的に資本主義社会にまで続いている共同社会的条件が今、社会資本と言われているものの内容であると言っていいと思います。

共同社会的条件は政治経済体制を超えて素材（質料）として人間共同社会の必須の条件であるけれども、社会構成体の歴史とともに、その対象・内容や重要性は変化してきました。資本主義の発展の中でも、農業革命、市民革命、産業革命を経て社会資本の内容がどんどん多様化し、大きくなってきたのです。特に一九三〇年代以降、大量生産・流通・消費・廃棄の経済システムが先進国では一般的になり、同時に大都市化が進み、国家の経済的機能が大きくなっていく過程で、共同社会的条件が多様化し、巨大化した。その過程で、部分的に社会資本が経済循環過程の中へどんどん入り込み、資本としての性格が強くなっていきました。この時期から、初期制度学派のジョン・モーリス・クラークの有名な古典、オーバーヘッドコスト論によってOverhead Capitalという言葉が生まれました。

戦後は開発経済学で、途上国の近代化の出発点として、まず社会資本が必要であるとされ、経験的に社会資本の理論整備から始まっていくのです。戦後の日本においても、戦災からの復興、さらに高度成長の原動力となったのは社会資本充実政策でした。しかし社会資本概念が定着したのは、私の『社会資本論』からです。これは戦後経済史を書いている人の共通の見解かと思います。戦後は、大都市圏の重化学工業化、つまりコンビナートと言われるような企業集積をしたことで発展したわけです。巨大な埋め立てによって港湾施設をつくり、高速道路をつくり、電信電話網をつくり、エネルギー施設を整備し、そういう社会資本の先行投資によって高度成長が進められたと考えていいのではないかと思います。同時に、大都市化とともに公的住宅・公園・学校・福祉施設などの社会資本が必要になってきました。

社会資本というのは、機械設備のように短期的に市場で循環するものではありません。長期にわたって活動するのです。場合によっては数世紀でも、あるいはもっと継続する場合もあるのですね。しかも、土地に固着し、輸出困難でもあり、利潤率はゼロあるいは低率です。しかし、企業活動や市民生活には欠くべからざる共同条件なので、市民が平等に、あるいは企業が平等に利用できなければならないものであって、つまり公共性があるのです。資本主義社会では、社会資本は公共事業あるいは市電やバスや水道のような公営企業によって建設・管理・運用されています。一部は民間企業によっても運営されますが、そういう場合には、公共料金としての料金設定や、あるいはその組織そのものが法によって規制されておりまして、さらに、電力や水道など明らかですが、民間であろうともあらゆる市民への供給義務が付与されています。これは公共性があるからです。

このように、エネルギーや交通など、社会資本の中には民間企業が経営する部門もあるのですが、最近の新自由主義のもと、特にリーマンショック以後になりますと、利潤率の低い上下水道や医療・福祉施設に民営化が進んでいます。これにより、例えばフランスでは水道の民営化が問題になっております。また、イギリスでは、サッチャー以降の新自由主義による民営化を規制し、もう一度再公営化しようというような議論がでてきているのです。民営化を極限まで進めようとしてきた資本主義の限界が、最近、社会資本問題で明らかになってきているのではないかと思います。

### 社会的生産手段と社会的生活手段

私は社会資本論を資本主義の一般理論にしたほうがよいと考えて、マルクスの再生産表式を参考に、社会資本を素材面から二部門化してみました。マルクスの場合、再生産表式というのは、市場面からではなくて、素材面から入って生産部門を第一部門、消費部門を第二部門に二部門分割にしています。私もそれにならって、生産用エネルギー、産業道路、港湾、工業用地、工業用水、ダムといったものを「社会的生産手段」とし、生活用エネルギー、街路、共同住宅、生活環境、教育施設、医療施設、福祉施設といったものを「社会的生活（消費）手段」として、これらを「0《ゼロ》部門」ということで表示しました。立命館大学の水口憲人名誉教授が行政の真の任務は0部門だなどという本を書いてくれているように、行政学の人たちが0部門の概念を使ってくれています。まだ数理経済学では展開されていません（**図1**）。

　私は資本主義の再生産には0部門を重視しているのです。この0部門が正常に循環しないと、社会の再生産はストップします。社会的生産手段は、資本の再生産の条件です。その供給が不足しますと、生産・流通は縮小あるいはストップしてしまいます。社会的生活手段は、労働力の再生産の条件です。現代社会の場合、中間層が非常に多くなり、資本対労働者と簡単に区分できませんので、労働力の再生産の条件というよりも、市民の再生産の条件、市民の生命・生活を維持できる条件と言ったほうがいいのではないかと思います。この社会的生活手段が不足すれば、労働力の再生産、さらには市民生活の維持はできません。

　次に社会資本論を発展させた都市経済論や国家経済論へ話を進めるのがいいのですが、都市経済論への発展の重要な点を一つだ

**図1　再生産表式と社会資本（0部門）**

0部門 $\begin{cases} 0_1 = C_{01} + V_{01}\ (+ M_{01}) \\ 0_2 = C_{02} + V_{02}\ (+ M_{02}) \end{cases}$

※（　）内は小さいか、発生しない場合が多い。

Ⅰ部門　$W_1 = C_1 + V_1 + M_1$

Ⅱ部門　$W_2 = C_2 + V_2 + M_2$

$0_1 + 0_2$は$(V_1 + M_1 + V_2 + M_2) = Y$および$M_{01} + M_{02}$を財源とするが、とくに$M_1 + M_2$の大きさに制約される。

出所）宮本憲一『現代資本主義と国家』（岩波書店、1981年、82ページ）

け述べておきます。社会的生活手段は、都市に住む市民にとって生活の核心なのですね。私は都市的生活様式という言葉を使っていますが、経済学にとって、生産様式とともに生活様式の経済学が必要だということを『社会資本論』で強調しています。その後、この問題提起にしたがって、生活様式の経済学という本を書いている方もいるのです。この都市的生活様式は、農村の自給自足生活様式とは異なるのです。つまり、農村の自給自足経済と違って、都市の市民はすべてお金でもって消費物資・サービスを買う商品消費をしているのですね。社会資本の整備されている都市空間は限られていて地価は高い。農村のように広い空間に分散的に一戸建ての家に住むわけにはいかない。都市では、昔から共同で住む長屋があったように、現代ではアパートに住むように集住します。農村では水供給もごみ・し尿の処理も自家処理したのですが、都市の場合、集住した人口に社会的、衛生的に供給・処理されなければなりません。したがって、上下水道の供給が停止したり、清掃事業がストップし、医療・福祉のサービスが不足したりすれば、市民生活は成り立たない。このように社会資本が都市経済の根幹であり、特に都市的生活様式は農村的生活様式と違っているのです。ただし、今の日本は都市的生活様式が全国土に普及し、農村の自立性がなくなっています。この生活様式や文化の画一化のため、農村の若者は社会資本が整備されたくらしやすい都市へ流出し、都市の過密化が進んだのです。

公害の問題は集積の利益を求めた都市化に伴う、産業や交通手段の集積の不利益の典型ですが、そういう集積の不利益と並んで、住宅・上下水道・教育施設・医療衛生施設・福祉施設などの不足・不備という社会的消費の不足が都市問題の中心と言っていいと思います。この都市問題のような生活過程の困難は、労働過程における古典的な貧困と区別されるべきだと思っています。マルクスの『資本論』で一番具体的で現代的なのは、第二三章の資本制蓄積の一般的傾向の章で書いてある労働者の古典的な貧困の叙述ですが、この章ではマルクスは工場法の問題と関係して労働者の住宅問題や衛生問題のような市民の生活過程の困難も書いています。私はこの市民の公害や社会的消費の不足による都市問題を現代的貧困と呼んでおきたいのです。そして、古典的貧困の解決が労働運動なら、現代的貧困の解決は市民運動です。これは少し大胆な言い方かもしれず、都留重人さんにも「君、そんな大胆なことを言って大丈夫か」と言われたのですが、現代の特徴として、労働運動と市民運動が社会運動の両輪のようなものとなり、その両方が進まない限り貧困問題や環境問題の解決は進まないのではないかと思っているのです。

若い人たちに昔の革新自治体の話をすると、あれは奇跡だというようなことを言うのです。確かに最近の昭和史、あるいは現代史を書いている人の歴史書には、革新自治体のことを一言も書いていないものが多いですね。ですから、革新自治体などと言っても、それを若い人たちが知らないのは当たり前なのですが、しかし、あれは日本の歴史の中で非常に重要な意味をもつ時期であったと思うのです。あのときの市民運動は、公害の解決や福祉の向上、あるいは学校の充実を求めて、つまり現代的貧困の解決を求めて進んだ運動であって、そのおかげで革新自治体ができたのではないかと思います。これは後の公害のところでも話します。

## 社会的費用と社会的損失

『社会資本論』のもう一つの理論は、公害・環境破壊の基礎理論となった社会的費用論の検討でした。ナチの弾圧を逃れてアメリカに渡ったウィリアム・カップが、一九五〇年に『私的企業と社会的費用』（篠原泰三訳、岩波書店、一九五九年）を発表していました。後で述べる『恐るべき公害』では、エンゲルスの『イギリスにおける労働者階級の状態』を参考に、大気・水汚染などを社会的殺人・傷害と規定しつつ、同時にこの社会的費用を引用しました。

カップは社会的費用を次のように定義しています。「私的企業が生産過程において第三者または社会が受け、私企業に責任を負わせるのが困難なあらゆる有害な結果や損失」。カップのこの定義は正しいのですが、問題が二つあると思いました。

第一は、社会的費用は市場経済に内部化できるかどうかという問題です。汚染企業が公害防止投資をし、被害補償をすれば、社会的費用の内部化がおこなわれるのですが、その被害者が死亡する、あるいは自然や文化財が破壊されるといった場合には、内部化は不可能です。貨幣では補償できない絶対的損失があるので、内部化できていません。これをどう考えるかについては、のちにカップとも議論し、「社会的費用（social cost）」と呼ばずに「社会的損失（social damage）」と区別することになりました。

第二に、カップはこの本で公共事業・サービスによって社会的費用は減損するとしているのですが、当時、日本では空港、高速道路、新幹線などの公共事業が公害を出していたのです。カップはインドに講義に行き、インド型の社会主義を見たことから前の著書を全面的に修正し、『営利企業の社会的費用』（一九七一年）を出版していますが、その直後からたびたび日本にも来ていて、都留重人さんや柴田徳衛さんや私と会い、四日市へ行ったり社会資本の工事を見たりし、私どもと討論する機会も多かったので、政府の事業の社会的費用を認めるようになりました。したがって、この後の著書では、社会的費用の定義が根本的に変わったと言ってもいいと思います。「Social cost ＝ Social minima － Status quo」、社会的費用は社会的福祉水準と現在の状況との差額だとの主張です。つまり、社会的な福祉環境の水準、人が生命を失わず、健康で安全に文化的に暮らせる状況の維持に対して、現実の施設や活動の状況がどうであるか。その不足の差額が社会的費用でなければならないと言っているのです。私は、公害のような社会的災害を防止するにはこの第二定義が正しいと考えています。宇沢弘文さんも『自動車の社会的費用』（岩波新書、一九七四年）ではこの定義を使っています。

私は『恐るべき公害』の中で、チェコのオストラバの大気汚染が世界最悪であることを紹介し、社会主義にも公害があることを書いたのですが、この段階では公害の原因は資本主義体制にあると考えていたので、社会主義の公害は官僚制の弊害や生産力の未熟さにあると書きました。その後、一九七〇年代に入ってから、ポーランド科学アカデミーなどが招待してくれ、七～八回、ポーランドの公害の調査、あるいは向こうでの講義をすることができました。その結果、社会主義の公害が日本を上回る汚染を出していることが分かりました。特に国有企業の公害が深刻であり、まさに体制的な欠陥なのです。そこで、公害は市場の失敗とともに政府の欠陥という概念をつくったのです。

## 宇沢弘文の社会共通資本論

私の共同社会的条件論と宇沢弘文さんの社会共通資本論はよく対比されることがありますので、これについて述べておきます。

宇沢さんが日本へ帰ってから影響を受けた文献が私の『社会資本論』であるとされ、彼は私の社会資本論の概念を拡張して社会共通資本の構想をつくったといわれているのです。また彼は『社会資本論』で紹介した、先述のカップのsocial minimaを使って『自動車の社会的費用』を書いたのです。この著作は傑作だと思います。これまでの世界的な数理経済学者としての彼の業績とは異なる政治経済学的な仕事であったのですが、ノーベル賞をもらってもよかったのではないかと思っています。期待していたのに残念なことでした。彼は、一九七〇年に都留重人さんが主宰した国際社会科学評議会環境破壊部会の最初の国際会議（東京シンポジウム）に招待されて以来、公害研究委員会にも入り、水俣病などの公害事件から最近の沖縄問題まで、私どもと行動をともにしてきました。

彼の社会共通資本論や社会的費用論による分析は、市場価値から入るのではなく、使用価値、つまり素材から入っています。フロー分析ではなくストック分析です。公害論というのは、都留さんや私を初

国際社会科学評議会主催「環境破壊に関する東京シンポジウム」。
ここで初めて「環境権」が提唱された。左から１人目に都留重人氏、６人目に著者が座る
＝1970年3月

めとして、市場ではなく、素材から体制へ入る方法をとり、ストック分析を中心にするのですね。環境研究の方法論としては共通しているところが非常に多いので、宇沢さんの出している本の結論や政策提言の多くには同意できましたたし、実際一緒に共通の政策提言もいたしました。

では違いがどこにあるかということなのですが、宇沢さんの社会共通資本は社会資本、制度、自然の三要素で、これを一括して総合しているのです。例えば水害が起きた場合、河川という社会共通資本の維持・保全が怠られたとし、防災施設・サービスの社会共通資本の充足を提示します。一方、私の共同社会的条件は、社会資本、都市、国家、環境で、これらに共通性もあるとはいえ、独自の内容を持っているので、社会共通資本として政策論をたてない。例えば、都市の水害は地盤沈下や危険区域への住宅建設などの都市計画のゆがみなど、都市独自の内容を持ち、都市政

策の領域に入れます。宇沢さんは制度として都市論には言及するのですが、国家論はありません。このため、社会共通資本の不備・不足の解決は、公共機関ではなく、それぞれの問題に応じた専門家集団の判断に従うべきという賢人主義です。多くの点で根本的に対立しているとは思わないのですが、対立したのは、自然全体を資本としたことです。自然の中には資源として経済過程に入って、資本となるものがあるが、全体としては地球環境を維持する資産である。私はcapitalとstockは区別すべきだと主張して対立していました。おそらく彼は、社会共通資本は資本主義社会の資本でなく、素材であると考えていたのかもしれません。

大変残念なことに、よく会っていたのに冗談を言いながらこの程度の話にとどまり、本格的に論争したことはなかったのです。病気になる前に対談する計画があったのですが、それができなかったのが本当に残念です。しかも、彼の社会共通資本論を継ぐ若い人がなかなか出てこないところを見ると、やはり一緒に学会をつくり、彼の思想や私と共通した考え方を継いでくれる若い研究者をもっと育てればよかったと、今は後悔しています。

## 2. 戦後日本公害史論

環境研究の最後に『戦後日本公害史論』（岩波書店、二〇一四年）を書きましたが、この歴史的教訓として最も重要なことは、環境政策は自動的に形成されないということです。環境の被害がひどくなれば当然、国家が自動的に何らかの対応をして論理的に運ぶような気がするかもしれず、これまでの経済学ではそうなっていますが、実際はそうはならないのです。環境経済学は最後の政策論で、公的規制と経済的防止手段を書くのですが、実は環境政策を進めるには環境教育と住民自治にもとづく市民運動が必要という点がこれまでの経済学と違うところではないかと思います。

環境経済学というのは机上から生まれたものではありません。国際・国内の被害の現場を経験しながら形成されてきたものです。今の若い人たちの環境経済学は抽象的な数理モデルが多いのですが、私たちの環境経済学の形成は、まさに未知の新しい分野なので、現場をいかに歩いて事実をつかむかという経験主義的な方法を取りました。そこで、ここではその経験から入りたいと思います。

## 環境破壊としての公害論の形成

私が四日市公害に直面し、これまでの経済学を批判しなければならないと考えて一九六二年に書いた論文が「しのびよる公害」です。四日市の公害で衝撃を受け、全国の主な公害地域を調査しました。日本は戦前に足尾鉱毒事件など深刻な公害問題を経験しているのに、戦後の社会科学でその教訓が全く活かされなかったのはなぜか、という疑問をもちながら書いたものです。この論文は、戦後の社会科学者が公害について書いた最初の論文と評価されました。これを読んだ都留先生がすぐ私を東京に呼び寄せ、公害研究委員会をつくりたいと言われて、学際的につくることになったのです。今から考えると信じられないかもしれませんが、当時公害に関心を持っている研究者は七人しかいませんでした。しかし間もなく、公害・環境問題が国際的にも深刻になり、公害研究委員会を母体として、都留先生を代表に国際社会科学評議会が一九七〇年に最初の環境破壊に関する国際会議を東京で開きました。宇沢弘文さんが公害問題の研究を始めるのは、ここで報告をしなければならなかったからなのです。この会議で非常に重要なのは、最後の決議で基本的人権として環境権が提示されたことです。以後、それが環境問題の基本的な思想の旗印になったと言っていいと思うのです。

その少し前の一九六四年に、私は京都大学の衛生工学教授で国際的な研究者の庄司光先生と『恐るべき公害』を出版していました。当時は「公害」という言葉が国語辞典にない状態で、地方条例が「公害」という言葉をつかっていましたが、その定義は不明確でした。すでに一九五六年に水俣病が公式確認されていましたが、原因も責任も明らかにされていませんでした。イタイイタイ病など水汚染、大気汚染、騒音などの公害があちこちで起こっていたのですが、全体として社会の関心は高度成長にあって、公害は無視されていました。それで、『恐るべき公害』を出版するときに、岩波の編集者から「公害といっても言葉が分からないし、誰も読んでくれないかもしれない。公害とはこれだとみんなが目を覚ますような資料はないか」と言われました。それで、どうしようかと考えました。当時はまだ公害の全国調査も資料も厚生省になかったのです。全国のデータはどこにもなかったと言ってもいいと思います。

それでハッと思いついたのが、信夫《しのぶ》清三郎さんが『大正政治史』第一—四巻（河出書房、一九五一、五二年）と『大正デモクラシー史』（『現代日本政治史』第一巻第一—三、日本評論新社、一九五四—五九年）を書くのに新聞記事を使ったことでした。これには学会でいろいろ批判もありましたが、極めて斬新な方法でしたから、新聞記事で調べようと考えました。ところが、朝日、毎日、読売、産経という四大紙を見ても、記事はほとんどありませんでした。ロンドンのスモッグ事件など啓蒙的な外国の事例紹介はたまにあっても、毎日きちっとそういう記事を追跡していません。水俣病ですら調べていないのです。そこで、地方紙にしようと思いまして、当時沖縄はまだ占領下でしたから、四六の各県から一紙ずつ、発行部数の多いものを選びました。一九六一年の秋から一九六二年の秋にかけて一年間、朝刊と夕刊の全部の記事から、大気汚染、水汚染、地盤沈下、騒音、悪臭の記事を写し、年表にし、それを地図に落としました。当時、地方紙が全部あるところは国会図書館しかなかったので、東京都立大学の柴田徳衛先生のゼミ生に手伝ってもらい、そこにこもって一緒に作業をしました。それを金沢大学の私のゼミのメンバーが年表につくり直し、地図に落としたのです（**図2**）。

図2　日本の公害地図（1961年11月～62年10月）

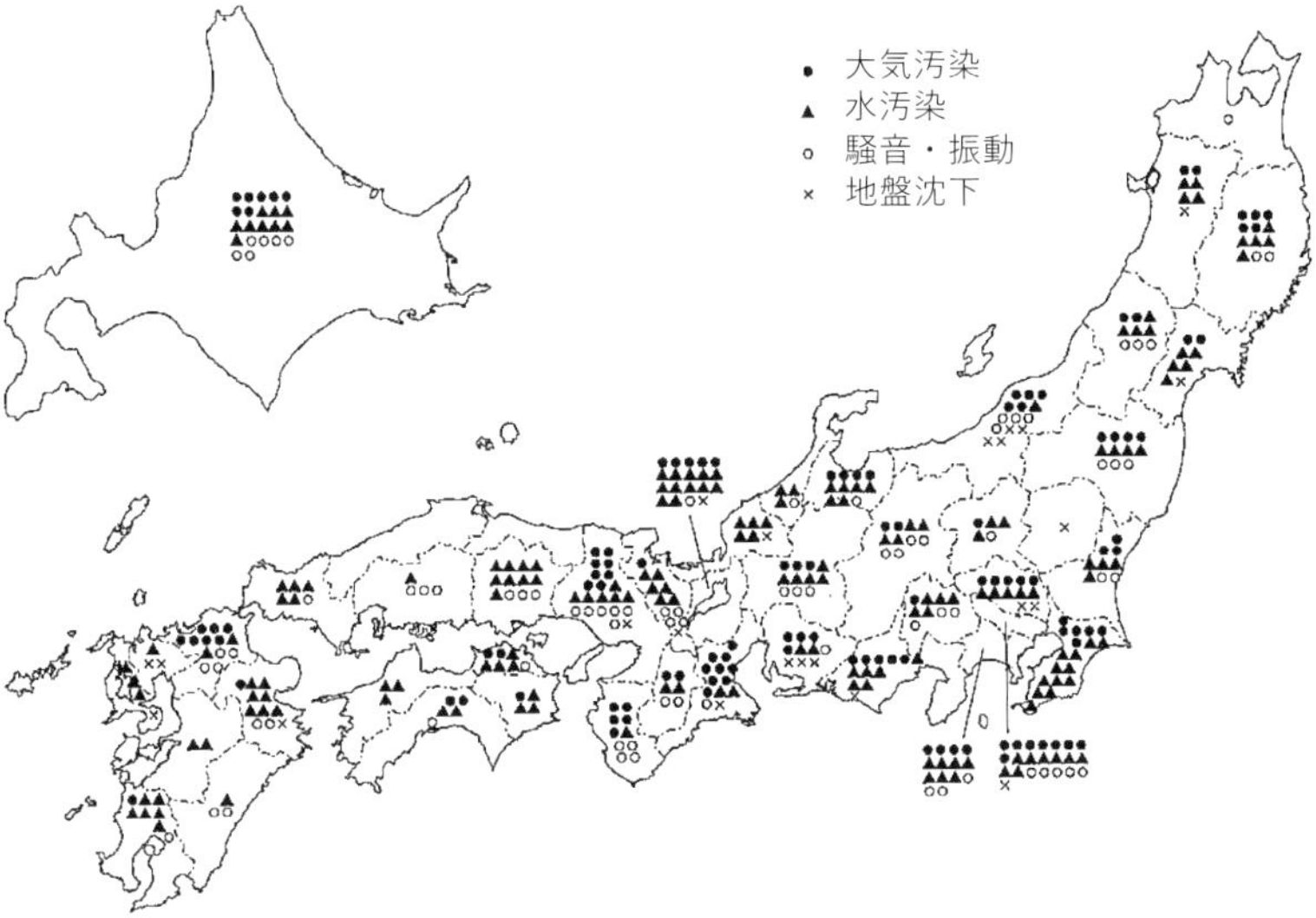


図3　大阪・東京の濃煙霧日数累年変化（1946-1964年）

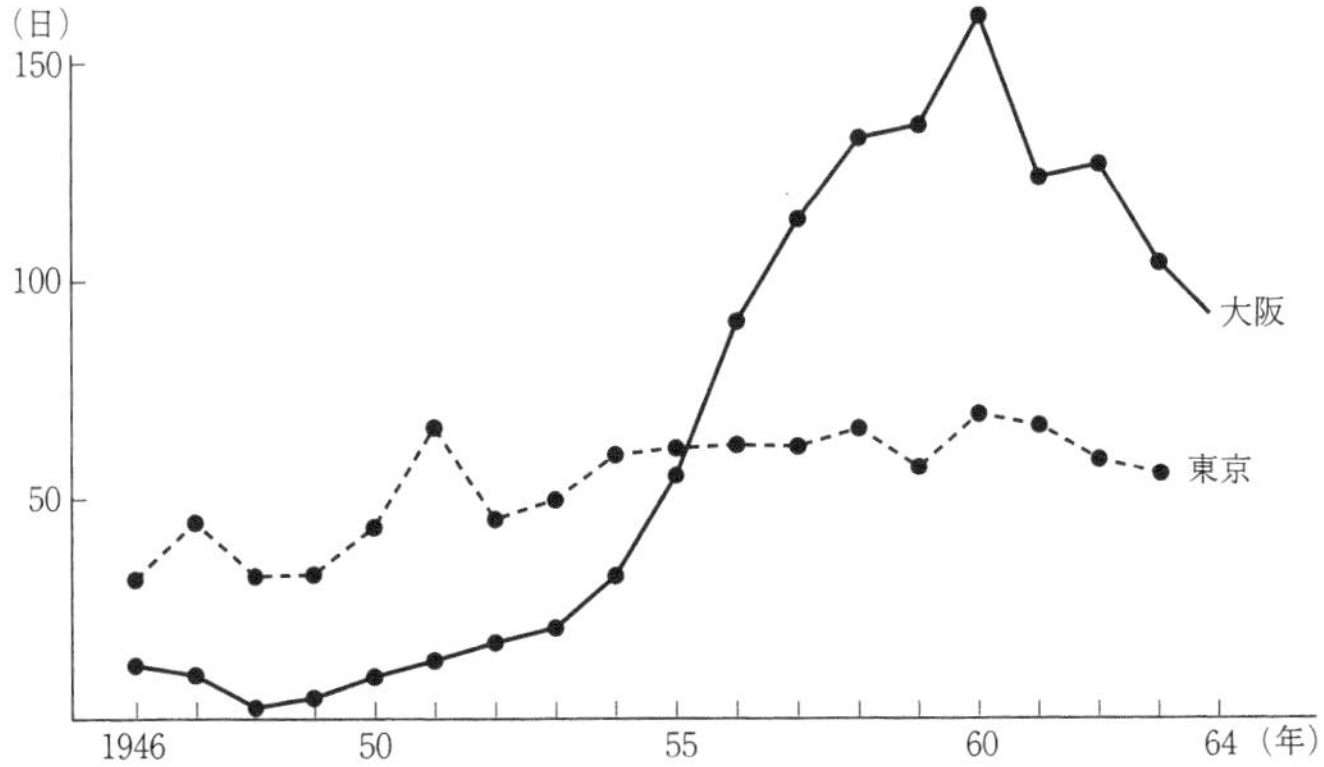


注）大阪市公害対策部調べ
出典・滋賀大学環境総合研究センター研究年報Vol.14

これが本邦最初の公害地図です。一見して既に全国で公害現象が起こっていて、大変だということが分かる地図になりました。本論に入る前にまずこれを見てもらうために『恐るべき公害』の冒頭に年表とともに入れたのです。これは読者に衝撃を与えたようです。水俣病そのものに対しても関心は薄かったのですが、公害というのは僻地《へきち》だけに水俣病みたいなものがあるのではなく、高度成長の始まりで、これほどひどい状況が起こっていることが誰にも分かる地図になったと思います。

大都市では、既に生活環境が破壊されていたと言ってもいい状況でした。例えば、これは大阪と東京のスモッグで、二キロ四方の視程が見えなくなる状況が何日あったかというグラフです（**図3**）。大阪の状況を見ますと、ひどい年は一六五日にもなっていて、冬はほとんど空気が清浄化していない状態であったのです。さらに、河川の汚染も深刻です。下水道が整備されていなかったこともあり、工場用水や生活用水の正常値はＢＯＤ（生物化学的酸素供給量）二ｐｐｍ以下なのに、大阪市内を流れる淀川は五〇ｐｐｍ以上、土佐堀川も三〇ｐｐｍ以上と、完全にドブ川です。臭くて川とは言えない。土佐堀川のあたりは水練場として川底の小石が見えるくらいきれいだった。それがこういう無残な状況になってしまっていたのです。さらに、沿岸部で地下水や地下ガスを汲み上げるものですから、二メートル以上も地盤が沈下していました。これは名古屋の伊勢湾台風の時の大災害にも通ずるのですが、大都市の臨海部が地盤沈下し、台風と重なったときなどに非常に大きな災害が起こっていました。こういう深刻な環境破壊の問題をはっきりさせなければならない状況になっていたのです。

中でも後に政治的に大きな影響を持ったのが四大公害問題でした。まず、熊本水俣病が一九五六年に公式発見されていたのですが、政府は一九六八年まで公害として認めませんでした。驚くべきことですが、その間、完全な救済をしないまま汚染水の排出も続けられていたのです。これは世界的な公害の原点と言える大事件なのですが、東京から遠く離れた僻地の問題とされ、無視されていました。そして、政府は原因を不明として、チッソはわずかな見舞金を出して被害をもみ消していました。このため、一九六四年に新潟水俣病が起こったのですね。恥ずべき失敗です。戦後、富山の神通川流域でイタイイタイ病が起こっていましたが、富山県はコンビナート誘致のために公害が起こっていることを認めず、放置していました。これらの大事件では、工学の研究者が会社側に立ち、誤った原因説を出して工場の公害であることをもみ消そうとしました。政府はそれに乗ったのです。このため、現地の医学者が原因究明のために世界中の事例を調べ、水俣病やイタイイタイ病は、いずれも外国の労働災害の原因物質から分かったのです。それから、全国的に公害対策を進めるきっかけとなった四日市の大気汚染が起こりました。政府は四日市型の開発を全国に広めていましたので、この公害問題が大きなショックになりました。四日市の大気汚染が公害対策の原点であると思っています。

さらにこの期間中、つまり高度成長期は、自然・景観がすさまじい勢いで破壊されていました。原生の自然が国土の二三％になり、海岸の埋め立てで自然海岸は六〇％しかない状態です。都市計画は遅れ、都市の景観も破壊されました。

経験的に公害の実態を調べ、大気汚染公害の被害実態がはっきりしてきたのを受け、公害には三つの特徴があることが分かりました。まず、被害は生物的弱者から始まる。年少者、高齢者、病弱者から被害に遭うということです。第二に社会的弱者に被害が集中する。富裕者は高級な住宅に住み、アメニティを享受しています。環境が悪くなったらよそへ住居を移すことができます。低所得者は環境の悪いところに居住し、栄養の悪い食事をし、医療にかかることも困難です。被害に遭ってもそこから動くことができません。生物的弱者と社会的弱者に自己責任を求めても自力救済はできません。したがって、公害被害には社会的な救済制度が必要です。第三に、私の公害論が生み出した重要な定義なのですが、公害には賠償が必要とはいえ、それでは原状回復できない損害があります。絶対的不可逆的損失があるのです。死亡、健康障害、復旧不可能な自然破壊、歴史的文化遺産・景観の破壊は、原状回復できません。このため、公害対策や環境政策では予防が第一なのです。問題が起こってからでは遅い。環境アセスメントなどの予防措置が徹底して適用されねばなりません。

## 公害の構造的原因と無策の行政

私は、公害の構造的原因について、中間システム論として次のように具体化しています。公害は、個別企業の失敗だけでなく、経済成長優先の政治経済社会の構造的欠陥によるものなのです。

まず、企業が公害対策を省略してしまっています。利潤追求のために、公害防止投資を省略して社会的費用として公害を第三者に負担させるのです。高度成長期にはほとんど公害投資をしていません。特に電力、鉄鋼、石油精製といった公害多発産業が中心です（**表1**）。

どちらかというと大気汚染より水汚染の対策が難しいのですが、水汚染については、一九六五年の段階では処理率はゼロです。パルプ工場に近い河川や海などは、ものすごい状況になっていました。一九六五年頃は水面が真っ赤になっていて、これが河川や海と言えるのかという状態でした。その後もなかなか水質汚染の防止はうまくいっていません（**表2**）。これは中国でもそうで、大気汚染以上に水質汚染は難しいのです。それから、輸送手段について見ますと、鉄軌道輸送を中心にしていた日本の旅客輸送や貨物輸送が自動車輸送に代わっていきます。都市の大気汚染の主役が自動車になっていく状況がこの図でもお分かりになると思います（**図4**）。

問題は国土政策にもありました。日本の企業や政府は、GDPの増大、つまり生産設備を大量に整備し、集積の利益を最大限に上げるべく、重化学工業を東京湾、伊勢湾、瀬戸内海に集中させました。このため当然ですが、日本の人口が集中していた三大都市圏や瀬戸内で公害が深刻になったのです。

**表1　1964年度大手企業における設備投資と公害対策投資の状況**

| 業種 | 社数 | 公害施設投資 (A) | 設備投資 (B) | A/B (%) |
|---|---|---|---|---|
| 電力 | 9 | 5,708 | 342,955 | 1.7 |
| 鉄鋼 | 10 | 1,938 | 136,934 | 1.4 |
| 石油精製 | 10 | 1,770 | 72,232 | 2.5 |
| 化学 | 16 | 837 | 65,518 | 1.3 |
| 薫業 | 10 | 326 | 37,150 | 0.9 |
| 機械 | 9 | 75 | 23,136 | 0.3 |
| 紙パ | 12 | 528 | 15,987 | 3.3 |
| 非鉄 | 5 | 76 | 12,061 | 0.6 |
| ガス | 3 | 103 | 30,339 | 0.3 |
| 紡績 | 3 | 139 | 10,268 | 1.4 |
| 合繊 | 2 | 340 | 14,100 | 2.4 |
| 鉱業 | 4 | 1,097 | 13,692 | 8.0 |
| 合計 | 93 | 12,937 | 774,372 | 1.7 |

（単位：百万円）
注）「産業公害対策設備資金の動態」（長期信用銀行資料、『公害史文集』1966年7月号）

**表2　水質汚濁防止資本ストックとBOD負荷量**

| 年次 | 企業出荷額 | BOD発生量 | 水質汚染防止ストック | BOD処理量 | BOD未処理量 | 処理率 |
|---|---|---|---|---|---|---|
| | （十億円） | （トン／日） | （十億円） | （トン／日） | （トン／日） | （%） |
| 1965 | 10,218 | 12,101 | 0 | 0 | 12,101 | 0 |
| 1966 | 11,546 | 13,704 | 7 | 197 | 13,507 | 1.4 |
| 1967 | 12,901 | 15,407 | 13 | 351 | 15,056 | 2.3 |
| 1968 | 14,345 | 17,168 | 23 | 584 | 16,584 | 3.4 |
| 1969 | 16,319 | 19,469 | 41 | 1,031 | 18,438 | 5.3 |
| 1970 | 18,322 | 21,737 | 75 | 1,939 | 19,798 | 8.9 |
| 1971 | 19,298 | 22,971 | 113 | 3,052 | 19,919 | 13.3 |

*「企業出荷額」「水質汚濁防止資本ストック」は1965年価格を示す
出典：『経済白書』（1973年版）、p.207より作成

図4　貨物輸送および旅客輸送の機関別構成比

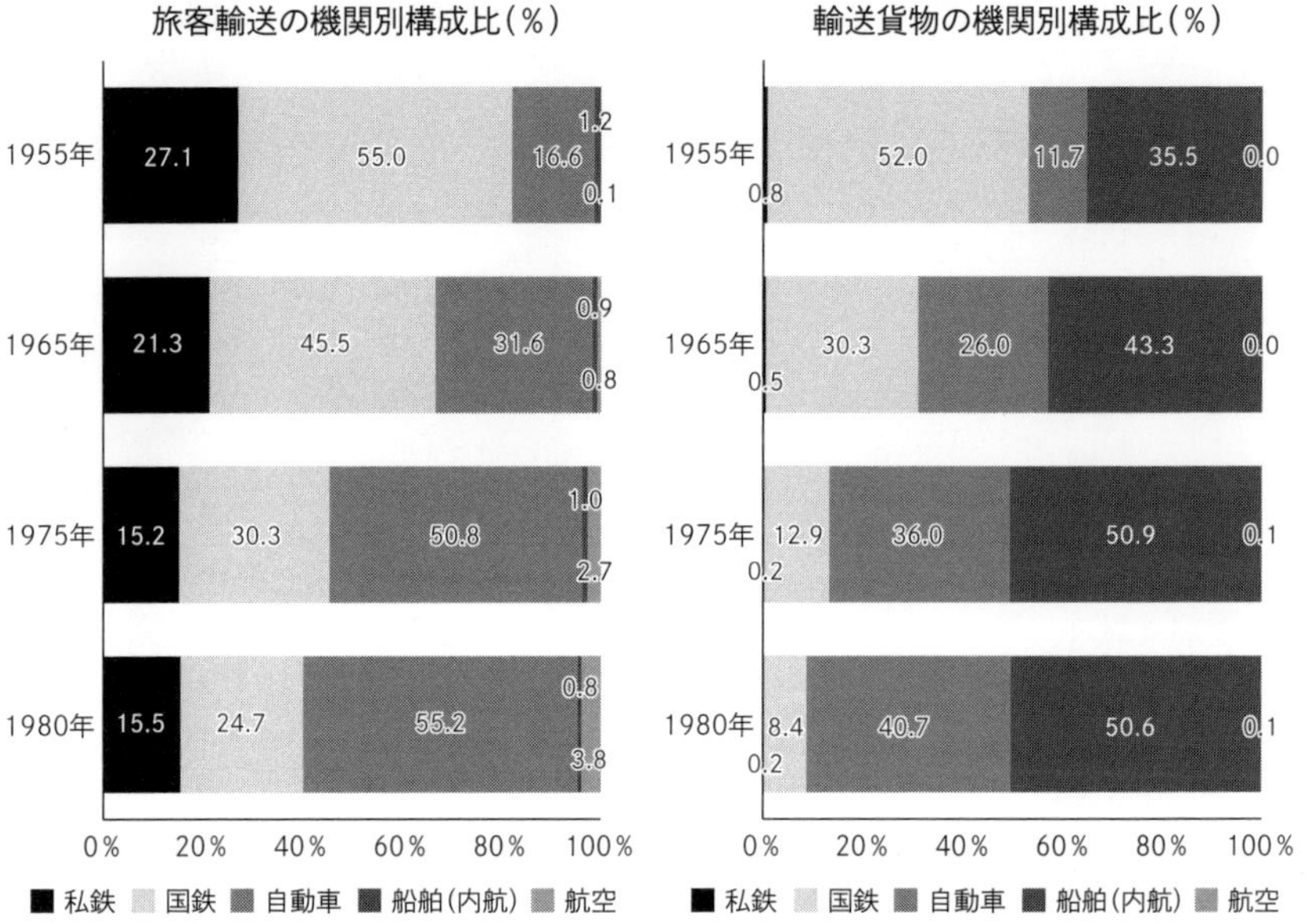


注）構成比はトンキロによる。1980年度速報値。

注）航空は定期、不定期の合計。旅客船の1975・80年度には不定期が含まれる。構成比は人キロによる。1980年度は速報値。運輸大臣官房情報管理部「運輸経済統計要覧」より。

そういう状況がありながら、公害の行政は無策と言ってもいい状態でした。一九五八年、漁民の紛争があって水質二法が制定されるのですが、これは全く水俣病に適用されませんでした。また、水質二法ができても、なかなか水質基準が決められない状態でした。地方団体は、さすがに住民の要求があったものですから早くから条例をつくったのですが、その基準が極めて不十分であり、福岡県の条例などは、つくっても経営者がその条例に反対して従わなかったのです。八幡製鉄の例ですが、九州大学がこの条例に基づいて大気汚染を計量するための施設を八幡製鉄の周りにつくったところ、一夜にして破壊されてしまいました。誰が破壊したのかは言わないのですが、公害防止を進めることに対する経営者側の反対が当時明らかにあったのです。

現実には先ほどの公害地図のような状態だったのですが、内外の大学に公害・環境部門はまだありませんでした。日本における最初の公害の研究機関だった公害研究委員会も、七人しかいなかったわけです。さすがに公衆衛生学では当然いろんな調査もしていましたが、社会科学の分野の学部・学科は皆無でした。工学や医学の研究者の中には企業・政府の御用学者が多くいまして、逆に被害の解明を妨害するという行為も多かったのです。水俣病のときには、応用化学の清浦雷作教授（東京工業大学）が工場廃液ではなく、漁民が腐った魚を食べたアミン中毒だと主張、新潟水俣病では北川徹三教授（横浜国立大学）は農薬説を主張し、一九五八年に発表した武内忠男教授（熊本大学医学部）の工場廃液の有機水銀説を妨害し、政府が公害と認定したのは一九六八年でした。その他の公害についても政府の判定は遅れ、法制などの規制はない状態でした。

日本では法制がない、あるいは研究が遅れているとなると、先進工業国ではどうかと欧米の例を調べるのですが、当時は欧米にも環境法制がありませんでした。個別の規制法はあっても、非常にルーズなものでした。公害の被害が深刻になった六〇年代末から七〇年代初期まで、法制も環境庁もなかったのです。当時の状況から言うと、公害防止は絶望的でした。どこからこの状況を打ち破ればいいのか、どこから手をつけたらいいのかと、私たち七人のメンバーは会うたびに嘆いておりました。

## 公害反対運動の新展開

静岡県三島・沼津・清水二市一町で一九六三〜六四年、「ノーモア四日市」という形で石油コンビナートの誘致を阻止する運動が起こりました。この運動が非常に大きな意味を持ったのは、日本で最初の環境アセスメントをおこなったことにあります。もちろん当時、住民運動にお金や設備があるわけではありませんから、気象を調べるために鯉のぼりを使うなど、非常に独創的でいろいろな工夫をしたのです。私たちの『恐るべき公害』も住民の学習会のテキストになりました。地元の測候所などの気象データや過去の汚染データを集め、四日市をはじめとするコンビナートなどの工場地域を調べ、公害が発生する原因を調べて報告書をつくって反対したのです。

これには政府も慌てました。百万都市構想という新産業都市構想で高度成長を進める拠点として東駿河湾地区を選んでいたので、政府も現地に最初のアセスメント調査団を派遣しました。地元のアセスメントは「公害のおそれがある」と言い、政府の調査団の結果は「公害のおそれはない」ということで、二つのアセスメントが対抗する状態になりました。地元調査団の要求を受けて通産省で両者が討論するなかで、政府の調査団がおこなった風洞実験や自衛隊機を飛ばした航空気象観測の調査結果に誤りがあり、水質汚染については調査が不十分であることなどが明らかになりました。この討論会の記録は日本科学史学会の年報に残っています。地元の調査団の調査結果を受け、学習会が三〇〇回も行われ、反対運動が一層高揚しました。この運動の特徴は、従来のような労働組合や社共中心の運動ではなく、むしろそういう革新勢力は背後の事務局的な力になり、実際の運動は市民あるいは農漁民が中心になり、従来保守的と言われた地元の医師会や商工会議所なども加わって運動がおこなわれたことです。今のオール沖縄運動のようなものです。

これまでの住民運動は中央政府へ向けて、東京へ向けて陳情して問題を解決するという方法でしたが、三島・沼津の運動は戦後の憲法に基づいて、自治権を持った自治体の開発政策を変えることに集中しました。これがその後の市民運動の法則になるのですが、すべてのエネルギーを地元の自治体を変えることに集中し、それが成功したのです。静岡県、三島市・沼津市・清水町という地元の自治体が誘致に反対し、企業や政府の政策に市民運動が勝つという日本で最初の成果を上げました。これが全国的に非常に大きな影響を与えた。いわゆる革新自治体が生まれる背後には、三島・沼津から生まれて全国に広がった市民運動があったと言ってもいいと思います。

この地域開発の挫折の結果、政府も経済成長の持続のためには公害対策が必要と自覚し、一九六七年に世界で初めて公害対策基本法を制定することになりました。これを受けて企業もようやく公害対策をするようになり、一九六八年には水俣病をチッソの加害行為と認めることとなります。しかし、経団連の圧力があり、公害対策基本法はできたものの、その重要な目的は環境保全と経済成長との調和を図ることとされたのですね。このため、せっかくできた環境基準もルーズになり、公害は広がっていきました。

## 二つの道―自治体改革と公害裁判

この調和論をなくすために、美濃部亮吉都政の東京都が企業の公害防止の責任を厳しく求め、環境基準を科学的なものにする新しい条例をつくりました。そして、企業に最高度の公害防止を求めました。政府はそれを法律違反と言ったのですが、国際国内世論の高まりを受けて政府が屈服し、一九七〇年の暮れに開かれた公害国会において、この調和論をやめて環境保全を経済成長より優先すると改め、環境関連一四法を制定したのです。翌年、環境庁が創設されました。この結果、ようやく環境行政が軌道に乗りました。

ところが、大都市圏では革新自治体ができ、環境行政がおこなわれた一方、水俣市、四日市市、富山県などの企業城下町では、公害防止の行政は進みませんでした。逆に、企業を訴え、開発に反対する市民への批判のほうが強く、被害者が孤立していたのです。そこで、最後の手段として公害裁判が求められたのです。公害裁判というのは、これまでの民法の損害賠償の法理からすると非常に難しかったのです。財産権侵害でなく集団的な健康侵害としての新しい法理が必要で、被害認定に個別因果関係でなく、吉田克己教授（三重県立医大）の疫学を採用したのです。一社でなく多数でやっている四日市のような場合には共同不法行為という理論が必要でしたが、これには私のコンビナート論などが採用され、立地の過失も認められました。この四大公害裁判は初めの予測に反して、弁護団と支援研究者の必死の努力と世論の圧力もあり、すべて被害者原告の勝訴となったのです。

これは政府や企業にも大きな影響を与えました。これ以上裁判が続くと自分たちが完全な悪人になってしまい、資本主義批判が強くなるので、公害裁判はやめてほしい、行政の方で問題を片づけてほしいという声が企業から広がりました。被害者の方も、裁判は資金と時間がかかるため行政的解決を求めました。そして世界で初めて、一九七三年に公害健康被害補償法が制定されました。これは妥協の産物でもあるのですが、民事裁判で民事的に補償しなければならないものを行政が救済するという制度が出来上がり、ようやく被害者の救済が認められることになったのです。

公害防止の制度が生まれた結果として、二酸化硫黄（$SO_2$）は完全に環境基準をパスするようになりました。しかし、二酸化窒素（$NO_2$）はなかなか難しいのです。自動車が増えるものですから、ずっと横ばいが続いています。それから、水俣病やイタイイタイ病のような有害物質による汚染状況も解決に向かって動いていきました。こういう成果を生むために、企業は公害防止投資の方針を変え、一九七五年には世界最高の公害防止投資をせざるをえない状況になっています。その後、景気が悪くなって急速に公害防止投資が下がっていくのですが、その後は産業構造を変えていきました。また、地方団体の公害・環境担当の職員が一九六一年には全国でわずか三〇〇人しかいなかったのが、一九九五年になると職員数は三〇倍以上、約一一万人を数え、予算も増え、条例も増えています。これは日本の地方行政史上かつてない画期的な出来事で、このため自治体の側から公害防止が進んでいくことにもなったのかと思います。

ＯＥＣＤ（経済協力開発機構）は一九七七年に日本の環境政策をレビューし、「日本は数多くの公害防除の戦闘に勝利したが、環境の質を高める戦争には勝利をおさめていない」と、公害の戦闘に勝利したことを宣言しています。非常に注目しているのは、市場メカニズムを使わず、下からの住民運動に支えられた三万件の公害防止協定、自治体の規制行政と公害裁判という直接規制によって問題が解決したという点です。日本的ｐｐｐ（汚染者負担の原則）によって被害者の救済費や土壌汚染などの蓄積型の公害防止費用を原因者に負担させました。しかし、人格権は認められたけれども環境権は未定であり、予防政策、行政のタテ割り是正、住民参加は遅れているということがこの時期の結果として指摘できます。

## マスキー法の成立

一九七四年から一九七五年にかけて、日本だけではないのですが、戦後の世界資本主義の黄金期と言われる時代が終わっていきます。アメリカはベトナム戦争のために、日本やドイツに対する生産力のおくれが目立ち始め、ついに石油ショックを契機に世界不況が始まり、高度成長が終わるのです。高度成長の終焉《しゅうえん》は財界にとって非常に大きなショックであり、一九七〇年に調和論を捨てたこと、つまり生活環境優先の法律をつくり、それによる行政を進めたことが間違っていたのではないかという声が大きくなります。経済成長が必要であり、成長しなければ福祉は向上しないという論理がまた広がりはじめ、一九七七年には石原慎太郎環境庁長官が調和論を復活すべきだと発言しています。これに対して私たちは、せっかくでき上がった生活環境優先を維持すべきだとして、かなり厳しい批判声明を出したのですが、なかなか通りませんでした。

環境政策の後退が始まる時期に、日本が世界で最初にマスキー法を成立させたことは非常に優れた成果でした。マスキー法とは、自動車の排気ガスを一〇分の一にするというものです。中でも一番難しいのがＮＯ$^{2}$で、アメリカでは窒素酸化物を一〇分の一にすることはできないと自動車会社が強く反対したので成立しなかったのです。ところが日本は、公共事業による道路公害として自動車公害に対する反対運動が強く、公害訴訟が起こっていました。さらにこれを受けて革新自治体の七大都市が動いていました。このため環境庁として下がれない状態になっていたのです。

特に東京都の美濃部亮吉知事がマスキー法を絶対に実行するということで、初めて大都市に声をかけて七大都市自動車公害調査団をつくり、自動車会社を査問してマスキー法を達成できるのかできないのかと技術的に詰め寄りました。その査問に対してホンダとマツダはできる、トヨタと日産はできないとこたえました。つまり、技術的にできることははっきりしたわけです。七大都市調査団、つまり東京都を中心とする大都市圏は、できるということでさらに圧力をかけていきました。当時はちょうど公害対策基本法を作った橋本道夫さんがいたときで環境庁も下がらない、絶対達成できるということで企業へ圧力をかけたのです。

意外なことに、二〜三年でトヨタも日産もマスキー法の達成をしました。しかも、この技術を生み出すとき、アメリカの企業は何もしてくれないのですから、日本は初めてアメリカの技術に頼らず、自分で技術の改良をしたのです。つまり、日本は世界で最初にマスキー法をクリアしただけでなく、全体として自前で自動車技術の改良を行うという方向性を打ち出し、その結果、日本の小型車を中心とする自家用車の技術が世界一になるのです。そこから日本の自動車生産が世界最高になっていったので、これには日産の社長も「禍を転じて福となした」と言っています。自動車会社にとってマスキー法で攻められたことは禍だったのですが、それが幸いとなって日本の自動車会社が世界的になった。そういう大変すばらしいこともあったのです。

マスキー法の成功がありましたが、全体としてはこの世界不況の時点から公害政策の後退が始まります。世界一きびしかったＮＯ$_2$の環境基準が三倍以上緩和されてしまいました。

それから、これが一番問題ですが、水俣病の認定基準が変更されました。水俣病というのは、いわば環境が破壊されて起こった病気ですから労働災害とは違い、公害なのです。ところが、水俣病患者の申請が大きく増えてきた段階で、政府は一九七七年、労働災害の方の厳しい基準にしてしまいました。イギリスで農薬製造時に発生したハンター・ラッセル症候群という有機水銀中毒の労働災害の基準を援用して水俣病の基準を変更し、患者を切り捨てていったのです。理由は補償金の支払いに困ったチッソの救済で、チッソが支払い不能になると財政出動しなければならないので、大蔵省が反対したわけです。大蔵省は患者を二〇〇〇人にとどめてほしかった。実際は数万人の患者がいるのに、二〇〇〇人で切ってしまえということだったのです。この時から患者切り捨てが始まり、いまだにそれによる紛争が続いています。

さらに、世界で初めてできた公害健康被害補償法をもうやめたいということで、この改定に動きます。とうとう一九八七年には、大気汚染は解決したので患者の新規認定を打ち切り、患者認定しないことになりました。このため第二次大気汚染公害裁判が起こってくるのです。このほか、大阪空港や東海道新幹線の公共事業裁判も起こっています。

この環境政策の後退に反対し、環境政策を進めるために、都留重人さんが代表、私が事務局長になって「日本環境会議」をつくりました。学会というのは通常提言しないことになっているのですが、学際的で市民に開かれた、提言をする学会です。いまだに続いており、約四〇〇人の会員がいろいろ運動しています。

環境問題の全体像は次のように示せるのではないかと思っています（図５）。まず、アメニティがなくなると、つまり環境が人間の健康で安全に、また文化的に暮らせる水準でない状態が続くと、公害病が始まると考えます。したがって、戦後の公害対策によって認定患者を救い、公害病をなくすというだけでは、実は公害対策は終わらないのです。人間が住みやすい環境、人間が福祉の水準を保ちながら文化的に生きていける環境になって初めて、環境問題の解決が達成できるのです。日本の場合、環境問題はまだまだ終わっていません。今や公害は終わったともいわれますが、アスベストの問題とか、私が史上最大の公害だと思っている福島の事故とか、いまだ解決していない水俣病とか、そういった問題がまだ続いていると思います。

## 3. 地球温暖化問題

最後に、地球環境問題についてお話しします。

気候変動枠組み条約に基づく二〇一五年のパリ協定が他の国際条約と違うのは、定量的に目標が明示された明確な協定であるというところだと思います。ただ、これを規制できる司法権を持つWTO（世界貿易機関）にあたるようなWEO（世界環境機構）といったものが

図5　環境問題の全体像

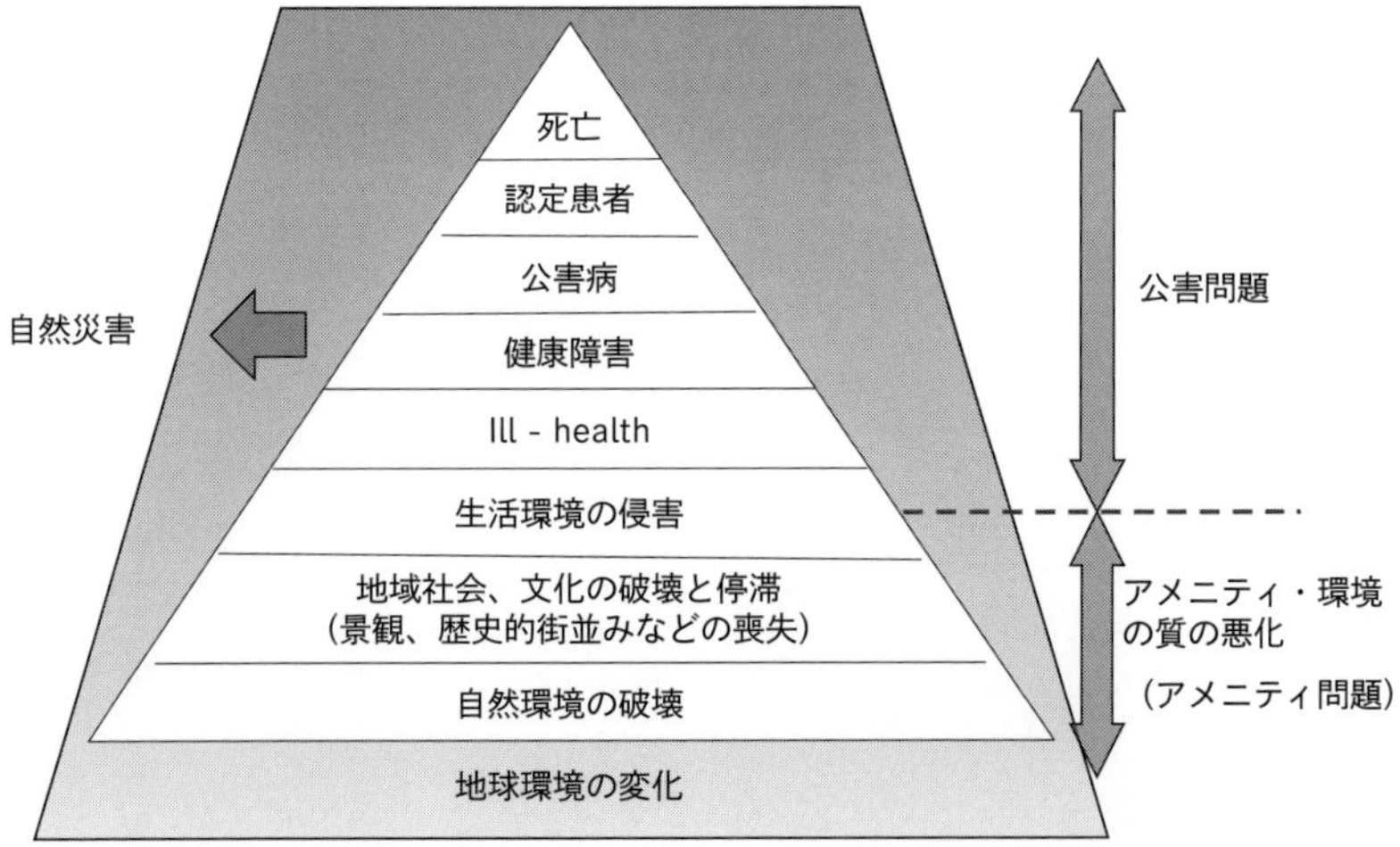

なく、各国それぞれの自由に任せているのです。この点で、国際環境政策というのは、本当の決め手があるのかというと、まだないと言ってもいいのではないかと思います。

## グリーン成長戦略の問題点

数量的に規制措置をしている点がこのパリ協定の非常に重要なところです。その科学的判断をしているのは「気候変動に関する政府間パネル（ＩＰＣＣ）」ですが、このパネルの最近の報告が非常に重要です。二〇一五年の第五次報告では、温暖化ガスは一〇〇％人為的原因であるということで、二〇五〇年までに実質ゼロにするよう勧告を出しました。日本は菅義偉内閣の下でようやく温暖化ガスの排出を実質ゼロにすると宣言し、経団連も新経済成長戦略を承認したのですが、実はそれを実現するための政策や主体については対立があります。

政府のグリーン成長戦略は、脱炭素化の技術革新によって、二〇三〇年に年間九〇兆円、二〇五〇年に年間一五〇兆円の経済効果を見込んでおり、どちらかというと成長戦略に変えられてしまった感じがします。本当にそれだけの技術開発が可能なのか。実質ゼロにするという場合、大きな産業構造の変化、生活様式の変化をしなければなりませんが、その具体的な方策はないのではないか。経団連の新経済成長戦略と同調して、現在の経済の持続のための政策となっているのではないかという気がしています。

自動車にしてもエネルギー計画にしても、まだまだ問題点が非常にあります。特に今、環境ＮＧＯが問題にしているのは、再生エネルギーの開発が遅れていることです。問題の石炭火力の廃止が明確でないこと、原発を再稼働させて小型原子炉を建設すると言っているのですが、そういう事実上不可能なことをエネルギー計画の中に入れようとしていること。そういう点で、私はこの計画が成功しうるとは思えないのです。これから産業構造を変えていくと、特に自動車関係などでは雇用が大きく変わりますが、それをどうするのか。また、原子力は今の新潟の問題を見ても分かりますように、管理も極めていいかげんですから、原子炉のこれ以上の復活が可能とは思えません。ですから、エネルギー計画のところで挫折があるのではないか、結局は選挙のための大風呂敷に終わるのではないか、という懸念を持っています。

私は、今後はどうしても市民組織によるエネルギー計画が中心にならなければいけないと思っています。最近の温暖化対策を見ましても、日本の場合、エネルギーの節約が非常に大きく効いています。ですから、市民による温暖化対策の中では、自然エネルギーをいかに増やすかということと、節電ということが大きな柱になるのではないか。私は自治体が中心になって温暖化対策を立てるのが正攻法だと思っています。そのためには、九電力による集権型経営ではなくて、地方分散型の経営ができるように、まず送電網を整備する。あるいは、エネルギーの地域内循環を自治体や協同組合などの市民組織が主体的に進められるようにする。そういう計画をつくっていくことが必要なのではないかと思います。そういう意味で、まだまだ対抗関係は続くのではないかと思っています。

## SDGsに頼るだけでなく

最後に、SDGsについても述べておきたいと思います。持続可能な開発のための二〇三〇年アジェンダですが、これを二〇一五年九月に国連が持続可能な開発サミットで提起し、いま一九三か国が承認しています。一七の目標と一六九の細目をもって二〇三〇年の実現へ向けた計画になっています。日本政府は二〇一六年一二月にこれを受け入れ、八の優先分野と一四〇の施策を発表しています。

事務局はUNEP（国連環境計画）で、WTOのような司法的な権限はありません。このため、この間までアメリカがパリ条約を離脱してSDGsを覆すような決定をしていても、それに対して制裁ができない状態でした。また、ＳＤＧｓは非常に総花的な目標ですし、二〇三〇年に必ず実現しなければならない責任も承認国にはありません。ただ「Leave No One Behind」、誰一人置き去りにしないというすてきなスローガンを掲げていますので、小中学校では道徳の綱領のようになっております。国立大学協会もこれを受け入れ、各大学の経営方針の中に入れていますし、経団連、企業、自治体、協同組合、ＮＧＯなども経営の目標に採用しています。確かに地球環境の危機は迫っておりまして、世界と日本の未来が不分明であるこういう時期にＳＤＧｓを目標に入れて行動することは望ましいのですが、目標がこれでいいのか、主体が適当なのか、あと一〇年で達成できるのか等々、もうあと九年（当時）ですが多くの課題があります。

経済思想家として最近注目されている大阪市立大学准教授の斎藤幸平さん（当時）が、『人新世の「資本論」』の中で、地球環境の危機は資本主義の体制転換を迫っているのであって、経済成長の持続を枠組みにしたＳＤＧｓは大衆のアヘンだと断じております。私は斎藤幸平さんと今いろいろ交流をしているのですが、確かに彼の言うように、地球環境の危機が資本主義の体制転換を迫っていることは間違いないと思います。また、ＳＤＧｓは国連内部の対立を妥協してつくられていますから、ターゲット自体に問題があると思うのです。

最も重要な第一項目は貧困の克服ですが、今は途上国だけでなく先進国でも、貧富の格差が空前の広がりを見せています。格差是正の財政施策、特に税制による対策は最低になっています。これはグローバルな金融情報資本主義の下で新自由主義の政策が進められる結果として起こっているわけですから、この転換なくして貧困の克服ができるのかどうか。しかし、ここには体制の改革は書かれていません。それから、第六の健康の項目も、今回のようなパンデミックは予測していなかったのではないかと思います。発展途上国での感染症対策が中心です。加えて、問題は第一六の平和の項目です。当然ここでは核兵器の廃止、軍縮など世界平和について触れられなければいけないのですが、全く触れられていません。

次に、岩波から出ている『ＳＤＧｓ―危機の時代の羅針盤』（岩波新書、二〇二〇年）を読むと分かるように、ＳＤＧｓを国連で討議したとき一番もめたのが、気候変動の問題と平和の問題だったそうなのですね。この一番重要な二つで実はうまく調整がつかなかったと言われています。ですから、本当はターゲットの中で一番重視しなければいけない部分が一番弱くなっている感じがしておりまして、これからＳＤＧｓを議論するときには、ここが問題点になると思うのです。平和と気候変動のところは、もっと強化しなければならないのではないでしょうか。

そして、私が心配している最大の問題は、投資必要額の多くを企業の事業に期待しているという点です。リーマンショック以降、公益資本主義という言葉や、経営のあり方を変えなければならないという声が上がり、二〇〇六年に欧米でできたＥＳＧという経営の新綱領に依拠していこうという傾向がでており、日本でも最近、この傾向がＳＤＧｓにあらわれてきています。ＵＮＥＰはＥＳＧをＳＤＧｓへの投資と同一視しているわけです。

二〇一八年の民間投資をＳＤＧｓの目標ごとに見てみますと、民間企業が一番エンゲージしているのは、二番目の健康・福祉と六番目の安全な水・トイレです。つまり、総花的な目標のうちどれでもいいから投資すれば、それがＥＳＧでありＳＤＧｓへの投資とされるなら、実際には利益のあがる部門に集中してしまいがちです。今後、それらの事業内容を調査する必要もあるのですが、『日経ＥＳＧ』の中で、ＵＮＥＰの総裁補ウリカ・モデルが「ＳＤＧｓの中で進まないのは気候変動、生物多様性、格差是正」と言っているところを見ても、どうもこれからはＳＤＧｓでも公共性をもっと審査しなければ危ないのではないかと思います。

最近のように、ＥＳＧ投資あるいはＳＤＧｓに対して資本が動き出しているのは、悪いことだとは思いません。しかし、株主資本主義がステークホルダー資本主義や公益資本主義に変わるのかというと、問題があるのではないか。経営者として大変有名な小林喜光さんが日本学術会議の機関誌『学術の動向』に書かれた「地球と共存する経営」という論文でも、株式会社である以上は、収益力が八割程度、技術力と環境などへの貢献がそれぞれ一割程度だという結論を非常にはっきりと出されているわけで、これは経営者の本音ではないかと思っています。企業に地球環境問題の解決を任せることはできません。市民がまさに足元から維持可能な社会をつくっていくために努力をする必要があると思います。今までのＳＤＧｓに頼るだけではだめで、温暖化防止に重点を置き、足元の地域システム改革から始めていく。そういう行為が必要なのではないでしょうか。

＊初出は『Chubu Institute for Advanced Studies Forum Series 115』「環境経済学の方法論と課題」中部高等学術研究所、二〇二一年一二月。二〇二一年七月一〇日の研究会〈オンライン併用〉講演への加筆。

# 第3章　なぜいまカール・マルクスなのか

## 1.　現代資本主義の危機

マルクス（一八一八―一八八三）がなぜ今注目されているかというと、現代資本主義が危機を迎えているからだと思います。日本の場合は明らかに三大危機が体制の限界と危機を問うています。第一は、世紀の課題で躊躇《ちゅうちょ》なく対策をとらなければならないところへ来ている地球温暖化を防止できるか。第二は、コロナのパンデミック。これも地球生態系の破壊による感染症拡大と言ってもいいので、今後、繰り返し起こってくると見なければならない。そして第三に、今直接に問題になるのがウクライナ戦争です。大変危ないところへ来ており、第二次大戦後、最初の核戦争・世界戦争の危険があるのではないか。これを契機に軍事ブロック間の軍拡競争が始まっているわけで、まず停戦しなくてはならない。停戦が可能かどうかということですが、停戦した後でも軍拡競争について、どのように国際的に対応できるかという課題が残る。しかも、経済学者としては心配なのは、スタグフレーションが始まりつつあるのではないかと思う。今回のスタグフレーションは、七〇年代の後半に起こったスタグフレーションと違って、日本の場合は財政・金融が破綻に近い状態になっている中なので、このスタグフレーションをどう切り抜けるかというのは重大な問題でないか。これも、体制の問題に繋がるような大きな課題になってくるのではないかと思います。

## 公益資本主義への転換は可能か

こういう三大危機ですから、各国で新しい資本主義、あるいは大きな転換という問題が提起されています。この三つの危機には共通の被害と原因と対策がありますので、どうしても個別の解決ではなく全体的な解決が望まれてくるのではないかと思う。いずれも新自由主義が生みだした危機です。ダボス会議ですら、今の新自由主義が危機にあるということを認め、公共部門を拡大してパンデミックと気候危機を解決すべきで、そのためのグレートリセットの必要を認めている。つまり単なる財政的な措置でなくて、グレートリセットが必要だと。特に株式会社について、株主資本主義からステークホルダー資本主義、公益資本主義への転換が必要だと言っています。こういうことが日本にも反映しているのですけれども、岸田内閣は全然対応していない。最近は、初めに言ったことを全部ひっくり返し始めている。成長あっての分配とか、あるいは原発の再生をはっきり明示するなどです。しかも財政・金融の危機については、具体的に対策を進めていないので、この一〇年以内に危機は避けがたい形になってくるのではないかと思う。

この公益資本主義については、今に始まったことではない。二〇〇八年のリーマンショック以降、この新自由主義によるグローバルな世界市場の自由競争、民営化、格差是正の社会政策を縮小するような小さな政府、あるいは社会的規制の緩和という路線については、修正が始まってきたと思うのです。一番早く現れたのが、投資市場における企業経営のＥＳＧを重視する投資行動です。それから、ＵＮＥＰが二〇三〇年を目標に出したＳＤＧｓ。これに民間投資を進めようとしている。ＵＮＥＰはＥＳＧがＳＤＧｓの投資になると言っているのですけれども、そういう意味ではもう既に、転換が始まっていたところに、こういう三大危機が起こった。ですので、より一層それを進めようという形になるはずなのですが、なかなかうまくいかない。そして、今度のウクライナ戦争。ＥＳＧのいろんな資料を集めているのですが、ＥＳＧに対する批判、あるいは、ウクライナ戦争下で起こっている経済現象について、ＥＳＧに対する疑問あるいはＥＳＧを緩めるという傾向が出ている。

## ＳＤＧｓに登場しない核戦争防止

ＳＤＧｓは目的と手段に疑問があるということです。簡単に言いますと、ＳＤＧｓは目標一六の中に平和の問題を掲げています。実際には国連の内部対立があるせいだと思いますけれども、核戦争については一言も触れていない。持続する発展ならば、平和の項目の冒頭に、核戦争防止あるいは、国際戦争の防止を掲げなくてはいけないのに全く掲げていない。テロ対策とか国内戦についてのみ述べている。岩波新書の『ＳＤＧｓ――危機の時代の羅針盤』はＳＤＧｓを実際に作る現場にいた人の書いたものなので、なかなか参考になるのですが、二人が言っていることはＳＤＧｓの中で一番うまくいかなかったのが、核戦争防止だと。これはなかなか決まらない。もう一つ決まらなかったのが温暖化防止だと言っています。これを読んでみて、日本人が考えるＳＤＧｓとだいぶ違うのでないか。日本人は、平和と温暖化防止ができるという期待感を持ってＳＤＧｓを進めているのに対して、現場にいた人はそこが最後まで一番うまくいかなかったと言っているのですね。

もう一つ私が指摘したのは、ＳＤＧｓというのは本来、その内容を見ても公共的な資金が中心になって進めないとうまくいかないものですが、企業社会になっているから、資金は民間資本に頼らざるを得ず、民間資本に依存する形の資金計画・手段になっている。これはＳＤＧｓ以前のＭＤＧｓ（ミレニアム開発目標）のときからの問題です。ＳＤＧｓの内容を見ると、進んでいるのは上下水道や医療など、民間資本にとって利益を上げうる部門に集中していて、温暖化防止あるいは格差是正というようなところが遅れている。これがＵＮＥＰの人たちの今のところの評価で、それを何とかしなくてはならないと言っている。日本人の期待通りにはなかなかＳＤＧｓが動いていない。公益資本主義が可能かというテーマに関して言えば、私は、資本主義は変わらざるを得ないが、うまくいくかどうかについて極めて疑問に思っています。

## 2. マルクス『資本論』への回帰

今の三大危機を解決するには、新しい資本主義は力がないのではないか。そういう状況下ですが、マルクスの資本主義論、あるいは社会主義─共産主義への展望というのが不思議なことに学会であまり議論になっていない。学会ではあまり取り上げられないが、マスメディアの中では話題になっています。最近の『中央公論』大特集のように、日本のマスメディアの場合、明らかに斎藤幸平『人新世の「資本論」』が四〇数万部売れ、これは画期的なことだという評価なんだろうと思います。

斎藤さんが提起したのは、マルクスの晩年の資本主義体制崩壊の結論は地球環境の危機にあるということなのです。つまり、これまで『資本論』第三巻では、恐慌が繰り返され、その中でプロレタリアート革命の前夜が始まっていきますが、そういう形ではなく、マルクスは晩年、二巻三巻の完成をやめて自然科学の研究に没頭していた。そのために『資本論』を完成できないまま終わったが、もし書くとすればエンゲルスの編集した第三巻ではなくて、環境危機で終わったのではないかと。斎藤さんはそれを膨大な晩年のマルクスのノートを研究した成果として発表した。大変な力作なので賞をもらっていますし、日本でその大筋を発表したのが『大洪水の前に』という本です。私は、『人新世の「資本論」』よりも、この『大洪水の前に』の方が皆さんに読んでもらいたい本だと思っています。

## 人間と自然の物質的代謝

斎藤さんの研究成果では、とくにエンゲルス批判が強いのです。エンゲルス批判については、必要なことだけを指摘しておきます。『資本論』の中で斎藤さんが力説したのは、人間と自然との物質的代謝、それと素材から体制の二つが、マルクスの理論の核心にあたるものだということです。斎藤さんは『資本論』のなかでも、資本主義が人間と自然との物質的代謝に修復不可能な亀裂を生み出すことが指摘されていて、この深まる亀裂がもたらす疎外（マルクスを読んでない人は疎外という言葉がぴったりこないかもしれないが）により、労働者はその生産物を手に入れることはできない。疎外の典型ですが、そういう亀裂がもたらす疎外への経験が、持続可能で自由な人間的発展を求める意識的な取り組みを生む。つまり人間が自然に働きかけながら実際には自然を壊していく経験の中で、このままではいけないと、自然を壊していくのではなく、持続可能な自由な人間的な発展を求める意識が生み出されてくると。これが、『資本論』のこれまで読み方であった恐慌から貧困、それで革命へ、というところに入り込んでるわけです。むしろ自然との疎外感が、つまり物質的な生活における疎外感でなくて、自然との疎外感、これが新しい階級の体制変革の動機になるのでないか。そういう意味で、自然と物質的代謝が引き起こす資本主義の割れ目が生じているということが述べられているのです。

「マルクスは自然の限界をはっきりと認識していたがゆえに、より注意深い自然の取り扱いを社会主義構想の中ではっきりと強調した。それは自然を私的所有の制度から切り離し、コモンとして民主主義的に管理することにほかならない」。これが彼の結論的な主張です。簡単に言えば、自然を私的所有制度から切り離してコモンとして民主主義的に管理したい、それが新しい社会だということです。

私が『社会資本論』以降、素材から入ったのは正しいと斎藤さんは言います。マルクス主義は素材から入らなければだめというが斎藤さんの主張で、「マルクスは素材的な世界の視点から、環境危機を資本の物象化した力との関連で把握していた。そのうえで人間と自然の物質的代謝の攪乱《かくらん》を乗り越えるためには、資本の主体化した力を廃棄することが不可欠であるとマルクスは唱えたのである」と。これは『大洪水の前に』の一番後ろの結論ですが、斎藤さんが言いたいことの趣旨がこの辺にあると思います。

　その斎藤さんと対談したのですが、中心は環境問題でしたから、『人新世の「資本論」』から入ったのです。ここでのはっきりした対立は、私は環境問題を現実の公害論の研究から始め、斎藤さんはマルクスから始めたことです。私ももちろん、マルクスの人間の自然代謝、あるいは不変資本の不充用について示唆を受けていますが、公害論から環境破壊へ、そして地球環境へというふうに進んでいったので、いわば現実の資本主義の展開過程を見ながら環境論を形成していったのです。彼の場合はそうではなくて、晩年のマルクスの仕事を丁寧に分析して、そういう結論になったのです。その違いがやはり対談の中ではっきり表れました。最後に彼は「やはり現実を重視しなくてはなりませんか」と尋ねるので、現実を重視しなくてはだめだと。彼は「分かりました」と言っていました。

## 労働運動と市民運動

マルクスは天才ですから、『資本論』以前の『経済学批判要綱』の中でも、環境の危機に繋がるような問題を指摘している。もちろん『資本論』の中でも指摘している。特にここが一番、都留さんと私が気に入っているところなんですが、マルクスは人間労働に代わるロボットなどの技術革新が極限まで進むと、労働価値説は終わりになると言っているのです。これを意外と日本のマルクス経済学者は分かっていないのでないかと思います。マルクスは、労働価値説が終わる、終わったときにどうなるかということを考え、そこから先に社会主義の問題も考えようとしている。この重大な問題を抜きにしてしまっているんじゃないか。つまり、日本のマルクス主義者は労働価値説を基本に、マルクス主義の資本論やマルクス主義経済学を説明している。

公害の問題について言えば、労働組合が全く働かない、あるいは逆に企業意識で公害問題も伏せてしまおうというような態度をとることがあるため、別の社会運動がなくてはならない。つまり、環境が破壊され、環境が汚染されたことによって起こる市民の生活困難から、新しい社会運動が起こる。この事実を静岡県の三島、沼津、清水の運動などを見て主張してきたのです。そう主張する際、経済学者からいろいろ言われるだろうと思い、『資本論』第一巻第二三章を引用して、マルクスはこう言っているではないかと書いたことがある。つまり、職場における古典的な貧困と職場外の現代的貧困、貧困には二つの問題がある。社会運動も、労働運動と市民運動というのが結合しなければならない。これが、私の基本的な社会運動論として提示した内容です。

二三章というのは一番面白い章です。学生には、『資本論』の頭から読んだらおそらく第一章で行き詰まってやめたということになるから、二三章から読めと言っている。ここでは、すでに工場法ができ、衛生問題に対するいろいろな委員会ができていて、その報告書に基づいてマルクスは書いているのです。だから、すごく現実的でダイナミックなのですが、その中でマルクスは、労働者の最も大きな貧困は職場外にあると書いている。実際そこに書いてあるのは、やはり公害問題や住宅問題です。そういう職場外の労働者の貧困を非常に丁寧に書いているのです。これも報告書からの引用で（マルクスは非常に上手に引用しているのですが）、こういう職場外の貧困の問題については、ストライキが行われないと。つまり労働運動がないということを指摘しているのです。だから結局、当時から既に職場外の貧困問題、公害や住宅問題、あるいは食料不足の問題などは、労働運動では解決ができなくて、市民運動に任せざるをえないということになっていたことを示した。

私の社会資本論や公害論にはいろいろ批判があり、「お前はマルクスを読んでないんじゃないか」というから、「読んでないことはない。あなたたちの方が読んでおられないんじゃないか」と。『資本論』の翻訳は間違いが多い。例えば第一巻二三章の公害という言葉を間違えている。パブリック・ニューサンス・アクトの翻訳を「衛生警察条例」と。基本的に間違っていた。ここは「公害」とし、「公害防止条例」に直せと言ったことがある。それはともかくとして、やはり貧困の問題を職場内の問題として、賃金や労働日の問題とだけ考えていた限界があったのでしょう。ちょっと横道にそれてしまいました。

対談の結論では、マルクスの晩年の論文を引用するまでもなく、現実の資本主義というのは、公害や環境問題が命運を賭すことになることは現状分析をしながら分かることではなかったか、ということでした。対談では、私のマルクス理解と、どういうふうに環境研究したかが中心になり、国家とか地方自治とか社会主義については十分に議論をしないで終わりました。そこで、今回はその辺りのことにも触れたいと思います。

## 解釈でなくそのままを読む

私のマルクス理解というのは、今までのマルクス主義経済学者と違っているところがあります。高等学校時代に社研で『資本論』をアドラツキー版で読み始めていましたから、マルクスやエンゲルスの主な文献は読んでいました。しかし、名古屋大学に入ったら経済学の教授の中にマルクス主義者が一人もいなかった。経済政策論はハイエクなんです。おかげでハイエクの勉強ができたのは、よかったのですが。経済学原論は塩野谷九十九さんのケインズ一般理論なんです。入学当初は塩野谷ゼミで学びました。結局、私はマルクスの『資本論』やマルクス主義経済学については正統な講義を受けた経験はないんです。山田盛太郎教授（東京大学）が集中講義に来て聴講しましたけれども、集中講義を聞いたぐらいでは山田先生の理論が分かったとは言えない。ですから、私の読み方は水田洋的読み方です。

私の先生の水田洋はアダム・スミスの大家ではありますが、同時にマルクス経済学の研究者です。マルクスを読んだことのない人には、『共産党宣言』を薦めます。『共産党宣言』の翻訳で名文なのは、岩波文庫ですけれども、最も正確なのは水田洋先生の講談社文庫の『共産党宣言・共産主義の諸原理』なんです。ものすごく正確です。だから岩波文庫とともに、講談社文庫の水田洋の翻訳を薦めますね。水田先生はマルクスについてあまり翻訳はしていません。翻訳の中心はホッブス、スミス、ミルです。ですから、マルクスの翻訳はあまりないのですが、少なくとも『共産党宣言』は、水田訳が一番正確だと思っていますので、これからマルクスをやりたい人はぜひ水田訳を読んでください。

対談のときに、マルクス理論の検討を国家論や地方自治論でやらなかったのですが、『人新世の「資本論」』を見ると、具体的な現状の解決の道として挙げているのはバルセロナのミュニシパリズムです。バルセロナにおける、特に住宅政策を中心とする政策の中に新しい資本主義の道、それから彼の考えていることが挙げられている。ただこれについては、いろんな人が批判していますね。バルセロナを勉強していないじゃないかとか、バルセロナに行ってないんじゃないかとか言われていますが、バルセロナは確かに重要な例ですし、挙げたこと自体は間違いないと思います。彼の言う「コモン」の典型的な自治体として考えたいと思っているのです。そういう点では、バルセロナを問題にして、地方自治について対談したかったですね。

私が言いたいことは、マルクスを後からのレーニンやエンゲルスの見方で読むな、ということです。マルクスの言っている通りにまず読んでみろ、ということです。ソビエト社会主義とか中国社会主義とか日本の社会主義とかいうのが出てきて、その後の現状から見て解釈をし直したりしているから、マルクスをそのまま読んでいるとは思えないところがずいぶんある。水田洋先生は「マルクスを批判的に読め」といわれていた。そういう意味で、マルクスを正確に、あとからの解釈で読まないことの大切さを指摘しておきます。

## 3．社会主義

マルクスは共産主義について書いています。一番最初の傑作が、聖書とともに残ると言われている『共産党宣言』ですが、そこで共産主義についてはは明確に書いているのですけれども、社会主義については詳しく書いていない。『ゴータ綱領批判』（一八七五年）には、その頃のフランスやヨーロッパではラッサールあるいはオーエンなどの社会主義が流行みたいになっていたから、社会主義の綱領が出てくる。彼はこの『ゴータ綱領批判』の中で、ラッサールなどによって作られた綱領に批判的な評注を加えており、これがマルクスの社会主義論だと言われている。ただ、このゴータ綱領批判を読んでも、マルクスが社会主義を丁寧に定義したということではない。むしろ、綱領に対する批判的評注なのであって、共産主義の生産力に対応する分配原則の違いによって低次と高次に分けているのです。その後、低次を社会主義、高次を未来の共産主義というふうに解釈されたわけです。はっきりそう述べたのはレーニンです。この両者の区別、労働に応じた分配、そしてその未来社会である欲望に応じた分配というレーニンの規定を受けて、その後、前者の労働に応じた分配の社会が社会主義と呼ばれるようになった。しかし、マルクスを読んでみると、共産主義と社会主義をそれほど厳密に区別していない。共産主義というのは明確に語られ、定義もあるのですけど、それと社会主義がどう違うかなどについてはあまり書いていない。その後にいろんなノートがありますから（私はそこまで読んでいない）、マルクス主義の専門研究者から批判を受けるかもしれませんけれども。社会主義と共産主義をあまり区別せず、むしろ共産主義の定義や、未来社会としての共産主義について丁寧に説明がある、というふうに私は思っています。

## エンゲルスの自然観

マルクスは、ブルジョア社会の最後の国家形態の民主的共和制のもとで終局まで戦え、と言っていますが、プロレタリア独裁の国家形態については書いていません。マルクスは、当時の社会主義者の主張を超える資本主義の解明と批判の上に立ってあるべき未来社会を語っても、社会主義については、その経済社会政治の内容を書いてはいません。共産主義社会では、階級と国家は消滅して共同社会が生まれるとしていますが、その場合に、国家に代わる共同組織については何も書いていません。ただ、晩年になって、彼はロシアの共同体を非常に高く評価する。つまり資本主義を経ないでも、そういう新しい社会というのは構想できるのではないかというふうに読める形で、ロシアの共同体を評価している。これは非常に重要な意味があり、唯物史観とはちょっと異なることになる。斎藤幸平も非常にそこを重視していて、未来社会について「コモン」がでてくるのはその辺ではないかと思うのです。

社会主義という言葉で一番よく読まれたのはエンゲルスだと思います。社会主義の古典として最も読まれているのは、『空想から科学への社会主義の発展』ではないか。マルクスの叙述と違って、エンゲルスは文学的ですごく文章はわかりやすい。おそらく『空想から科学への社会主義の発展』というのはマルクス主義に関心をもったような人は必ず読んでいる本だと思います。

この中でエンゲルスは、オーエンやラッサールなど代表的な社会主義者の理論と実践を批判している。そして、マルクスと自らの社会主義をこれまでの三つの思想的源泉の科学的総合として述べているわけです。フランスの社会学、ドイツの哲学、イギリスの経済学の成果を批判的に総合したのがマルクス主義であるとしている。その成果が唯物史観であるとして、人類の発展過程を中世社会、資本主義革命、プロレタリア革命としている。プロレタリアートは公権力を把握し、この権力を使って、ブルジョアジーの手から滑り落ちてゆく社会的生産手段を公共の財産に転嫁する。おそらくここのところが一番社会主義を定義する場合に使いやすいし、使われているところだと思います。資本主義的所有、あるいは私的所有の生産手段を公共、あるいは社会的な生産手段に転嫁する、これが社会主義だと普通いわれている。ただマルクス自身は、ここのところは共産主義そのものにもそう言っています。社会主義と言わず、共産主義についてもそう言っているわけです。だから、別に社会主義と言わず共産主義の場合も同じようなことを初期には考えていて、その後、マルクスは国家がなくなってしまうと階級がなくなるとした。ともかく、生産手段を公共財産に転嫁する行為によって、プロレタリアートは生産手段を従来の資本としての性質から解放し、生産手段の社会的性格に自己を貫徹する完全な自由を与える。おそらく、社会主義について喋る場合に、この部分を引用している人が多いのではないか。あるいは、これを自分なりに解釈している人が多いのでないかと思います。最後のところでエンゲルスは、無政府状態の資本主義が恐慌を繰り返して貧困を助長するのに対して、社会主義の計画経済が生産力を発展させ、人間が社会的結合の主人となる、同時に自然の主人に自分自身がなる、すなわち自然から自由になる、と結論している。ここはまずいでしょう。最後のところは、あれっ、とみんな感じたのではないかと思いますが、昔はそこで万歳だったのです。つまり、人間が生産関係を変えて生産力を最高度に成長させ、自然を征服すると。これは、ヒューマニズムの極致です。

## マルクス主義批判の中心に

この論文はマルクス主義思想の簡明な解説であって、唯物史観によって社会主義革命の必然性と正当性を明らかにしたものとして、レーニンの『国家と革命』とも共鳴し、社会主義の古典として多くの読者を生んだ。しかしこの唯物史観は、生産力と生産関係から歴史の発展の必然性を説くもので、科学、技術、法制や文化の発展の歴史的力の独自性と経済への影響を二次的としています。つまり、社会現象の基底還元論だと言ってもいいのですが、この唯物史観こそが、これまでは剰余価値学説史と並んでマルクス主義の二つの偉大なる理論的達成と考えられていたのです。

しかし、現代の地球環境問題があきらかにするように、人間は自然を克服して支配することはできないのです。生産力の発展による環境破壊がむしろ人間社会を死滅させる時代に直面している。そういう意味で、最近のマルクス主義批判というのは、このエンゲルス＝レーニンの唯物史観に集中しています。マルクスとエンゲルスを切り離すべきではないか、エンゲルスは簡明に自然弁証法を主張している、自然の理解としても疑問があると。唯物史観の基底にある自然を支配できるという前提についても批判があります。『大洪水の前に』を読まれると分かりますが、エンゲルスは全く人間と物質的代謝の理論を理解していなかったと批判しています。そういう意味では、これをどう考えるか。私はエンゲルスを嫌いではない。ヨーロッパでエンゲルスを再評価する非常に大きな本が出ていまして、面白く読んだのですが、エンゲルスがマルクスの理論を正しく受け継いで、それを最も世に広げたという評価は間違いではないと思う。ただ、エンゲルスの仕事の中でいえば、やはり『資本論』の第二巻第三巻について、エンゲルスの仕事が十分だったかどうかについて批判もあるわけです。これまではマルクスとエンゲルスをイコールで結んでいた。場合によってはレーニンともイコールで結ぶ内容が日本のマルクス主義研究に多かったのですが、正確だったかどうかというのは確かに問題点です。最近の傾向に沿って斎藤さんはエンゲルス批判をしています。

## 4. 国家と市民社会

国家論に関する著作は極めて多いのですが、マルクス、エンゲルスの理論に一貫して流れているのは次の点だと思います。国家は市民から独立し、これを総括しながらも、これを疎外していく存在であると。この「疎外」が今の若い人には分かりにくいようですが、哲学的に言えば、疎外という概念が最もマルクスの中では重要な概念ですから、自分なりに考えて理解していただきたいと思います。エンゲルスは「社会から出てきながらも、社会の上に立ち、社会からますます疎外していくこの権力が国家なのである」と、うまい定義しています。共同体の中で私的所有の自由が確立し、分業が行われ、階級が分化し、対立が起こった結果、支配階級が私有財産を保護し、秩序を維持し、共同社会事務を行うために国家を必要とした、というのがエンゲルスの定義です。エンゲルスは、国家は市民社会を組織化する、あくまでそれは総資本の意志によっておこなわれる、と考えていたわけです。

### 階級国家論と共同社会事務

マルクスは『共産党宣言』の中で次のように書いている。「近代国家権力は単にブルジョア階級全体の共通の事務を処理する委員会」であって、国民の共同の意志によるとか、共同利益によって総括するとは考えていなかったわけです。現代の国家は資本家階級の独裁国家として、市民社会を総括すると一元的にとらえていました。レーニンは『国家と革命』で、国家は階級支配の道具であり、軍事・治安・官僚機構こそ国家権力であり、プロレタリアートはこれを粉砕することによって社会主義革命を達成する、と主張したのです。これだけを読むと、マルクス主義の国家論というのは階級国家ということになる。レーニンが後進国ロシアのような民主主義制度の未発達な社会において、プロレタリア独裁の理論を導き出す素地を持っていたことも当然だと今までは考えられていた。しかし、マルクスが市民社会を総括する場合に、国家が国民経済や市民社会を維持していくために必要な共同事務受託者としての基本的な性格を持っていることを別のところで解明しているのです。私のマルクスの国家論についての認識は、『現代資本主義と国家』の段階で止まっているのですが、マルクス自身も、『共産党宣言』の中での定義が、その後の文献では変わってきている。つまり、民主主義について、かなりいろいろ指摘をする。そういうところも出てきていますから、『共産党宣言』の階級国家論はそのままマルクスの階級国家論だと言っていいかどうかについては、今は疑問に思っているのです。

先の『ゴータ綱領批判』は、マルクスの文献中で最も重要だと言われているように、国家が資本家の利害と結びつく事業とは別に、次の社会が継承すべき任務を二つに分けて示しているのです。第一は、直接に生産に属さない一般行政費用。この部分は最初から今日の社会に比べれば極めて著しく制限され、かつ新社会が発展するにつれてますます減少する。第二は、学校や衛生設備などのような、いろいろな欲求を共同で満たすために充てられる部分。この部分は最初から今日の社会に比べて著しく増大し、そして新社会が発展するに連れてますます増大する。つまり、階級国家論と共同社会事務をどのように統一して理解するか、ここが難しいところなのです。現実には議会制民主主義で国会において、みんながいろいろ要求するわけですから。要求するのは、国家が共同社会事務を持っているからです。階級国家論だけだったら、要求しても資本にとって不要なものは切りすてられます。詳しくは『現代資本主義と国家』を読んでください。

## 5．中央集権と地方自治

マルクスは地方自治をどう考えているかですが、一八五〇年段階では「労働者は自治体の自由とか自治などという民主主義的おしゃべりに惑わされてはならない」というように、極めて厳しく規定しているのです。それはフランス革命の理解と関連しており、フランス革命のときは中央集権的な制度が重要だったので、そのことを念頭にこう言ったのだと思います。ところが、一八七一年にパリコミューンが起こる。マルクスは初め、こういう革命に反対だったのですが、敗北の事実の中身を見ながら、ここに新しい共産主義の理想があることを認め、高い評価に変わるのです。

一八八五年、エンゲルスは先の「そんなおしゃべりに惑わされるな」という部分にわざわざ長い注をつけている。これはフランス革命時のフランス史の解釈に間違いがあったためだったと述べ、フランスでは県郡市町村の全行政が住民自身によって選ばれ、一般国法の範囲内において完全な自由と自治を持っており、州および地方自治こそ革命の最強のテコであった、というふうに意識を変えている。パリコミューンの成果を見てそう変えるのです。

### 民主的中央集権への回帰

これ以後、社会主義の綱領に地方自治が入ってくるのですが、エンゲルスは一九〇一年の『社会民主党綱領草案批判』の中で、「普通選挙権によって選ばれた官吏による州・郡・市町村の完全な自治制、それから国家の任命になるすべての地区及び州の官庁の廃止」を強く主張している。

ところがレーニンは『国家と革命』において、エンゲルスのこの部分を引用して、自分は決して官僚主義的な意味で民主主義的中央集権を主張しているのではない、とした。地方自治の必要性を言っているのですが、やはり原則が民主的中央集権制ですね。それがどのように、その後のマルクス主義の中で転換していったかについてはまだ解っていません。おそらくレーニンは民主的中央集権制が基本で、官僚主義的な制度を批判する場合に地方自治が必要だというところで止まってしまったのでないかと思う。以後における現実の社会主義は完全な民主的中央集権制ですからね。この辺はもう少し調べてもいいのだけれど、ソ連邦の状況を調べてもあまりプラスにはならないのではないかと思ったので、この辺りにしておきます。

## 6. これからの社会主義研究

斎藤さんとの対談では、地球環境を保全する新しい社会主義が今の危機を越える未来の体制としましたけれども、新しい社会主義の内容については議論しませんでした。私自身はまだ、新しい社会主義がどういう主体で、その内容がどういうものであるかについて正確な論文を書いたことがないので、対談では、次の体制としての社会主義について述べたのですが、その内容には触れませんでした。ここで考えてほしいのは市民革命の性格なのです。

私が卒業論文でウィリアム・ペティの理論を書いた理由は、市民革命としてのイギリス革命の性格が資本主義の性格を決めると考えたからです。ペティの理論というのは、イギリス革命の性格がそのまま表れているというふうに思ったものですから。市民革命がどのように行われたのか、その性格がどういうものであったのかが、以後における資本主義の性格を決めている気がするのです。場合によっては、ソ連社会主義とか中国社会主義の性格を決めているのではないかと。そういう意味で、市民革命がどのように行われ、どういう性格だったか、あるいは行われなかったかというのは、依然として今の資本主義や社会主義を考える場合の基本ではないか。国家の問題もそれに繋がってくるから、生産手段の国有化を考える場合の国家の性格も、実は市民革命以後の展開過程と関係しているのでないかと思うのです。

## 中国は新しい社会主義をつくれるか

いま気になっているのは、日本はもうアメリカに属する形で中国とは敵対的な関係に入りつつあるため、若い人が中国との交流や中国を勉強することをしなくなる傾向になっていることです。しかし、中国社会主義はもう少し勉強した方がいいという気がします。私は中国の研究者ではないので、大阪公立大学教授の王東明さんの『中国株式市場の形成と発展（一九七八―二〇二〇）』（関西学院大学出版会、二〇二二年）が最近読んだ本の中では非常に参考になったので紹介したいと思います。

どこが参考になったかといいますと、中国はソ連解体時の失敗に学び、国有財産を無条件に民間に移譲したのではないのですね。むしろまず、国有国家企業を株式金融市場に導入したのです。民間市場を入れるのでなくて、最初に国有企業を維持発展させるため、株式会社にしてその株を国家が所有した。それから生産資本の土地は、公的所有は維持するけれども利用権を市場化したわけです。そのうえでWTOに加入し、グローバルな経済社会に入ったのです。民間企業は、初めは中小企業関係やそれに関連する小さい企業群を株式会社に入れてだんだん拡大していった。この過程で急激に経済成長していく。

もう一つ気になっているのは、ある時期までは市民文化や教育の開放も進んだことです。実は、ついこの間までは欧米日も、この傾向を支持していたのです。日本はむしろ、特に新幹線をはじめとしていくつかの技術開発も援助した。それは、経済発展すれば中産階級が増大して自由と民主主義が進むことを期待したのだと思いますが、この期待は崩れたわけです。天安門事件以来、中国共産党の思想統制と大国主義的な傾向が進んでいます。しかし、この経済成長がなぜ急激に進んだのか。学術・文化・教育の分野も日本を抜くぐらい、世界トップレベルになった。また、中間層が党支持に回り始めている。こういう状態をどう考えるのか、やはり日本人にとってもう少し考えていい課題ではないか。中国の独自の生産組織、公私混合はいつまで続くのか。共産党の独裁はいつまで続くのか。こういう民主集中制というのは安定するのか。こういう問題はもっと学術的に、単に気分的に中国が嫌いだというような形で考えるのでなく、なぜ中国の現状がこういう状態になっているかについて科学的な分析が必要でないかと思います。

## 株式会社と社会主義

そこで、いくつか問題を指摘しておきたい。私は株式会社の問題がとても気になっているのです。中国がうまく近代化に乗っていった原因は、株式会社を利用したことでないか。株式会社は、資本を社会化する第一歩です。マルクスも株式会社を『資本論』の中で重視しているように、資本主義を支える根幹だと思うのです。株式会社が果たしてどういう形になるのか。つまり、公益的な投資が進むようになるのだろうか。

別の論文で私が公益的にならないのではないかと指摘する論拠としたのが、『学術の動向』という日本学術会議の機関誌に元三菱ケミカルHD会長の小林喜光氏が投稿した「地球と共存する経営」という論文です。彼は企業分析をした後で、株式会社は株主の利益に八〇%を充て、残り二〇%が社会や技術革新に充てられると結論している。これが経営者の本音で、公益資本主義といっても、革命が起こらない限りは難しいのでないかと思っているのです。株式会社に変わる企業形態がうまく生まれないと次の社会に移れないのではないかと私は思っているのですが、岩井克人氏は、「株式会社は二重構造で、株主の上に経営者がいるのだから、その公益性に期待する。だから、必ずしも公益資本主義にならないということはない」と言っている。これは、経営者革命論以来の議論です。株式会社をどう使うかという問題は確かに、中国の例を見ると、考えうる一つの条件です。それが小林氏の言うような形になるのか岩井氏のような形になるのか、まだまだ議論しなくてはならない論点ですが、株式会社が急に変われば体制が変わるということではないことを述べたいために中国の例を出したのです。

国家が株式を所有する社会主義管理論というのは、実は中国が始めたのではなくて、財政社会学の創始者のゴルトシャイトの理論なのです。ゴルトシャイトは、資本が労働者を疎外してしまうことを資本主義の欠陥とした。その資本の性格を変えるためには、株式会社の株を国が所有する。そういう国家社会主義があってもいいのではないか。つまり、疎外論克服のために、株式を国家が所有することを主張しているわけです。私が若いときにはゴルトシャイトはかなり議論の対象になったものですし、財政学の中でもこの理論は議論されたと思います。以前に東北財経大学で聞いてみたけれども、ゴルトシャイトを読んでいる人はあまりいなかった。二〇一四年に中国で最後の講義を行ったときに、大学院生と後でずいぶん長い議論をしたのですけど、土地税、日本の固定資産税に類する、あるいはアメリカの土地税に類するものを中国に導入したいと話していた。今のような形の土地の利用権の売買は問題だという議論はずいぶんありましたが、株式会社の国有化については何も言っていなかった。だから株式会社をどうするのかという問題は、中国ではまだ議論されていないのではないかと思っています。

### 新しい参加型社会主義を提唱

マルクスの社会主義とは直接関係ないのですが、体制変革を求める最近の議論は非常に活発になり始めています。三大危機のせいだと思います。ピケティの新しい本は、まだ翻訳されていないものがあるので正確なことは分かりませんが、ジャーナルの形で出した『来たれ、新たな社会主義』（みすず書房、二〇二二年）の中では、新たな資本主義はあまりに行き過ぎたと批判すると同時に、新しい体制について語るのは我々の使命だということで、新しい参加型社会主義を提唱し、その内容を四つ挙げています。①教育の平等と社会国家、②権力と富の恒久的な循環、③社会連邦主義、④持続可能で公平なグローバル化。この意味については今後の研究成果を見なければなりません。

新たな社会主義が必要だという議論が、斎藤幸平の議論などと並びながらジャーナルの中で次第に取り上げられていくことは間違いありません。新しい社会主義とは言っていないけれども、激しい現代資本主義批判としては、ナオミ・クラインの『これがすべてを変える』（岩波書店、二〇一七年）があります。彼女の本はとても厳しく資本主義批判をしている。気候変動解決の道というのは、結局、体制変革以外にないと主張しているので、気候問題を取り上げている研究者の中では議論がかなり活発になってくるのでないかと予測します。それから、最近の河野龍太郎の『成長の臨界』を読みますと、結論はコミュニティ再生になるのですね。彼はもちろん社会主義とは言っていないのですが、つまるところ、現代資本主義を乗り越えるにはこういうコミュニティあるいはコモンの話になる。ソビエト型の社会主義でも中国型の社会主義でもなく、改めてマルクスやエンゲルスなども再検討して新しい社会主義を考える時期に来ているのではないかと思うのです。

実は未来にとって重要なのは途上国の問題です。途上国での中国社会主義の評価は日本とは違うのでないか。中国のように急激に成長し、急激に芸術や文化、科学が発展する。それは途上国にとって、日本とは違い、魅力的なのではないか。むしろ欧米日に対する批判の方が強い。将来、どういう形で地球の経済体制が動いていくかということでは、この途上国の問題が外せない。当面、中国社会主義の批判もやらなければなりませんが、同時に途上国がどのように変わるかということを考えなければ、新しい社会主義についての議論も進まないのではないかと思っています。

今回は対談した斎藤幸平さんに刺激されて、学術的な論文ではなく、ジャーナルな形で、研究者としてこれから考えなくてはならない問題などを述べさせてもらいました。

＊未公刊。二〇二一年九月二四日の国家経済研究会〈オンライン開催〉報告への加筆。構成＝黒澤美幸、山田明。

視点

# 人と自然の物質代謝を見据えて

加藤正文

現実と切り結んでこそ経済学は生命力を宿す。宮本憲一と斎藤幸平。ベテランと気鋭の対談は環境経済学を机上の論理ではなく問題解決の真剣勝負の学問として創造しようという気概にあふれた。地球を覆うパンデミック(世界的大流行)や気候変動といった待ったなしの危機を前に、議論は資本主義に代わる真にサステナブル(維持可能)な社会をどう実現するかをめぐって白熱した。重要テーマとなったのがマルクスとエコロジーの関係だ。

斎藤の『人新世の「資本論」』はマルクスの思想が時を超えて現代の問題分析に有効なことを新たな視点で示した。「『人新世』における資本と社会と自然の絡み合いを分析していく」という狙いで晩年の草稿を精査し、思索のテーマが資本と環境の関係に及んでいたことを解明した。「従来のイメージとは全く異なる『資本論』の核心」とするのがマルクスのエコロジーへの傾倒で、その鍵となる概念として斎藤は「コモン」(共有)を打ち出した。生産手段の共有や地域内の資源循環、定常型経済、社会的平等などだ。資本主義によって解体されたコモンズの再生と管理——というメッセージはコロナ禍もあって新鮮に響いた。

斎藤が新たに光を当てたマルクスの環境思想の視座を六〇年余前の公害研究で実践し、理論に昇華させていたのが宮本だった。本対談で宮本は公害問題を分析する装置として有効に働いた『資本論』の重要部分として第一巻第二三章「資本制蓄積の一般的法則」を挙げた。

マルクスは産業革命期に苦闘した公衆衛生官の報告

書を使って労働者階級の状態をリアルに描いている。「蓄積の諸法則を充分に解明するには、作業場の外での労働者の状態、すなわち彼の栄養＝および住宅状態も念頭におかねばならない」。資本主義発展の裏側で置き去りにされる公害、住宅難、居住環境の悪化、教育の低下……。数々の困難は都市・環境問題につながる。天然痘やチフス、コレラといった疫病のリスクにさらされる描写も今読むと実に生々しい。エンゲルスが「社会的傷害・殺人」と呼んだこうした問題について宮本は「資本制蓄積の一般的傾向として生ずる貧困化の一現象としてマルクスは法則化している」と見抜く。

高度成長期、噴出する公害に直面した宮本はこの貧困化論に新しい解釈を加えて最初の単著『社会資本論』を出した。さらに社会を覆う貧困の範囲や内容が変化する現象を踏まえ、『地域開発はこれでよいか』で「現代的貧困」という概念を打ち出した。「所得水準が上昇すれば古典的貧困は解決するが、都市化と大量消費生活様式がつづくかぎり、現代的貧困は深刻となる」。環境破壊の原因を貧困の延長線上で捉える視座は当時の経済学界には存在していなかった。宮本は当時、静岡県三島・沼津・清水の二市一町のコンビナート誘致反対運動と出会い、現代的貧困は職場内の労働運動では解決せず、人々の生活が営まれる地域の場での自治体運動、住民運動で解決せねばならないという確信に達する。

## マルクスを使うがとらわれない

斎藤理論の中核にあるのが資本論第一巻第五章「労働過程と価値増殖過程」で展開される物質代謝論だ。自然と人間の循環的な過程をマルクスは「物質代謝」と呼んだ。労働は自然を媒介し、規制し、制御する行為だが、「資本主義においては、極めて特殊な形で、この物質代謝が編成されるようになっていく」（斎藤前掲書）。資本はその本性として人間も自然も徹底利用する。人々を長時間働かせ、自然や資源を世界中で収奪し、「人間と自然の物質代謝をおおきく攪乱してしまう」（同）。

これは経済学史の泰斗、内田義彦が重視していた点だ。「人間が自然を徹底的に利用する、あるいは資本が人間を動かして人間と自然を徹底的に掘り尽くす」（『資本論の世界』岩波新書、一九六六年）。斎藤によると内田義彦や都留重人、宮本憲一は「少数の例外」であって、「マルクス研究者たちはマルクスのエコロジカルな視点を見逃してきた」。この指摘は興味深い。

環境経済学の理論的系譜では都留の先駆的業績が光る。都留は早くから環境問題や資源問題に関心を抱き、一九六三年に法学、経済学、工学などの専門家らで「公害研究委員会」を組織した。その学際的な研究成果を取り入れ、『公害の政治経済学』を出した。同委員会の創設時のメンバーだった宮本も同書に影響を受ける。「当時マルクス原理主義者におおかった公害を国家独占資本主義の弊害とする基底還元論にくみせず、ソ連社会主義の公害をゴールドマンらの業績などから紹介し、公害問題は素材面からの解明がまず必要であるとして、発生源、現象形態、被害状況の三段階に分けて描くことから始めるべきだとしている」（宮本「都留重人の資本主義批判」『回想の都留重人』勁草書房、二〇一〇年）。

斎藤も物質代謝や素材の概念の原理的重要性を強調した上で都留・宮本の公害論について「主流派のマルクス主義者に対するアンチテーゼ」と評価している。この素材と体制の区別はマルクス経済学に「最も特徴的な方法論上の視点」（都留）であり、宮本もこの手法に沿って素材から体制へ、その間に媒介項として中間システム（資本形成の構造、産業構造など）を置きながら共同社会的条件として社会資本、都市、国家、環境を分析していく。しかし『社会資本論』を刊行した六〇年代、素材（使用価値）から入る手法や制度学派の理論を取り入れたことに対しマルクス原理主義者から批判がきたと語っている。

マルクスを使うがマルクスにとらわれない。宮本は共同社会的条件の政治経済学を追究する際、マルクスに固執しない理論構成を重視してきた。思想を全体として社会史的に位置づけ、研究の中からオリジナルな思想を生み出す。「環境経済学には既存の理論体系はない。環境問題という現実の素材から出発して理論をつくらねばならない」（『環境経済学』）。歴史に学び現場へ行く。宮本が斎藤に最も伝えたかった研究哲学だろう。斎藤理論の基礎にあるエコロジーやコモン、使用価値の経済学は宮本理論と共通する部分が大きい。とはいえ思想だけでは問題は解決しない。「人間と自然の物質代謝」を基本に据え、現場に根差した環境経済学の創造というミッションが引き継がれた点でも本対談の意義は大きい。

宮本と斎藤の主張の底流にあるのは環境破壊を増大させている成長優先の現代資本主義への批判だ。宮本は主著『環境経済学』で「際限のない経済成長を信じているのは狂人か経済学者ぐらいだ」という経済学者K・E・ボールディングの一文を引用し、問いかけた。「いったい、私たちにとって経済成長とは至上の命題たりうるのか」。斎藤も『人新世の「資本論」』で同じ個所を引用し、「環境危機がこれほど深刻化しても、まだ私たちはひたすら経済成長を追い求め、地球を破壊している。経済学者的な思考は、それほど深く、日常に根づいてしまっているのだ」。

宮本の「環境経済学」は予言の書のようだ。人間活動が地球上を覆い尽くし、環境破壊が深刻化する事態を予測し、克服への枠組みをいち早く提示した。「世界の環境経済学のピークを、一人の日本の経済学者が踏破した」と激賞したのが公害研究の同志でもあった数理経済学者の宇沢弘文だった。「宮本氏の視点は、環境は経済学のなかに包摂できるものではなく、逆に、環境学のなかに経済が内包されるものであるという、コペルニクス的発想にもとづいている」(『宇沢弘文著作集六巻』、岩波書店、一九九五年)。

宮本と斎藤の対談の白眉は体制変革の道筋をめぐる議論だ。新自由主義からの転換を目指す新しい資本主義、政府や経済界が掲げるSDGs、環境分野の投資で新産業を育てるグリーンニューディール……。はたしてこうした転換や政策で環境の危機は解決できるのだろうか。

## 株式会社に代わる組織形態を

重要な論点として浮かび上がるのが資本主義の駆動力である株式会社をどうするのかという点だ。資本を社会化した株式会社という制度が投資や技術革新を可能にして経済発展を支えてきた。しかし一方で、利益を優先する株式会社の強大な力は数々の環境問題を引き起こしてきた。

宮本の問題提起に応えて斎藤は化石燃料の全撤廃のような本質的な転換が求められるとしたが、「配当や利潤を優先する株式会社、あるいは資本主義の根幹的なロジックとは対立する」。熾烈な競争にさらされれば経営者は利潤追求の行動を取らざるを得ず、取らなければ会社が破綻してしまう。また宮本も元経済同友会代表幹事小林喜光の論考「地球と共存する経営」を評価しつつ、従来の株主資本主義からＥＳＧ（環境・社会・企業統治）といった公益重視の資本主義への転換の難しさを指摘した。

宮本が先の共同社会的条件（容器）の政治経済学の研究で「やり残した」と述べたのが企業の理論だ。それは資本主義的企業論という構成ではなく、社会組織として企業という「容器」を素材面から体制的に規定していく作業となるという（『環境経済学』）。対談の最後に触れた「株式会社に代わる優れた経営の形態」は今後追求しなければならない重要テーマとなる。真にサスティナブルな社会の担い手となるそうした企業があまねく機能するシステムはもはや資本主義ではなく、「新しい社会主義」にほかならない。とはいえそこに至るには不断の努力が要る——。この点で両者が一致したことが対談の大きな成果となった。

「潤沢な脱成長経済」を掲げる斎藤は、いまある富を多くの人でシェアする社会を構想する。社会的に共有され、管理すべき富として水や電力、住居、医療、教育などを「コモン」と呼ぶ。「コモンを民主主義的に管理していくような自治の取り組み」を挙げる。電力を地産地消する市民電力、経済の民主化を目指すワーカーズコープ（労働者協同組合）、スキルやモノを共有するシェアリング・エコノミーなどについて斎藤は、「民営化」に抗する「市民営化」と呼ぶ。さらにミラノやバルセロナなどで進む、自治体による大胆な環境創造のまちづくりを評価している。国境を越えて連帯する、革新自治体のネットワークの精神を挙げ、「国際的に開かれた自治体主義」の動きを挙げている（『人新世の「資本論」』）。

宮本がライフワークとして追求してきた維持可能な社会と重なる部分が大きい。環境再生、協同経済社会システム、地域に根差した内発的発展、分権と参加に基づく地方自治。その先には豊かな地平が広がっている。

宮本と斎藤に共通するのは資本主義に代わる新たな道筋を求めるエネルギーだ。環境と自治の現場から描く未来社会の姿がくっきり像を結んだ。

（敬称略）

＊岩波書店『世界』「人新世の環境学」（二〇二一年四月、六月号）の解説を再構成した。

# 第2部　戦争と沖縄

## 不条理への憤りを理論化する

人間宮本憲一を見つめるとき、論理的な思考のバックボーンにある類いまれなセンサビリティーとパトス（情念）を感じる。環境破壊の現場に駆けつけ、取り戻せない被害に心を痛め、不条理に憤りを覚える。「ロゴス（論理）として理論化し、問題を解決しなければならない」。本章ではそうした人間性を形成した戦争体験と平和を求め続ける思想に焦点を当てる。ノンフィクション作家澤地久枝さんとの対談「憲法・沖縄・ウクライナ——平和を維持する覚悟」、復帰半世紀の沖縄で行った講演「復帰五〇年、沖縄の現在・過去・未来」。ロシアによるウクライナ侵攻が長期化し、台湾有事が叫ばれ、沖縄では辺野古基地の建設が続く。「戦争こそ最大の環境破壊」というメッセージが重く響く。

# 第1章　憲法・沖縄・ウクライナ――平和を維持する覚悟

## 対談　澤地久枝×宮本憲一

ノンフィクション作家の澤地久枝さんと環境経済学者の宮本憲一さん。ともに一九三〇（昭和五）年生まれで九三歳。澤地さんは東京生まれで三五年に満州に渡り、吉林で終戦を迎えた。その後、苦難の難民生活をへて一家で日本へ引き揚げた。この体験が澤地さんの人生行路の原点となった。一方、宮本さんは台湾・台北で生まれ、四五年四月に海軍兵学校に入学、その年の八月に敗戦。広島で原爆投下後の惨状を目の当りにした。

満州と台湾という外地での暮らし、敗戦、引き揚げ、戦後民主主義、高度経済成長、公害問題、バブル崩壊、災害列島、安全保障、沖縄での基地建設……。戦後の荒野を歩み、歴史の転換点を見てきた二人が現代に抱く危機感は切実だ。地球を覆ったコロナのパンデミック、待ったなしの気候崩壊、そしてあってはならないはずの戦争までロシア・ウクライナで起きた。環境と自治、なにより平和が脅かされている。「戦争を防止し、平和を維持する」。後に続く世代に、何より若い世代に伝えたい――。対談から強い覚悟が伝わってきた。

## 戦争体験と国家観

**澤地**　硲《はざま》伊之助美術館の運営を担ってきた色絵磁器画工の海部《あまべ》公子さんが亡くなられたことを悼んで、そしてこの美術館を受け継いでいこうという人たちがこれだけ大勢お集まりのこと、海部さんはとても喜んでいらっしゃると思います。

きょうは宮本先生との対談ですが、先生と私は同い年なんです。一九三〇（昭和五）年の二月生まれでいらっしゃいますよね。

**宮本**　学年で言えば澤地さんより一年上になります。全て旧制の教育を受けた最後の学生です。ですから私が卒業した学校は全部なくなっています。

**澤地**　私もかつての植民地の満州で育ちましたから、引き揚げて山口の女学校に復学する以前の学校は全部なくなりました。母校と言えるのは第二学部で学んだ早稲田ぐらいです。入ってから終わるまでいたという学校は他にはないんですよね。

先生は早生まれで私は遅生まれで一年学年が違うんですけれども、先生のご著書を読んでいたら、日本が戦争に負けた一九四五年八月に「復員」って書いていらっしゃる。私はあの負けた時に満一四歳なのに「復員」ということが我々の世代にあっただろうかとまず不思議に思いました。

**宮本**　祖父が早くから台湾の測候所長になって行っておりましたので、母も私も台湾生まれなんです。それで台北一中で三年が終わったところで一九四五年四月に海軍兵学校に入りました。海軍兵学校に入る一二名の友人と一緒に海軍の飛行機で、零戦に守られて内地へ行きました。

私は三月一五日に台北を発ったのですが、五日後の二〇日に、私たちの同級生全員が召集をかけられ、講堂で「お前たちは兵隊になりたくないか」って配属将校に怒鳴られた。みんな黙っていたんですね、なりたくないとは言えないものですから。そうしたら全員パッとそこで赤紙を配られ、二等兵になって台湾の最前線の防衛にまわされたんです。大変な目にあいまして、みんな二等兵ですから新兵教育で殴られたりいろいろされた。彼らがそういう目にあっている時に、私は幸いにして兵学校で朝から晩まで勉強していて、物理と化学と英語が一番きつい学業だったんですけれども、そういう話というのは私の同窓会で喋ることはできないんです。彼らは数学の本を持っていたというだけで古兵からぶん殴られている。そういう状態で五か月送ったのに、私は無事に兵学校教育を受けていた。そういうことがあって復員したのです。

八月二四日に広島を通りました。広島に近づくと爆弾で大きな穴が開いている。月の跡みたいに点々と戦災が広がっていたんですが、広島に近づくとなんとも言えない死体を焼く匂いが漂って、一木一草

**澤地久枝**（さわち・ひさえ）　一九三〇年東京都生まれ。中央公論社で働きながら早稲田大学を卒業。「婦人公論」編集部などを経て、退社後、ノンフィクション作家に。近衛兵士の反乱を描いた『火はわが胸中にあり』（角川書店、一九七八年）で日本ノンフィクション賞、ミッドウェー海戦の調査を基にした『滄海《うみ》よ眠れ』（毎日新聞社、一九八四―八五年）で菊池寛賞。『密約』（中央公論社、一九七二年）、『昭和史のおんな』（文藝春秋、一九八〇年）など著書多数。

ないんです。もう何もない。広島駅で汽車が停まると、ボロボロになって体が血だらけになったような人達が、我々が乗っていた無蓋貨車にすがりついてきまして、乗せてくれって言う。私たちはその頃、戦争というのは軍人と軍人の戦いで、「陛下に命を捧げて」というものと思っていたが、そうじゃない。戦争っていうのは皆殺しの、つまり国民全体が巻き込まれるものだった。まだ少年でしたが、その時初めて、あっこれが戦争だと骨身に沁みました。長く広島駅で停まっていたんですが、その間に私自身の戦争観が変わってきたのです。

そのあとは金沢二中を経て第四高等学校に入りました。第四高等学校は社会運動で有名なところですから、すっかりリベラルな思想に染まったんですが、やはり二度と広島・長崎を繰り返すなっていうのが骨身に沁みたことでした。

**澤地**　宮本先生が昭和二〇年に海軍兵学校の試験に受かったということは実は大変なことなんですね。私たち女学校では、予科練が女を取らないのは残念だとクラスメイトといつも話していた。予科練というのは、「赤とんぼ」と言われる一番簡単な飛行機で特攻攻撃をして死んでいく男たちのことです。つまり、完全に戦争というものにイカれている世代が私たちだと思うんですね。そうでなければ先生が一生懸命勉強して海軍兵学校に行かれることもなかったと思います。でも、先生は負けた後に広島でこれはおかしいということをお感じになった。私は戦争が終わってから一年間難民生活をしましたけれども、その後何年も暗闇の中にいるような、なにも見えないような、振り返りたくないような時を過ごしました。先生は早いですね。

**宮本**　本当に変わったのは、やはり第四高等学校の教育のおかげです。第四高等学校では基本的な世界観や思想を自分で身につけるという教育で、教師との関係も非常に見事なものでした。寮に一緒にいる学生とも討論をする。そういう機会が積み重なって、思想の転換というか、今抱いている平和・自由・

人権というような思想が作られたと思っています。

**澤地**　旧制高校という学校の教育はとても羨ましいと思います。それがなぜなくなったかと言うと、六・三・三制という教育の制度の導入です。占領軍から示されたものだと思いますが、この六・三・三制によって旧制高校は一学年経った頃に全部なくなり、いわゆる普通の高校と中学になった。私は引き揚げで一年遅れて三年生を二回やっていますから、新しい六・三・三制でしか教育を受けて育っていない。教育もその辺りで線を引かなければならないという気がします。旧制高校で一年でも学んだ人たちと私とは違うと思うんです。

**宮本**　父が台湾電力にいて一年間収容されたので、母が三人の子供を連れて引き揚げ、第四高等学校の理科に入り、手の舞い足の踏む所を知らずというような時だったのですが、生活は一気に駄目になってしまいました。引揚者は千円持たせるだけで財産も地位もなくなってしまった。これは澤地さんもそうだと思いますが、私は第七連隊の兵舎の跡にずっと住んでいました。親父がいないものでお金もないものですから、アルバイトのために、せっかく入った四高に一年間、全く出られないという状態が続きました。

その時に感じたのが、国家というのは個人にとってなんだろうかということです。引き揚げてきて何も国家から補償がない。これは今も、災害の場合にはそうです。災害の場合、阪神・淡路大震災で小田実《まこと》らが市民運動をやってようやく、震災を受けた人たちに二〇〇万円の補助が出ることになったんですが、それまでは震災にあった場合もゼロです。もちろん戦災の場合もない、引き揚げにもない。だから、国家というのは個人にとって何だろうかと引き揚げ後に考えさせられました。国家は個人にとって本当に自分たちの助けになるものだろうか。これが私の国家観の始まりかもしれません。

**澤地**　私もどこかで、国っていうのは何だろうと思うような人間になりましたね。国なんて当てにならないと思っている。敗戦後に難民生活をしている時は、本当に一家族一個人がその事態を受け止めて生きていかなければならない時代を通ったわけです。日本人の多くが同じところを通ったと思います。みんなそこで考えなければならなかったんですけれども、今の政治を考えると、みんなは何を考えたのかなという気がします。今の世代で言えば、祖父母にあたるような人たちは、先生や私のような気持ちを持った時代を通っているはずです。この人たちがまだ物をちゃんと言っている頃には、こんなに日本の政治は悪くならなかったと思うんですね。だけど今、例えば「戦争と平和」と言った時に、敏感に自分や親兄弟の経験、体験を通して心に沁みてその言葉を考える人がどれだけいるのか、ということを考えます。今の時代は一見平和でいいようですけれども、こんなに危うい時代がかつてあったかと思います。

## 戦後最大の危機の時代と日本国憲法

**宮本**　そうですね。今は戦後最大の危機の時代だと思います。地球温暖化の問題は、もう待っていられない状況にきている。二〇三〇年までに$CO_2$の排出量をほぼ半減させて一・五度の上昇に抑えなければならないのですが、政府は何もまだやっていない。それに加えてパンデミックで、世界中で五億人の感染者と六〇〇万人の死者が出ている。そこへウクライナ戦争ですよね。

ウクライナ戦争についてメディアは、まるで日本が戦争しているように毎日報道するでしょ。そうすると、なんだか自分たちが戦争に巻き込まれている感じになり、ウクライナ勝て勝てという雰囲気を世論の中に作っていくわけです。それがさらに中国敵視論と結びつき、日本はこのままでは危ないというところに来てしまう。日本政府は自衛隊を強化するためにGDPの二%まで防衛費を拡大し、倍増しようと考えている。さらに、いずれは核を共有する、敵地を攻撃するというように、憲法を安保法制で歪めた意図を今度は本性的にはっきりさせようとしているわけです。これに私は反対で、今のウクライナ戦争の教訓が分かっていないじゃないかと思う。ウクライナ戦争の教訓は、一刻も早く戦争をやめさせるということなんです。戦争はやめる、してはいけない。やったならばやめさせる、というところが今のウクライナの教訓です。そうではなく、ウクライナが勝てばいいんだとどんどん物資を送り、アメリカは七億ドルを超えて軍事費を注ぎ込もうとしています。誰がいったい儲けるのですか。完全に軍事資本が儲け、景気を回復することになるかもしれないけれど、それによってたくさんの市民が死ぬ。そういうことをやめさせるのが今、本当に大事なことです。やめる一番重要な原理が、日本国憲法の前文と第九条に入っているわけです。つまり戦争はしないということです。戦争をやめさせることに世論を向けさせないで、ウクライナが勝つまでやらせるということに世論を主導している日本の今の姿は、全く情けない状況です。

**澤地**　平和とか戦争と言うと座がしらけるんです。非常に重要なテーマだと思うけれども、若い子達と一緒の席で平和とか戦争とか言ったら、若い子達はみんな反応しなくて「また始まった」っていう感じなのね。でも例えばウクライナの問題にしても、ウクライナにロシアが攻め込んだというあたりから、自民党・政府は憲法を変えるということを露骨にやり始めて、しかもかつてはそう考えているということさえこの社会では言えなかったと思うんですね。だけど今は驚くべきことに憲法第九条に自衛隊を入れようという意見まで新聞に大っぴらに出るようになった。こうやってどんどん今の日本国憲法というものが形骸化していって、そしてそれは戦争へ行くだろうと思うんですね。

藤原帰一さんという東大の教授がおられます。この人は今年定年になった方ですけれども、一か月に一回ぐらい朝日新聞にかなり長い評論を書いてらっしゃる。ウクライナの問題が起きた時、私はこの人が自分より少し右だということは分かっているけれども、どんなことを言われるかと思って読むんです。

そうしたら、ウクライナの事態は憂うるべきことだとあって、どうするかというと結局、日本国憲法に戻る以外にはないだろうと。藤原さんがこういうことを書かれるということはもっと声を大にして皆さんに言わなきゃならないと、その時思いました。でも新聞は、それっきりで通っていっちゃうんですね。今まで言っていたことと違うことがその人の意見として出てきたら、さらにそれをフォローすればいいと思うのですが、どうしてですかね。私はとても大事なことを言われたと思っています。

**宮本**　日本国憲法体制というのは実によく出来ていましてね。戦争するためにはお金がいる、一回戦争するといっぺんで一年分の予算が飛んでしまうぐらい金を使うものなんです。ですから、戦争ができるかできないかは財政にかかってくるのですが、日本は戦争に予算を注ぎ込むことを禁止するために、財政法第四条で「国の歳出は、公債又は借入金以外の歳入を以て、その財源としなければならない」と規定し、入ってくる収入以外の国債で賄ってはいけないことにしたんです。財政法第五条では、その国債を日銀に引き受けさせてはいけないとも書いてある。これは憲法九条を維持するために作った法律です。つまり、財政的に日本は戦争できないようにしたわけです。杉村章三郎の『財政法』（有斐閣、1959年）にもちゃんと書いてあるんですが、憲法九条を担保するために財政法四条と五条がある。

なぜこういうものを作ったのか。戦前に高橋是清という大蔵大臣が昭和恐慌を克服するため、満州に経営を拡大し、軍事費を拡大して為替を切り上げたりして、世界で一番早く恐慌から回復したんですが、彼はもうここでやめようと思ったんですね。軍事費をこれ以上拡大したら日本は大変なことになるということで、自分の後輩に言いつけて、必死で軍事費を切るために自分がやった日銀引き受けや国債発行はもうやめようという政策をとったんです。それで二・二六事件で殺されてしまうわけです。大蔵大臣を辞めていたのに殺された。軍部から見たら最大の敵は高橋だということです。ですから、これは高橋是清という優れた大蔵大臣の遺訓を受けて作られた条文です。財政は決して、国債を無理にどんどん発行して借金しながら戦争したり、借金がうまくさばけなければ日銀に引き受けさせるというようなことをしてはいけないという遺訓が、この憲法体制とともに盛り込まれたはずなんです。これを無茶苦茶に破るのが安倍晋三です。安倍が何を言っているかというと、防衛費は国債でやればいいと言っているんですよ。まさにこの高橋是清の遺訓を破っているわけですし、憲法体制が保障した「日本は戦争しない」という規定を支えるための大事な財政法を一九七四年以来少しずつ破り、今はもう戦争のために国債を使ってもいいし日銀が引き受けてもいいと言う。日銀はいま、一〇〇〇兆円の国債の半分を引き受けています。そういう状況にされていることを我々はもう一度よく考え、戦争しないために、憲法九条とこの財政法は本当に守らなきゃいけないということをみんなが常識とする必要があると思っています。

**澤地**　一九四五年八月に終わった戦争で、男たちは赤紙という徴兵令状で軍隊に連れていかれて大勢の人が亡くなりました。一人の男の人が戦死する。その戦死も六〇％以上は餓死だった。つまりこの国は、補給ができなかったんです。島が孤立しても、そこへ食料も弾薬も運べないという状況でまだ戦争をしていた。そういう状況で男たちが死んでいった後に残された妻や母親や子どもたちが戦後、どれだけ酷い生活をしてきたか。みんな痛ましいようにあらゆる仕事をしています。一番ましな仕事が銀行のお掃除をする仕事だったという下士官の妻もいました。私はそういう人たちを随分訪ね歩きました。戦争って一言で言うけれども、女たちがどれだけの重荷を背負わなければいけないか。それも戦争が終わった後にです。

## 沖縄の戦後と「沖縄のこころ」

**宮本**　戦争の問題で言いますと、ウクライナ戦争でいま一番衝撃を受けているのは沖縄の人たちです。日本は残念ながら、憲法があってもその上に日米安保条約がありますから、沖縄に基地が集中している。

国内の米軍基地の七〇％が沖縄にあるのですが、日米安保条約に基づき、アメリカの中国敵視論に入って台湾有事の時に日本も有事にしてしまうと、再び沖縄戦になる。だからいま、沖縄では「ノーモア沖縄戦」という運動が起こっているんです。そういう意味で沖縄の問題は、ウクライナの戦争が直接、沖縄戦という問題につながっていることを私たちが自覚して考えていかなければならないと思っている。

**澤地** 私は沖縄に二年余り住みました。琉球大学のもぐりの学生になって講義と夜のゼミナールを聴講したんです。沖縄に行ってアパートを借りて部屋へ入って、やれやれこれで住めるようになったと思った時、すごい音がしたんですよ。何の音だろうと思って窓を開けてみたら、普天間の基地に着陸態勢に入っているヘリコプターだった。この音の凄さといったらなかった。本当に震えるほどの音の下に沖縄の人たちは何十年という歳月を暮らしているわけです。一九七二年に沖縄が帰ってきて五〇年と言いますが、その前の二五年間はどうだったのか。ドルが使われていて、日本へ帰ると決まった時に道も右側通行から戻るわけですよね。沖縄の人達は言わないけれども、あの戦争末期の六月までに、どれだけの酷い犠牲を被っているか。沖縄の人たちは実に忍耐深く、自分たちが辛い目にあった、肉親が死んだというようなことをあまり声高に言わないんです。だから本土にいる人達は分かっていない。だけど沖縄が受けたあの戦争の被害はすごいと私は思うんです。私は沖縄に二年余り住んだけれども、沖縄を書くことはできないと思いました。沖縄の人たちが背負っている痛みをとても自分の痛みにはできないと思ったからです。今も沖縄って言うと、私は背中が真っ直ぐになるような気がします。沖縄に戦後の一番辛い部分を全部押しつけて戦後というものがあったんじゃないか、という気がする。

**宮本** そうですね。佐藤首相は沖縄の返還でノーベル賞をもらいました。沖縄が帰らなきゃ日本の戦後は終わらないと言ったんですが、沖縄の戦後はそれから始まってしまったんですね。

その頃、「地方自治は神話だ」とアメリカ軍の施政官が言ったので、地方自治を考えている研究者や、自治大臣でさえビザが下りなかったんです。私はやっとビザが下りて一九六九年三月に沖縄に入り、衝撃を受けました。沖縄は、基地の中に沖縄があるという状態でした。沖縄に基地があるんじゃなくて基地の中に沖縄がある。もう福祉というのはでたらめです。医療とか福祉が全く見過ごされている。しかも基地の色々な公害が起こっていた。

　沖縄の人たちが復帰をしたいということで「沖縄のこころ」を掲げたわけですが、その「沖縄のこころ」というのは、まず反戦平和です。基地をなくしてほしい。次は人権の確立です。医療や福祉が見過ごされている状態では人権は確立しないわけです。それから自治。この反戦平和・人権・自治というのが「沖縄のこころ」とされ、「沖縄のこころ」を実現できると思って復帰運動をした。

　日本の憲法体制に入ればそうなるとみんな考えていたわけですが、日本政府は初めから復帰協定を結ぶ時には日米安保条約はそのまま堅持し、沖縄の基地を維持拡張するという考え方でした。それからもう一つ、私の論敵で国土庁の次官になった下河辺淳さんが日本の国土計画を全部作っていたんですが、彼は復帰した沖縄の将来像も作っていました。その長期計画の中では、本土と同じような形で重化学工業化を図って石油化学コンビナートを作る。それから大都市化を進める。そして大事なことは自動車を中心とした交通体系と航空網も拡充する、というような沖縄の長期計画を組んだ。これは大変なことになると我々は考えまして、何回かシンポジウムを開いたり、私の先生である都留重人さんら何人かの経済学者と調査に行ったりした。下河辺淳の復帰計画ではなく、沖縄の歴史・風土にあった、しかも沖縄の自治で新しい振興計画を作るべきではないかと提案しました。私は台湾の台北第一師範学校付属小学校の出身ですが、屋良《やら》朝苗《ちょうびょう》先生はその台北第一師範学校の教授だった。もちろん私は直接には習っていないのですが大変親近感がありまして、石油化学工場なんかじゃいっぺんに沖縄の海は駄目になっちゃうから、まず下河辺淳の長期計画だけは止めてほしいと言ったんです。でも最初は、沖縄県は日本の国土に復帰すれば良くなると思っていて、下河辺案をそのまま受け入れようとしていたんです。

しかし、復帰協定が日米間で結ばれるとそのまま基地が残り、核も残る可能性があることが次第にはっきりしてきたので、復帰間際になって沖縄はストライキに入る。復帰協議会を中心にした復帰反対の大規模なストライキをやるんです。それで少し遅まきだったんですけれども、屋良さんも「建議書」を作ります。その建議書は、はっきり基地の撤廃を求め、日本の国土に合わせた開発ではなく沖縄の風土に合わせて沖縄の自治で開発をしたいという「沖縄のこころ」に基づいた内容だった。ところが、その建議書を持って行った日の国会は、予算委員会で沖縄関連の法案と復帰協定を承認するんです。せっかく立派な建議書ができたのに建議書を受け取らないんです。その後、佐藤首相に屋良さんは建議書を渡しましたが、国会は一度もその建議書について議論しません。政府も無視してしまいました。沖縄の心ある人たちだけでなく、復帰時の状況を見ている人たちは、復帰を「第三の琉球処分」だと言っています。最初から沖縄は無視されていたわけで、実際、日本にあった海兵隊が全部沖縄に移駐したのです。

そういう状況で沖縄の復帰が始まって五〇年経ったのですが、一向に「沖縄のこころ」は実現せず、改めて「新建議書」が出ました。これは前の建議書とほとんど内容が同じなんです。ということは、この五〇年間、沖縄は日本に復帰することによって日本国憲法体制にかえるという志を果たせなかったことを表明したわけで、これは私たち日本人の恥です。沖縄は日本国憲法体制にかえりたいという「沖縄のこころ」を持って復帰したにも関わらず、我々日本人がそれを実現できなかった。この沖縄の痛みを私たちの痛みだと思わないと問題が解決しません。

**澤地**　選挙のたびに与野党がどうなるか見ています。沖縄ではずっと野党側が勝つというのが定石だったのですが、この二、三年は自民党系、あるいは公明党系のいわゆる保守候補が勝つ市町村が目立ってきました。沖縄の人たちはもう本土もあてにならないと思っているんでしょう。沖縄の人たちはやっぱり日本の政治というものに倦んで飽きて……。だって、たとえば野党的な市長や町長が当選すると、政府は補助金を平気で何千万か削る。税なのに、自分たちの町で野党側が勝つと国から出る補助金が削られるんですよ。こんな露骨な政治介入はないと思うけれども、現実の問題としてある。それが五〇年続いてきたわけです。その間に投票する世代も変わり、若い人たちはかつてのことを良く知っているわけではないから、補助金が削られないようにという計算も働くだろうと思うんです。だから、与党が勝つことに対して批判できないような感じがあります。それだけ沖縄の人たちは長い長い歴史、明治からの長い忍耐の歴史を歩んで来て、ここへ来て我々の忍耐ももう限度にきた、ということではないかという気がします。

**宮本**　確かに、最近の沖縄の世論調査を見るとだいぶ変わってきている。一九九五年に沖縄米兵による少女暴行事件があり、その前には大田昌秀さんが基地返還をはっきり掲げて知事になっていた。ちょうど冷戦が終わった頃だったので、日本政府もアメリカ政府もこのままではいけないと、少し基地を返したほうがいいということで基地の面積が減っていきます。嘉手納基地から南部の基地は返すということですね。その後、北部の基地も返還するということで基地面積は変わっていったのですが、それでも日本の米軍基地の七〇％は沖縄本島の一番いいところに集中しています。

先ほど下河辺さんは重化学工業化を進めようとしたと言いましたが、沖縄に製造業が全然定着しない。彼は失敗したんです。とにかく重化学工業化で行けると思ったのでしょうけれども、そうは行かなかった。これはある意味では幸福だったかもしれないが、ある意味では非常に問題があった。自動車だとか電気機械というような企業はどんな僻地にも工場を置いたんですが、沖縄にだけは置かなかった。日本を代表する電機、自動車メーカーの工場は沖縄に一社もありません。国土政策に合わせようという戦略は失敗したわけです。

地代の問題もあります。米軍は二七年間の支配中、よく言われるように「ブルドーザーと銃剣」でもって土地を取り上げた。当時、日本で米軍基地は大部分国有地なんですが、沖縄では民有地と市町村有地なんです。ですから両方とも地代を払わなければならないのですが、この米軍基地の地代は日本政府が払っている。この米軍基地の地代を政府はでたらめに上げていきます。これは政治価格なんです。とにかく基地の賃貸料を上げておけば基地反対闘争は起こらないということで、周辺の地価とは関係なく七倍にまで上げてしまった。これでは土地を返されても農業する意思なんてなくなっちゃうわけですよ。こんな高い地代で農業なんかできやしないです。ですから、米軍基地は不動産業の対象になっていて売買されているんですよ、本土の人が買ったりね。政府とすれば、とにかく基地を温存したいということなんです。

さらに、安倍内閣で安保法制ができて以降、どんどん防衛省の予算が膨れ上がり、今や内閣府が出している普通の予算と防衛省が出している沖縄の予算が匹敵するぐらいになった。つまり、沖縄は今や防衛省の直轄地みたいに防衛省の予算が増えている。これは沖縄の民生には何も関係がない。それからもう一つ、澤地さんが指摘されたように、ひどい話ですが、基地を作りたい、基地を永続させたいというところに特別な補助金を出している。「北部振興事業費」です。辺野古に基地を作らせたいから特別に北部振興事業費という形でばらまいている。辺野古基地反対の稲嶺進さんのような市長になると、これは切られちゃうんです。基地賛成の市長だと、これが出る。もっとひどいのは「特定事業推進費」。これは玉城デニー知事が当選した途端に作った事業費です。玉城知事に反対している保守の市町村長に配っている。しかも県は通さず、内閣と保守的な市町村長の直接取引なんですね。私はこれを買収だと言っているのですが、そういう形で予算を使う。これは一九九五年の問題が起こった時に出来上がったSACO（日米特別行動委員会）という機関から始まったことですが、財政法に違反する行為です。沖縄では、こういう財政民主主義に反することを平気でやっている。見識者からすれば許されないことで、いろいろ批判しても平気なので困る。本当に法制度通りにやってほしい。辺野古だってそうです。裁判所もほとんど違法ではないかという判定をする。そういうところが沖縄の問題としてあるわけです。

## 戦争が語られない時代に

**澤地**　裁判官の中に、いわばその人の人生をかけてちゃんとした判決を出す裁判官も登場するようになりました。これはあまりにも現実がひどすぎるからだと思うんです。裁判官たちがこれでは駄目だと受け止めるような法律運用が続いたからではないでしょうか。日本は今や、本当に崖っぷちのギリギリにいるのだと思います。

日本はいま、徴兵制はありませんが、アメリカの持っている核を日本も合わせ持とうと言う政治家が出てきたじゃないですか。核兵器は地上から無くさなければならない。核を一発使ったらもう本当に地球は終わります。それぐらいの破壊力を持っているのに、アメリカが持っている核を分担して持とうなどと馬鹿げたことを言う政治家が大手を振って生きていることが、今の日本の不幸の一面だという気がします。

日本は七五年間、戦争がなくて一人の戦死者も出していない、よその国の人を一人も殺していない、ということは、めったにないことだと思います。これは大事にしなければならない。七五年じゃなくて、八五年、九五年、一〇〇年までも日本は平和でなければならないけれども、今のような政治が続いていけば明日にもこの国は徴兵制に進みます。みんな戦争なんかに行くのは嫌なんですよ。若い子に聞いてごらんなさい。軍隊行きたいかって聞いたら、行きたいっていう人のほうが遥かに少ない。でも戦争することになったら、いくら兵器が進んでも人間がいなければ戦争にはならない。そうなれば強制的に軍隊に持っていく以外に戦えないではありませんか。

　徴兵制が復活することは恐ろしいことですから、どんなことがあっても防がなければならないと思っていますが、若い人たちがどう考えているかが見えない時代、見えにくい時代になってきました。戦後三〇年とか四〇年ぐらいの時には、隣にいるおばあさん、おじいさんが戦争で息子を失ってこれだけ苦労した、ということを孫らにちゃんと伝えられる社会でした。もっと身近に戦争を感じられる社会だったのですが、今はもう戦争と言っても自分の国のこととは思わないじゃないですか、若い人たちは特に。だけど、ウクライナで進んでいること、攻めていったロシアの若い人たち、あるいはその家庭がどんなふうに戦争を感じているか考えなければならない。人間にはイマジネーションというものがあって、自分が直に体験しなくてもそれを想像することができる能力を人間は与えられている。だから知らないというわけにはいかない。ロシアとウクライナの戦争もよその国のことではなく、日本の私たちがそこから何かを汲み取らなければなりません。戦で死んでいった人たちが浮かばれないとは、こういう時に言う言葉だろうと思います。私たちが七五年間、本当に一人の戦死者も出さないできたことは、よその国に対して誇っていいと思いますが、国内であまりこういうことを言わなくなった。これもまずいことですね、ちゃんと言ったらいいです。日本が誇るべきことは、自動車の生産数が世界で何番目などということではない。戦後と言われる一九四五年八月から今日までの間、ともかく一人の戦死者も出していないということ、それを私たちは誇るべきだし、同時にこの事実を大切にしなければならない。これが平和を守ることに繋がるのではないでしょうか。

**宮本**　私は澤地さんの『滄海《うみ》よ眠れ』を読んで本当に感動しました。私は海軍にいたわけですけれども、あの戦争で命運を分けたのはミッドウェー海戦なんですよね。負けたことをあの時は国民に正直に報告しなかったわけだけれども。あの戦いで三〇〇〇人以上の日本人の兵士が死んでいますが、アメリカ人の戦死者も含めて、そういう人たち一人一人の人間の生き方と、それだけじゃなくてその人たちを支えてきた家族がどうなったかということを調べたすごく良い本なんです。戦争とは何か、戦争の被害っていうものはどう考えたらいいのか、それが分かる本ではないかと思います。私たちの世代は『滄海よ眠れ』を読んだら、もう胸に突き刺さる気がします。私も兵学校にいましたから、私たちの先輩がみんな死んで、その家族がどう生きてきたか。そういうことを自分の人生に引きつけて考えさせられます。戦争っていうのは、それに従事した人間だけじゃない、先ほど言ったように全国民が巻き込まれていくわけです。そういう意味で澤地さんの本はぜひ再版されて、若い人たちにもっと丁寧に読んで考えてほしいと思います。

最近、ウクライナ戦争で戦争を拒否していいかどうかという記事が朝日新聞に載りました。やっぱり戦争は嫌だってはっきり言えるようにしないといけないと思いますね。日本の場合もそういう良心的拒否というものがなかった。先ほど紹介したように、兵隊に行きたくない奴は申し出ろと怒鳴られると、行きたくありませんと言えなくてみんな赤紙をもらってしまうような雰囲気で戦争を作っていった。だけどやはり良心的拒否は認めるべきです。べ平連が一生懸命頑張って、良心的拒否をしたアメリカ軍兵士をベトナムから連れて来たりした。日本はいま、国際的にこの憲法体制で作ってきた常識を守ろうという気がなくなっている。良心的な拒否を許すかどうか、国際的に認められている戦争放棄を日本がはっきりと守れるかどうかは、今後の非常に大きな問題だと思います。

**澤地**　今年は、戦争を始めた翌年の一九四二年六月に戦われたミッドウェー海戦から八〇年です。「ミッドウェー海戦」という言葉を使いましたけれども、日本が負けるまでの新聞などを見てごらんなさい。「ミッドウェー海戦」というのは一字もない。つまりもうボロ負けですよね。虎の子の空母四隻を失い、できたばかりの巡洋艦「三隈」が沈み、五隻の軍艦が沈んでいる。そしてもちろん乗員も大勢死んでいるわけです。アメリカは信じられない勝利だということで、すぐに「ミッドウェー海戦」という言葉がニュースになります。日本は負けたから、東太平洋方面で戦死という公報が出るんですが、その時に「ミッドウェー海戦」という言葉はない。負けるまで「ミッドウェー海戦」というものは日本の歴史上はない。これも凄いことですが、その嘘がまかり通ったのです。おそらく一部の新聞記者たちは知っていたと思います。あの時、連合艦隊は山本五十六の「大和」も加わっていた。なぜあんなにたくさんの連合艦隊が出たのかは一つの謎ですけれども、ミッドウェーを占領して勝てると思い、その後の論功行賞も考えて連合艦隊が全部出たのですが、ぼかぼか沈められて一斉に艦首を変えて帰ってきた。

負けた戦は見限られても嫌なので、陸軍にも一切教えなかった。だから東条英機が敗戦後に戦犯指定になった時、「そんなに負けていたのか、知っていればあの戦争を進めなかった」と言ったという話があります。マスコミも死んでいたんですね。そのことは国を本当に誤らしめるし、陸軍も、知らされなかったから誤ったという逃げ口上にするわけです。せめて陸軍の幹部には言わなければならなかった。天皇の語録を私はすごく見ていますけれども、天皇には先ほどの戦のことで、これで士気が落ちて戦闘の意欲が失われることがないように、という言葉があるんです。天皇は知っていたんじゃないかと思うのですが、半藤一利さんはそれに対して意見を言わないんです。あの人は昭和天皇が大好きな人になってしまった。最初は批判的だったんですが、実際に天皇と会うことになり、昭和天皇を調べて行って、半藤さんは天皇の大変なシンパになる。だから宮中にも度々ご夫妻で招かれています。半藤さんは、私がやたらとミッドウェー海戦という言葉がなかったというので、その話題を避けられるようになった。

軍人たちは「五分間」説などいろんなものをメイキングしました。でも、五分ぐらいのことで勝てっこないんです。連合艦隊から、第二次攻撃隊は兵装を海用にしておけと言われていたのに、現場へ着く頃には、もうアメリカの艦隊なんか出てこないだろうと全部陸用にして、第二のミッドウェー島攻撃をしようとしていた。それぐらい軍人たちがいい気になっていた。恐ろしいことですね。そのいい気に負けたんです。

だから、軍人も駄目だけれどもジャーナリストもよっぽどしっかりしてもらわないと、国を誤らしめるし、影響を受けている我々の側も間違うんです。このことは戦争と平和を考える時にちゃんと理解しておかないといけない。今の新聞もテレビも、報道していることの裏側に何があるかをしっかり見て伝えないと、今の若い世代が将来、「あの時にこんなことがあったのか。知らされていれば我々はこの道を選ばなかった」ということになりかねないと思っています。

## 憲法を守る意思、戦争に反対する強い意思を

**宮本**　戦争中に「世論」というものは作られてしまいます。先ほどのように、兵隊に行きたくないって言うこと自体が国を誤らしめるという風な世論が出来上がってくる。だから今、世論が作られてしまうのが一番恐ろしいことだと思います。世論自体がいま、ずっと右へ右へ動いている。今の日米安保条約に賛成か反対か尋ねたら、賛成が八〇%になっています。恐ろしい話です。憲法改正についても、九条についてもぎりぎりのところに来ている。そういう風に世論が作られてしまうと、個人の発言に自由がなくなってくる。周りを見渡すと、みんな日米同盟、軍事同盟賛成で、中国をやっつけたらいいじゃないかという雰囲気になっている時に、それではいけないと言いにくくなっていないか。沖縄戦をやめさせるためには日本と中国の関係をもう少し正常化しなきゃいけない。仮に中国が非常に覇権主義的であっても、日本と中国の間の関係を正常にしておくことは政府の使命です。中国との経済を断ち切られたら日本はやっていけなくなる。ところが恐ろしいのは、世論がだんだん右の方へ動いていって、この世論に反対する勇気がいるようになります。戦争中のことを考えると、世論に反対する勇気を持つこと

はものすごい大変なことだった。つまらないことでもなかなか言いにくくなる。

私も学術会議の会員だったのですが、日本学術会議の会員が六名拒否されていますね。これはもう明らかに昭和初期の状態と同じです。拒否して間違っていたのだから元に戻せばいいのですが、元に戻さない。むしろこれを利用して、日本学術会議を改組して政府の言うままにしようという意図がありありです。やはり先生が拒否されるとなると、その弟子や学生は、あの先生は政府反対だから就職がダメになるのではないか、というようになっていく。世論の恐ろしさっていうのは、そうやってだんだんと反対意見ゼロに向かって動いてしまうことです。ウクライナ戦争で改めて戦争とは何かをみんなが考える時に、絶対に戦争はしてはいけない、もう一度憲法の精神に戻るということを一人一人が自覚し、変な世論に従わない決意を持たないと、いまに間違いなく物が言えなくなります。

いま、大変な分かれ道に来ている。私は戦後最大の危機の時代だと思っています。果たしてこのままでいいのか。日本自身が落日で、一人当たりの所得を見ても韓国以下です。かつては韓国の何倍も上だった日本の経済は、今や韓国より下になってしまっている。全体として停滞する中で政府に反対するものが言いにくくなってくる。そういう時代に入りつつあることを自覚して、せいぜい自由に、憲法を守る意思、そして戦争に反対する意思をはっきり示していただきたいと思います。

**澤地**　海部公子さんが亡くなる直前に四〇分ぐらい電話で話しましたが、海部さんは最後まで平和ということを信じていらした。そういう意味で非常に「楽天的」な方でした。私が「でも日本はね」って言うと、「そうじゃないのよ」って言って、やっぱり日本はちゃんとなる、日本は平和でいくっていうことを最後の最後まで信じていました。それが、海部さんががんと闘う方法だったのじゃないかなと思います。がんとの闘いも随分酷い闘いだった。もういつ命が終わるか分からないということでしたけれども、海部さんは本当に最後の最後までしっかりとした声で日本を信じていると言われた。海部さんは本当に平和である日本を信じたまま亡くなったと思います。彼女があの世で後悔することがないように、私たちは平和の日本、それから平和の世界のために頑張らなければならないと思っています。

＊未公刊。二〇二二年六月一一日に裕伊之助美術館で対談。構成＝加藤憲治。

＊この対談は、裕伊之助美術館の運営を担ってきた色絵磁器画工、海部公子さんが、反戦平和への想いから強く希望して実現した。海部さんは対談を前に四月二一日に逝去。対談は美術館友の会主催で、縁のある人たちが思い出を語る「海部公子さんを偲ぶ会」とともに開かれた。

# 第2章　復帰五〇年、沖縄の現在・過去・未来

## 1. 復帰運動が求めた「沖縄のこころ」

五年ぶりに沖縄に参りまして、辺野古の基地などを見学しました。非常に工事が進んでいることに衝撃を受けて、もしこれを屋良朝苗さんが見たらどういう感情を持つだろうと思いながら、辺野古の周辺を見て歩きました。少し過去をふり返りながら話したいと思います。

沖縄が米軍の管理下にあった時は、日本本土から沖縄へ行くためのビザはなかなか下りませんでした。私は地域経済や地方自治を研究していますが、自治体調査にも入れないという状況がありました。一九六九年三月に屋良朝苗さん（前年に初の公選琉球政府主席に当選）の保証でようやくビザがおり、最初の沖縄調査をしました。

軍政下の沖縄は植民地以下の状況で、「沖縄に基地がある」のではなく「基地のなかに沖縄がある」という状態に深刻な衝撃を受けました。人権は無視され、正常な産業活動は行われず、エネルギー・水は米軍優先、道路・住宅・医療・福祉・教育などの社会資本は人口が当時同水準の石川県の六〇％以下で、道路・港湾などの公共施設も軍事優先です。福祉民生施設は劣悪でいかに当時の生活や福祉というものが米軍占領の下で支配されていたかが分かります。ベトナム戦争下の当時、県民の反対を無視し

てB52爆撃機がベトナムへ飛び立ち、嘉手納基地には核兵器と毒ガスが貯蔵され、米兵による事故や犯罪が多発していました。

沖縄調査に協力いただいた琉球大学の久場政彦・大田昌秀両教授からは、沖縄の人々が「日本復帰」を求める目的は、米軍基地の撤廃＝反戦平和、基本的人権、沖縄の自治権の確立にあると言われました。軍政下にあって「日本復帰」を求めるのはこうした「沖縄のこころ」であることがよく分かり、私も彼らとともにその実現に終生力を尽くそうと誓ったのです。

## 論議されなかった基地撤去

軍政に抵抗し日本復帰を求める運動は、一九五三年一月と戦後の非常に早い時期に「祖国復帰期成会」が結成されて始まりました。軍用地反対闘争、瀬長亀次郎さんの那覇市長追放事件、宮森小学校ジェット機墜落事件などを経て、一九六〇年に「沖縄県祖国復帰協議会」（復帰協）が結成されます。

一九六五年八月に佐藤栄作首相は戦後日本の首相として初めて沖縄を訪問します。この時点で日米安保条約改定の問題が政治の舞台で論じられる状況になっていて、安保条約改定問題とあわせて沖縄復帰の問題を解決しなければならないところに追い込まれた佐藤首相は沖縄返還問題に取り組むことになります。

一九六七年一一月に日米で沖縄返還協議が始まります。翌年二月に米高等弁務官が主席公選実施の声明を出し、一一月に行われた主席公選で復帰協会長の屋良朝苗さんが当選しました。ところが復帰の中心的なスローガンである「米軍基地を撤去する」という基本的な問題について日米交渉では論議されません。むしろ日米安保の改定に備えて米軍基地を再編成するのがアメリカの狙いでありました。復帰協が本土復帰は米軍基地撤去であると考えていることと全く違う進め方をされていったのです。

一九六九年三月に佐藤首相は「核抜き本土並み」を復帰交渉の方針としました。翌年五月に沖縄代表を入れずに沖縄返還協定作成交渉、七一年六月には安保条約による米軍基地存続など調印し、屋良主席は調印式を欠席します。

日本政府は復帰後の沖縄について開発政策を中央政府中心で進め、国土開発計画に沖縄を適合させるため、基地経済を前提としつつ、重化学工業化、都市化、自動車交通中心の交通体系の整備のため大規模な公共事業計画を立てていきました。

## 本土後追いではない沖縄開発を提言

ここで私が特に申しておきたいことは、復帰協の中心は「米軍基地の撤去」ですが、同時に福祉が遅れている沖縄を復帰の過程で日本の水準まで引き上げたいということで、新しい沖縄の開発計画というものが復帰協のなかで中心課題になっていきました。当時の沖縄には経済開発をめぐって二つの意見がありました。一つは基地を撤去したら「イモ・ハダシ」の昔に戻ってしまうという考え方で、もう一つは経済成長する日本に復帰すれば沖縄の経済は発展するという楽観論です。私たちは、その両方とも間違っている、もしもそういう考えで復帰をすると大変なことになると考えていました。そのために我々の調査もきちっと基地返還と経済を一体的に考えて、経済の発展というのは決して国土計画に従ってはならないのではないかということで、復帰政策に意見を述べることをしていたわけです。

私が沖縄で最もお世話になりましたのは同じ財政学者で当時琉球大学教授であった久場政彦さんでした。久場さんとふたりで、雑誌『世界』を舞台に三回にわたって復帰後の沖縄開発のあり方を提案しました。当時は私どもの公害研究委員会(一九六三年創設)でも沖縄に非常に関心を持ち、沖縄の今後の地域開発について、環境破壊や公害が起こらないということだけでなく基地そのものを撤去しなければ沖縄経済は発展しないことをはっきりさせなければということで、一九七一年に行われた琉球大学経済研究所と地域開発センター主催のシンポジウムでは、都留重人さん（経済学）、華山謙《ゆずる》さん（社会工学）と私が参加しました。先ほど言いました沖縄で流行している二つの経済開発に関する意見に反対をして、私たちは次のような提言を行いました。これは『世界』一九七〇年七月号に載せた久場さんとの対談の内容も入っています。

a．基地は基本的人権を侵害し、文化を破壊し、経済の正常な発展を阻害している。速やかな基地の撤去、基地経済依存の脱却が必要である。

b．本土の国土計画の後追いをせず、沖縄の自然・工芸・文化・歴史遺産に基づく開発を住民参加で計画する。

c．本土の地方制度の欠陥を制度化せず、本土並みの公共施設の整備まで政府の補助を行うが、以後は沖縄の自治権を確立できる「特別道府県制」を採用する。――この特別道府県制というのはつまり憲法改正しないでも制定しうる制度であるということで提案をしたわけです。

d．生活の福祉の向上と自動車社会ではなく鉄軌道のような公共交通体系など沖縄の風土にあった社会資本を整備する。――昔は沖縄にも軽便鉄道がありました。そのようなものを復活したいと考えたものです。

e．軍政下の被害の補償として、少なくとも五億ドルの復興基金を譲渡する。――つまりこれは、復興に当たって沖縄県が自由に使える資金を出すということが沖縄の自立的な発展の基礎になると考えたからなのです。

最後の復興基金については、政府が承認できないなら国民基金でもよいと考えていました。実はこの時期に五億ドルあれば鉄軌道が作れたのです。実現できなかったのは大変残念なことです。

私は台北の第一師範学校附属小学校の出身なのですが、私が附属小にいたときに台北第一師範学校の教授が屋良朝苗先生でありました。それで親密に感じてお付き合いがあったのですが、屋良先生も最初はやはり開発政策については、なかなか制度上難しいし、沖縄は遅れているのだから国の政策に従った方がいいのではないかと考えていたようです。下河辺淳さん（建設官僚、第五次全国総合開発計画までの事実上の立案者）もなかなか沖縄に熱心で、下河辺さんをかっていたところもあって、屋良先生は下河辺さんが作った長期経済政策をそのまま沖縄の振興計画に乗せるということを最初は考えていました。下河辺さんの政策は、石油コンビナートを軸にしてそこにアルミを入れ、重化学工業化を進める、それから那覇都市圏の大都市化を進めていくというのが柱です。これは日本の高度経済成長が重化学工業化・都市化を進めて成長を実現したのをそのまま適用しようとしたのだと思います。しかし、それでは大変なことになるという認識が広がり、我々の提案や七一年のシンポジウムを通じて沖縄県にもだんだん意見が通るようになりました。残念ながら少し遅れてしまったのですが、沖縄県として日本政府に対して復帰後の政策を明確にしたいということで、「建議書」を作ることになったのです。

## 復帰政策の改定を求める「建議書」

一九七一年一〇月には沖縄復帰関連七法案の審議が国会で始まっていたのですが、琉球政府の「復帰措置に関する建議書」が出たのは一一月のことです。この「建議書」は、今から読んでもたいへん重要な歴史的文書だと思います。

沖縄県民は過去の苦難に満ちた歴史と貴重な体験から復帰にあたっては、まず何よりも県民の福祉を最優先に考える基本原則に立って、⑴地方自治権の確立、⑵反戦平和の理念をつらぬく、⑶基本的人権の確立、⑷県民本位の経済開発等を骨組とする新生沖縄の像を描いております。

これは序文に屋良さんが書いた文章です。「建議書」を読むと所々に屋良さんの「私は」という主語が入っていて、琉球政府の文書とは思えない「建議書」ですが、屋良さんの気持ちが良く溢れている文章です。

「建議書」は日米復帰協定とそれに基づく復帰関連法案、その後の「沖縄振興開発計画」の基本的修正を要求したものでした。この「建議書」を屋良さんが持って上京した一一月一六日、この歴史的文書を受け取らないままに政治が動いてしまいました。衆議院委員会で沖縄返還協定と復帰関連法案が野党の反対を押し切って強行採決されたのです。私はこれをテレビ中継で見ていましたが、公聴会も開かない、参考人も呼ばない、予定されていた瀬長亀次郎その他の沖縄選出議員の質問も許さない、実質審議を全く行わないままに与党は押し切ったのです。「建議書」は佐藤首相以下の閣僚や有力な政治家に渡されたというのですが、その後一度も国会で取り上げられることはありませんでした。

私は調査をする過程で大田昌秀さんや久場政彦さんと討議し、沖縄の実態を見ていて、沖縄の「復帰」というのは、新憲法の体制に入り、沖縄がこれまで歴史的に受けてきた構造的な差別を跳ね返したい、という「沖縄のこころ」が基本的な考え方だったと思います。大田さんに言わせれば「反戦平和」、そして「基本的人権の確立」「地方自治」こそが沖縄のこころであって、沖縄のこころを実現するために日本に復帰するのだということが「建議書」にも盛られていました。また経済開発についても、下河辺さんの重化学工業化に対する批判も出ていて、沖縄の風土に合った開発にしたいという沖縄の自治を守る提案になっていました。そういう点でこの「建議書」は沖縄の政治の方向性を示したものだと言ってよいと思います。

「建議書」では沖縄振興開発計画の主体は沖縄県であり、国は協議に応じ必要な予算措置を講ずることになっていましたが、実際は全く反対に内閣府に主体を置く中央集権の政策として、復帰後の沖縄政策は出発しました。

## 2. 五〇年後の現状

復帰から五〇年を経た今、いったいどうなっているのか。私はこの五〇年のあいだ何回も調査を行い、そのたびに沖縄の現状調査についての本を出していますので、読んでいただければこの五〇年間の沖縄の「開発」と「自治」の歩みがよく分かるのではないかと思っています。

簡潔に言いますと、軍事基地をめぐってこの五〇年間に起こった非常に大きな変化は、一九九五年の海兵隊員の暴行事件を契機にした県民の運動と大田知事の基地返還要求などによって、「基地返還後の政策」が進められたことです。この頃ちょうど冷戦終結があり、冷戦が終結すれば米軍基地が徹去される可能性がある、アメリカも基地の縮小を考えざるを得ないというところに来ていたわけですが、この時期にSACOが開かれて、嘉手納基地以南（五〇〇二ヘクタール）の返還が行われることになり、二〇一七年には北部演習場の過半も返還されました。その結果、米軍基地の敷地面積が一万八千ヘクタールに減っています。しかし依然として、在日米軍基地の七〇%を沖縄が負担しているし、基地のほとんどが沖縄本島の中央部でもっとも重要な地点にあり、返還が行われても沖縄の持っている苦悩は減らなかったのです。

## 七倍になった基地の地料

それと同時に、問題は基地の地料です。本土の米軍基地は大半が国有地ですが、沖縄では国有地は二三・四％に過ぎません。「銃剣とブルドーザー」で占有された民有地が三九・五％、市町村有地が二九・二％あります。国はどうしても市町村を含む地主と私法上の賃貸契約を結んで米軍および自衛隊に土地を提供し使用させるという形にしなければならないために、軍用地料を払っているわけです。非常に強い地主の土地闘争がありましたから、それを抑え込むために、永続的に土地を使用したい政府は賃貸料を周辺の地価と関係なく政治的に決めて、非常に高額となっています。復帰時には四倍に引き上げ、その後五〇年間で七倍になっています。

軍用地料八八一億円は、全県の農林生産額五〇六億円の一・五倍です。これでは返還を要求して農業を営む意欲はわかず、現在、軍用地は不動産業のように売買賃貸する傾向があります。土地闘争が影を無くし、返還も地価が高いと環境重視の都市計画を困難にする要因になります。土地闘争を抑えるために高額にしている地料は、沖縄を基地に依存させる手段になっていると言ってもよいでしょう。

基地の社会問題については簡単に触れるだけにしますが、言うまでもなく米軍基地由来の事故、そして犯罪が多く日常的な社会問題が発生しています。沖縄県発行『沖縄の米軍基地』によると、一九七二年から二〇一六年のあいだの事件・事故は次の通りです。

公務上の事故　　八七七六件
（うち航空機事故　　一二三八件）
公務外の事故　　三七八七三件

合計　四六六四九件

また、法務省『合衆国軍隊構成員事件人員調査 二〇〇一—〇八』によれば、公務外の米軍構成員犯罪は三八二九人ですが、不起訴になったもの三一二四人(八三%)で、ほとんどが無罪放免、凶悪犯罪すら二三%が不起訴となっていて、まさに「無法状態」です。

特に問題なのは日常生活における航空機騒音公害です。騒音被害は深刻で一〇市町村五五万人(県人口の四四%)に及び、幼児などに健康障害を認めています。行政解決がつかず、嘉手納・普天間両飛行場で民事訴訟が繰り返されており、現在、非常に大規模な嘉手納第四次訴訟が始まっています(原告三万五五六八人)。これまでの訴訟では飛行差し止めは全く認められず、米軍の責任が全く訴求されず、損害賠償だけが認められて日本政府が支払っているという状況です。こういう状態を我々は「米軍が公害を輸出させている」と言っているのですが、「公害輸出」の典型であると思います。

基地の有害物質公害については、これも日米安保条約を破棄できない、そして日米地位協定の抜本的改定ができない、そのために沖縄の自治がない、そのことが問題です。

私が沖縄について特に関心が深かったのは公共事業についてです。復帰後の振興費約一三兆円はそのほとんどが公共事業に使われてきました。復帰政策の中心であった大規模公共事業は沖縄の自然や慣習を無視して本土の規格に合わせて行うものですから、道路建設などで赤土が海域に流出し、サンゴを破壊するなど海の汚染が広がりました。そして、生態系を破壊する埋め立てを続けてきました。

辺野古の新基地建設は、世界的な自然遺産である辺野古岬や大浦湾の生態系を今まさに破壊しつつあります。また、世界自然遺産に登録された北部森林地域は米軍演習地に近接し、土壌の清浄化なども不十分なものです。ヘリ基地によって静穏は妨げられ、生物への被害が生じています。

沖縄の環境破壊は、日本政府の行為と、ダブルスタンダードによる米軍の「公害輸出」で進んでいると言ってよいでしょう。沖縄では「公共事業」と「基地」が環境破壊の中心になっています。

## 振興策で浮上しなかった県民所得

振興政策が果たして沖縄の経済を振興させたかどうかが問題です。五〇年間の沖縄経済の骨格を作り上げたのは、三次にわたる「沖縄振興開発計画」と、二〇〇二年に制定された「沖縄振興特別措置法」に基づく「沖縄振興計画」です。さらに二〇一二年改訂では予算の中に、計画の主体を国から県に変更した一括交付金制度が創設されました。この段階で内閣主導の計画をやめるべきでしたが、「自立型経済の構築」は道半ばとして、国の責任を求め、二〇二二年度から再び「沖縄二一世紀ビジョン」を一〇年間行うことになりました。ただし半期の五年後に再検討することになっています。

三次計画までは国補助事業の補助率は一〇〇%、以後も八〇%と大変高率で、他府県の補助率の平均は五〇%です。復帰後五〇年を経てもまだ国指導の振興法が必要であるというのは異常です。五〇年もやっていれば当然国の振興法に依存しなくても沖縄県でできなければ嘘なのですね。これはやはり沖縄県と県内企業が考えなければならない重大な点だと思います。「建議書」にありますように沖縄の自治というものを確立しようと思うならば、こういう形でいつまでも国の振興開発計画に依存する構造が続くということは、沖縄の自治を歪めてしまう、あるいは自立しない大きな原因になると思います。

これまでの公共事業の中心は道路・空港・港湾で、ハードな社会資本の水準は本土の都市府県並みの充足となりましたが、それに比べて福祉関係が遅れています。人材育成の教育文化振興費や保健衛生には十分な予算は出されていません。

初期の計画にあった石油コンビナートを中心とする重化学工業化は全然実現しませんでした。すでに素材供給型重化学工業の時代は終わっており、政府立案者の決定的誤りであったと言えます。石油化学もアルミも進出せず、その後日本の本土は自動車・電気機器産業等の機械産業に重点が移るのですが、二、三の企業が工場進出を予定していたものの結局は進出しませんでした。その理由は水がない、エネルギーが不足している、そして輸送費がかかるということでしたが、立地条件の良い場所は基地で占められているために自動車産業や電気機器産業の工場が沖縄に立地しなかったのだろうと私は考えております。

沖縄振興開発の事業費は、最近までは巨大な公共事業によって建設業が最も生産額が大きいものでした。発展が期待されていた農業は一九八〇年代までは菊などの花卉《かき》、果物などが伸びましたが、その後沈滞します。最も伸びたのはサービス業などの観光関連産業で、新型コロナ感染症の問題が起こる以前には年間の観光客が一千万人を超えました。情報通信業も雇用を増やしました。復帰前に一部の研究者が言っていた「米軍基地がなくなればイモ・ハダシの昔に戻る」の間違いは明らかで、生産額の一五%を占めていた基地関連費は五%に減り、観光を中心に平和産業で発展できることは明らかとなりました。

にもかかわらず沖縄で所得と雇用が伸びないのは、本島中心部が基地に占拠され、付加価値が本土へ流出するためです。公共事業による受注の四〇%以上が本土資本であり、ホテルなどの観光産業や交通業も本土資本の進出が目覚ましいと言われています。期待されている情報通信産業もまだ零細な企業で、多くは低賃金の非正規雇用です。

今年、沖縄県が出した新たな「建議書」の中では、振興計画について一定の評価がされていますが、全体としては、県民所得が全国の七〇%に止まっていることが問題になっています。私は、沖縄が内発的な発展をしないために、どうしても所得水準が停滞するだけでなく、所得水準では測れない沖縄の良

会談を終えた玉城デニー知事と著者＝2022年6月、沖縄県庁

さが評価されないことになっているのではないかと思います。一人当たりの県民所得の低さ（全国最下位）や失業率の高さ、子供の貧困などの状況は政府予算に依存して解決できるものではなく、沖縄の県民の内発的な努力以外に解決の道はありません。

近年の沖縄への政府予算を見ますと、防衛省予算（二七五一億円、二〇二一年度一般会計分）と内閣府沖縄担当部局の予算（三〇一〇億円、同）が同じぐらいになっています。つまり今や政府の予算は、沖縄の振興というより日米軍事基地の強化に重点を置くというところにまわっているのは明らかです。振興予算の特例として、基地間の「沖縄米軍基地所在市町村活性化特別事業」「北部振興費」をはじめとして、玉城知事当選後には保守市町村に優先的に配分する「特定事業推進費」、自衛隊基地誘致を促進する「離島活性化促進事業費」などが作られます。最近では危険な傾向が出ていて、特に二〇一五年の安保法制で「集団的自衛権」が確立して以降の状況は、沖縄の社会を大きく変えていくようないろいろな問題が出ています。

## 3.「沖縄のこころ」を高く掲げよう

五〇年を経ても実現できなかった「沖縄のこころ」をもう一度高く掲げて欲しいと私は願っているのですが、その場合には三つの重大な条件があると思います。いま世界は第二次世界大戦後の最大の危機に置かれています。一つは地球環境問題、コロナをはじめ様々なパンデミック、そして最近のウクライナ戦争。政府はこれらの危機を逆手に取って平和憲法を改定しようと目論んでいます。軍拡を唱える保守政治勢力や、異常なほどのマスコミの戦争の恐怖宣伝によって、世論は日米政府の軍事ブロック強化へ急速に同調しはじめています。従って、「沖縄のこころ」を現実にしていくための条件として、この三つの条件と合わせてどうするかを考えなければいけないわけです。

### 戦争許さず内発的発展の経済を

沖縄では「二度と沖縄戦を繰り返さない（ノーモア沖縄戦）」という声が起こっているとうかがいました。ウクライナ戦争は明らかに沖縄戦の記憶を呼び起こすのであろうと思います。

先の大戦は軍事ブロック間の競争に持ち込んで世界戦争になってしまったのが大きな問題でした。今の傾向も「ウクライナが勝てばいい」ということではなく、軍事ブロック間の競争になり始めて世界戦争につながりかねないことが問題で、つまり第二次世界大戦の教訓が守られていないのです。その一番大きな影響は沖縄に来るであろうと思われます。沖縄で二度と戦争を繰り返さないためには、日本が思い切って中国との交流をもう一度友好的な形に戻していく、アメリカの戦略につき従わないで中国との交流を経済的・文化的に深めて「決して沖縄に戦争を仕掛けない」ことを明確にしなければならないと思っています。ですから、今日の中心課題は、二度と沖縄に戦争を許すな、ということではないかと思います。

そして、コロナの教訓としては、米軍基地の出入りが自由で県の公衆衛生が米兵と関係者に適用できないという問題が明らかとなり、日米地位協定の改革が焦眉の課題となっています。さらに、沖縄の福祉ケアをもっと充実させなければいけないことも思い知らされたことと思います。エッセンシャル部門——公衆衛生、医療、福祉(特に保育・介護)、教育の充実がまず沖縄で進められなければなりません。これが「沖縄のこころ」の二番目の問題だと思います。

最後に「温暖化防止」は、結局のところ地域におけるエネルギーと食糧あるいは地域産業の自給率を高めていくという方向で問題解決を行うのが正攻法だと思います。そういう意味では、沖縄には自然エネルギーを開発する条件が揃っています。太陽光だけでなくいろいろな試みがされてもいい。この地域の自律的な経済的発展は「沖縄のこころ」として前々から望まれていることなので、ぜひこの温暖化の危機を乗り越える「沖縄方式」——自然エネルギーと農業、観光、文化を軸にした、地域循環型の内発的発展の経済を編み出していかなければならないのではないでしょうか。私はこの五〇年の間に沖縄の方々とつき合い議論してきまして、沖縄にはその要素が十分にあると思っております。占領下の大宜味村の村政や、照屋敏子さんの事業、あるいは平良敏子さんの芭蕉布などに、内発的発展の原理やエネルギーを学びました。占領期と直後の読谷村の村政は平和と経済と文化を総合する、日本の自治体が模範にすべきことをやられていたわけですから、ぜひそういう伝統を生かして、沖縄が三つの危機を乗り越える新しい方向性を示して欲しいと思います。

環境を保全して公害を無くし、地球環境保全の新しい方式を編み出す第一歩となりますことを願っています。

＊初出は『けーし風』一一五号「沖縄の本土復帰五〇年を思う」二〇二二年八月。二〇二二年六月二五日の日本環境会議の沖縄問題特別シンポジウム講演「沖縄の本土復帰五〇年を思う」への加筆。

視点

# 響く非戦のメッセージ

加藤正文

ノンフィクション作家の澤地久枝の凜《りん》とした声が石川県加賀市吸坂町の硲伊之助美術館に響いた。憲法の精神を世界に広める「九条の会」の呼びかけ人であり、安全保障関連法成立時は「アベ政治を許さない」の書を掲げ、国会前で平和と民主主義の大切さを訴え続けていた。

デビューから半世紀。第一作は『妻たちの二・二六事件』だ。一九三六（昭和一一）年、皇道派の青年将校らが官邸、警視庁などを襲撃し、蔵相らを殺害した。「至誠」に殉じた将校たちの遺された妻たちはどんな人生を歩んだか。「巡礼のような行脚をはじめるとすぐ、私は己れの感傷や甘い主観の通用しない世界に直面した」。現場へ行き、当事者に会う。すくいあげた肉声の迫力。歴史を資料に語らせるという次元を超え、妻たちの生を支えた「想念」に迫ることで歴史上の事件を今の物語にした。評論家草柳大蔵の評価だ。

第二作は沖縄返還を巡る外務省機密漏洩事件を追った『密約』（七四年）。基地、対米関係、言論の自由といった戦後史の問題をはらむ。大作『滄海よ眠れ』（八四年）はミッドウェー海戦をテーマに日米で計三四〇〇人余りに上った死者の姿や遺族の思いを刻んだ。ディテールあってこそ歴史に血肉が通う。『妻たち―』以降、深まる哲学に感じ入る。

一方、宮本も研究者になって七〇年。数々の社会的災害の現場に身を置き、公害訴訟や住民運動に科学者として積極的に関与してきた。「歴史に学び、現場へ行く」がモットー。現状分析を社会思想の文脈に位置づけ、理論と政策を追求する中で構築されたのが「容器の経済学」だ。従来の経済学では社会資本や都市、国家、環境を経済現象・市場過程の外部に置く傾向があった。その未踏の領域に切り込み、「共同社会的条件」として経済学の体系に取り込んだ。

初対面という二人の対談の共通認識として響いたのが、日本社会が戦争に近づいているという危機感だ。ともに三〇（昭和五）年生まれ。戦争の真の怖さを身をもって知るからこそ察知する予兆があるのだ。澤地は以前のインタビューで述べた。「若い人たちは、いまが戦前だなんて思えないのでしょう。戦争がどのようにやって来るのか、実に何でもない状態が進んでいって、ある日には戦争が始まっている。足音もしないのね」。澤地の原点は旧満州での敗戦後の難民生活だ。困窮と不安は一年に及んだ。だから今、不安とともに憤りが抑えられない。復帰五〇年が過ぎても沖縄の基地負担は軽減されず、ロシアのウクライナ侵攻で悲惨な被害が伝わる。「今は黙っていては駄目。それぞれが戦争に反対する意思表示を」

## 沖縄で交錯する人生行路

宮本は台北で生まれ、海軍兵学校在学中に敗戦。広島で原爆の惨禍を目の当たりにした様子を語る。「全面戦争とはこういう結果をもたらすのか。都市も生物も消滅する。その後、環境経済学が生涯の課題になり、悲惨な公害事件や震災、原発事故などさまざまな現場を見たが、戦争こそ最大の環境破壊だと考える原点があの光景にある」（宮本背広ゼミナール編『未来への航跡』かもがわ出版、二〇二一年）。

満州と台湾という外地での経験とともに今回の対談で一致したのが、沖縄を平和と自治の島にしなければならないという願いだ。宮本は一九六九年、軍政下の沖縄に入った際は「基地の中に沖縄がある」という状態を目の当たりにし、憤りを感じた。人権は無視され、正常な経済活動は行われず、米兵による事故や犯罪が多発している……。雑誌『世界』に「沖縄――この軍政下の自治体」という警世の論考を書いた。米軍基地の撤廃＝反戦平和、基本的人権の確立、沖縄の自治権の確立。この「沖縄のこころ」の実現のために終生力を尽くそう、と誓う。その後、基地なき沖縄を見据えた経済開発の方策を探り続け、自然エネルギーと農業、観光、文化を軸にした地域循環型の内発的発展の道筋を示した。

澤地も前述の『密約』を書いて以降、沖縄に関心を深めた。一九七三年に初めて沖縄に行き、時をへて九七年末から二年間、沖縄に住み、琉球大学で講義を聴講した。ジャーナリストに衝撃を与えたのは九五年九月に起きた米兵三人による女子小学生暴行事件だった。生活者として沖縄で暮らし、勉強しようと思ったことにはいろいろな理由がある。しかし、決定的な動機は、小学生拉致強姦事件の発生にあった。県民の怒りが爆発し、大集会には八万五千人が集まった。沖縄の民意を覚醒させ、今に至る政府との対立の重大な出発点となった。

当時の大田昌秀知事は「行政をあずかる者として、本来一番に守るべき幼い少女の尊厳を守れなかったことを心の底からおわびしたい」と述べた。澤地も少女を守りきれなかった日本の戦後社会の実相に目を凝らしながら基地なき沖縄への道筋を描く。「二〇世紀から二一世紀に引き継いできて、日本人がきちんと向き合って片付けなければならない根本的な問題が、日米安全保障条約なのだと思います。日米安保の矛盾が沖縄に集中している」(「フロントライン・沖縄が逆照射する日本」『世界』二〇一二年六月号)。

環境経済学者とノンフィクション作家。九〇年余にわたるそれぞれの人生行路が沖縄の地で交錯している。平和、貧困の克服、差別の撤廃、地球環境の保全。通底する非戦のメッセージを次世代に引き継ぎ、誰もが安心して暮らせる未来社会を創らなければならない。それこそがこの対談を実現させた古九谷の色絵磁器画工、海部公子の願いだった。生前、澤地、宮本と親交があった海部は自由と平和を愛し、憲法九条の普遍的価値を信じた。本拠の硲伊之助美術館で行うこの対談を楽しみにされていたが、二〇二二年四月二一日に急逝された。対談を聴くことはかなわなかったが、会場のあちこちに海部のきらきら輝く強いまなざしが確かにあった。

(敬称略)

# 第3部　四日市と水俣

## 公害の対策と被害の原点を追う

戦後における公害の原点——四日市と水俣。宮本憲一さんは、公害対策の原点が四日市であり、公害被害の原点が水俣だと位置づける。公害が日本で認知される前から現地に入り、実態調査と被害救済に格闘する中で、宮本さんは自身の研究の原点となる公害論を作りあげた。四日市と水俣の公害克服にはどのような困難があり、それをどう乗り越えてきたのか。実体験を踏まえた迫力のある講演、「四日市公害判決五〇年に思う」と「公害研究における水俣病問題の意義と課題」の二つから感じてもらいたい。

対談では、別の立場から水俣に向き合ってきたアイリーン・美緒子・スミスさんをお招きした。かつての水俣病の写真家から、現在は脱原発を目指す環境活動家として精力的に活動するアイリーンさん。水俣から現代の環境問題について広く語られるなかで、われわれが直面する環境危機に対して突破口となるような議論が交わされた。

# 第1章　四日市公害判決五〇年に思う

## 1．地域開発と公害

四日市公害問題は戦後の公害問題の典型であり、環境政策の原点である。

一九六一年一〇月、静岡県で自治労は地方自治研究全国集会を開いた。その「地域開発の夢と現実」のシンポジウムの中で、三重県職員労働組合と四日市市職員労働組合が、四日市コンビナートの周辺で深刻な大気汚染と異臭魚が発生していると発表した。これが四日市公害の最初の告発だった。

私はこの後、四日市の調査に入り、まず塩浜病院を訪ねた。ここには高齢者と年少者が多く収容され、当時珍しかった空気清浄機が導入されていた。通称四日市ぜんそくの患者の症例は深刻で、病院を出ると汚染がひどく、症状が悪化するということだった。当時の平田佐矩《すけのり》市長は経済開発に伴う公害はやむを得ないという態度だった。その後のことだが、一九六六年に引き継いだ九鬼喜久男市長は対談に応じてくれたものの、四日市の経済発展のためには、第二、第三コンビナートの建設はどうしても必要なので、再検討することはないといわれた。

昭和四日市製油所に公害対策の見学を申し入れた。対応に出た総務課長は、公害対策の見学はあなたが初めてだといった。公害対策の水処理などの施設などを見せてくれた。異臭魚の原因について聞くと、オイルセパレーター（油分浮上分離除去装置）を使用しているので当社は関係なく、戦時中の海軍燃料廠に到着したタンカーが空爆によって沈没し、その油が流出して、臭い魚の原因となったと嘘の弁解をした。後に吉田克己（三重県立大学、公衆衛生学）はこのオイルセパレーターは役に立っていないことを証明している。この夜、四日市の海員会館に泊まったが、窓を開けると悪臭で眠れなかった。

## 隠された調査資料

三重県の開発部に行き、部長に公害対策委員会の調査資料を見せてほしいと頼んだところ、門外不出だと断られた。やむを得ず、県庁を出ようとしたところ、某係長が追ってきて、近くの喫茶店で待つように言い、持ってきてくれた資料を見ることができた。専門家の調査の結果、コンビナートの廃液によって異臭魚が発生し、大気汚染が進んでいることも明らかだった。この企業と行政の態度を見て、怒りを覚えたと同時に、この様な公害を評価できない経済学の根本的批判をしなければならないと思った。

日本各地の公害地域を調べ、一九六二年一一月に「しのびよる公害」（『世界』一二月号）を発表した。これは社会科学者による戦後最初の公害の調査と政策提言の論文だった。これを読んだ都留重人に呼ばれ、相談の結果、日本初の学際的組織として、一九六三年七月に「公害研究委員会」が誕生した。私は一九六四年四月、庄司光と『恐るべき公害』という最初の学際的啓蒙書を出版した。これはベストセラーとなり、辞書になかった公害という言葉は日常語となった。これは「ノーモア四日市」のスローガンで戦う静岡県三島・沼津コンビナート誘致反対運動の教科書になった。

公害研究委員会は、厚生省科学研究費で四日市を一九六四年、六七年の二回調査した。この調査では公害の発生源の主な工場調査と、県、市の公害対策の諮問を行った。調査の結果、コンビナートの公害対策と県、市の都市計画に欠陥があり、第一コンビナートの公害の教訓は全く生かされず、第二コンビナートの公害が加わり、公害はさらに深刻な状況になっていることを確認した。消防当局も企業もパイプラインの全容や地図を持たないことが明らかになった。企業と行政の公害対策と患者の救済が行われておらず、その批判とともにコンビナート企業が都市の福祉や文化に貢献していないことを指摘した。当時の調査研究の成果が都留重人編『現代資本主義と公害』である。

一九六二年、政府はばい煙規制法を制定するが、四日市は対象に入っていなかった。驚いた地元は運動し、六三年に政府はばい煙規制法の適用調査のために黒川調査団を派遣した。翌年三月、黒川調査団は四日市の公害がコンビナート企業による大気汚染であることを報告し、ばい煙規制法の対象にいれた。その主要な対策は高煙突の採用とコンビナート隣接地域の西部への移転計画だった。しかし、ばい煙は拡散し患者は増え続けた。患者を支援する全市的な住民運動は起こらず、患者は孤立していた。市は公害防止条例を作らず、反対に第三コンビナートの建設を進め、埋め立てによって市民の海岸は喪失した。一九六六年七月に絶望した公害病患者木平卯三郎が、一九六七年六月に「公害患者を守る会」副会長大谷一彦が自殺した。

この状況下で、公害反対の市民運動の中からも、もはや行政は頼むに足らずとして司法に最後の解決を求める声が出てきた。公害研究委員会の調査の際に、調査団の戒能通孝（民法、法社会学）は、支援団体の代表から公害裁判の相談を受けた。

## 2．四日市公害裁判と私

一九六七年九月一日、原告、磯津の住民野田之一ら九人の公害病認定患者は第一コンビナートの昭和四日市石油、三菱油化、三菱化成工業、三菱モンサント化成、中部電力、石原産業の六社を被告とし、この被告工場のばい煙による健康被害補償をもとめて津地方裁判所四日市支部に提訴した。原告は東海労働弁護団中心の若手の弁護士、被告は六社それぞれがベテランの弁護士を立てた。たとえば石原産業の弁護士は後の最高裁判所判事大塚喜一郎だった。ほぼ同じ時期に、「企業城下町」のために行政では解決がつかなかった二つの水俣病とイタイイタイ病裁判が始まり、この四大公害裁判は相互に影響を受けて進んだ。

私は最初からこの裁判の原告弁護団の研究会に出席した。当初差し止めを請求するなどの議論があったが、損害賠償に絞った。この裁判では科学論争をするのではないが、最初の公害裁判の性格上、研究者を原告証人とすることになった。そこで最初の原告証人は私に決まった。裁判が初めての大規模公害事件を取り上げるにあたって、公害とは何か、その被害、原因、対策はどうあるべきかという公害原論を明らかにする目的だった。そして四日市公害の普遍性から裁判を技術主義、個別主義に陥らせず、今後の公害対策の基本的な道筋をつけようと考えたからである。最初の原告証人を引き受けたことが明らかになると、私宛に刃物などの危険物が小包で大学に送られてきたり、脅迫状が来るようになった。

いまの若い人からみれば、四大公害裁判の原告は公害病患者で、四日市コンビナートは政府のばい煙規制法地域になっているから勝訴は当然と思えるかもしれない。しかし、患者は救済を受けず、孤立していたように、公害の法的責任は企業も政府も自治体も認めていないのである。さらに当時、庶民にとって裁判は芝居の大岡裁判のようにお上に反対して、白州に引き出されるようなものだった。原告になるには非常の決意が必要だった。この裁判では当然、コンビナートに隣接し被害の深刻な塩浜や午起《うまおこし》から原告が出てもよいはずだ。しかし塩浜町内会の幹部は企業からお祭りなどの行事で援助を受けているので裁判に反対だった。

## 「植民地型開発」を告発

九人の原告の住む磯津は漁村であって保守的な地域だった。このため弁護団と四日市公害対策協議会が選んだ原告だが、「国賊や村八分や」と批判された。沢井余志郎はこの状況を変えるために、「公害市民学校」を磯津で開いたのである。三菱モンサント化成、三菱化成の両労働組合は公害裁判を支持する地区労から脱退した。公害訴訟運動の中心になったのは四日市市職労であり、「四日市公害訴訟を支持する会」は年会費一口一〇〇円で三〇〇人から始まり、裁判進行中に三〇〇〇人に増大した。裁判に対して、三重県と四日市市は新潟水俣病裁判に対する新潟県・新潟市と違って原告に敵対的だった。裁判中に会長を知事、副会長を市長とする「四日市地域公害防止対策協議会」がつくられるのだが、「公害訴訟を取り下げ公害対策協で話し合いによる解決を望む」と方針を決めたほどである。

私は証言で、政府の地域開発のモデルとなった四日市コンビナートは市街地に隣接し、あらゆる公害が短期間に発生し、住民の健康や生活環境を侵害しているにもかかわらず、政府や自治体はこれを防止せず、被害を救済していないことをまず告発した。この拠点開発によって、一九六五年の市民所得八六〇億円のうち二八〇億円は東京など本社のある地域に吸い上げられ、域内税収の七〇%が国税である。地元の自治体はコンビナート誘致のために白砂青松の海岸を埋め立てて、工場用地を造成し、道路・港湾などの社会資本を提供したが、企業は公害防止（全設備投資のわずかに一%）や被害の救済を怠り、市民の福祉や教育・文化の振興に寄与していない。このような開発の矛盾を具体的に統計で説明し、企業は租界を作り、「植民地型開発」のようだと批判した。

証言のもうひとつのポイントは、提出した公害史の詳細な年表である。戦前の企業は銅の精錬過程で、深刻な亜硫酸ガスによる農業被害を出し、それに抵抗する農民と交渉し、工場の離島への立地、世界一の高煙突による拡散、気象による生産制限、被害の賠償を行った。それでも被害農民の徹底的な反抗のために、ついに一九三九年には住友金属鉱業が世界最初の完全な脱硫を行った。この間に中学校・女学校など公共施設に莫大な寄付をしている。また一九一九年当時、日本最大の化学工業の大阪アルカリ（後の石原産業）が差し戻し後の大阪控訴院で日立鉱山のような世界最高の煙突をしていないとして敗訴し、農民に賠償していることを証言した。その上で最新の技術を誇る企業がこの歴史的教訓を学習せず、工場を住宅・教育施設と隣接して立地し、利潤を上げるためにコンビナートとして集積した「立地の過失」を述べた。

当時の法廷の証言は、現在のように資料を自由に持ち込めるのとは違い、記憶に基づいて述べなければならなかった。被告弁護士の執拗な質問の答えなどは書類の持ち込みが自由であれば何でもないことであるが、当時、持ち込みはできない。うまく答えないと証言の正当性が傷つくのである。二日にわたる反対尋問は、多くは本質的なものでなく、資料が手元にないためにイライラさせるものだった。しかし、この応答が被告の運命を決めるものなので全力を尽くした。

裁判所は私を「鑑定人」に類するものとして待遇し、食事の席で公害の文献などについて対談した。その席で市内に住む若い裁判官は悪臭で窓が開けられないと話していた。裁判官も公害に悩まされていたのである。

被告側は、政府の黒川調査団の鈴木武夫など三人の研究者を証人に呼ぶ予定だったが拒否された。このため被告の証人は企業の関係者だった。

## 3．判決と公害対策への影響

一九七二年七月二四日、原告の全面勝訴の判決がくだった。この判決の意義は次の三点にある。

第一は、疫学によって因果関係を認定したことである。被告六社が排出する亜硫酸ガスなどの大気汚染物質が原告居住地に到達し、長期汚染することによって気管支ぜんそく、肺気腫などの閉塞性肺疾患が発生することを認めた。これに対して被告は、原告の疾患はいわゆる非特異性疾患であって、企業の亜硫酸ガスなどが原因と断定できず、原告の疫学調査は不十分としていたが、これは採用されなかった。すでに新潟水俣病やイタイイタイ病裁判で疫学の採用は認められていたが、この大気汚染による共同不法行為に適用した意義は極めて大きい。なぜならば、公害病は大部分厳密な意味で特異性疾患でなく、他の病気と類似の症例を持っている。したがって、公害病の認定の科学は疫学であるといってよい。疫学以外の判断、あるいは疫学を無視するような判断は公害病については非科学的といってよい。大気汚染という典型的公害について疫学の判断を認めた意義は大きい。この画期的な判決を生んだのは、一九六一年に再建された国保八万人のレセプトの中から一三地区三万人を対象とした呼吸器疾患を含む約三〇の疾患を四年間にわたりピックアップして、大気汚染との関係を調べた吉田克己らの研究成果である。

### 認定された企業の社会的責任

第二は、大気汚染を六社の共同不法行為として認めたことである。判決は原告の主張する六社が場所的、機能的、技術的、資本的な結合関連性を有し、「群居」して企業集団を構成し、他の企業が同種排煙行為を行っていることを認識しつつ、排出を継続してきたことは民法七一九条第一項前段の共同不法

四日市公害訴訟判決の報告集会で発言する著者＝1972年7月

行為を構成することを認めた。判決では、関連共同性は群居性のような客観的関連共同性で足りるとしながらも、被告の反論を排除して、技術的(人的資本的)関連性をも指摘し、さらに立地政策や社会資本の共同利用にまでふみこんでいる。現代の公害の典型は集積による複合公害なので、この共同不法行為論は大都市や工業都市、さらに自動車公害などに適用できる。その後の公害裁判の責任論の決め手になった、この画期的な法理を生み出すにあたって、牛山積《つもる》(早稲田大学、民法学)、森嶋昭夫(名古屋大学、民法学)の果たした役割が大きい。

第三は、立地の過失を明確にし、さらに被害が明らかになった後も対策を怠った操業の過失が認められたことである。ここでは私の証言が全面的に採用された。すなわち、歴史的に亜硫酸ガス・硫酸ミストの被害は明らかで予見できたにもかかわらず、事前の調査もせず漫然と工場を建設し、操業したのは明らかに立地の過失である。「少なくとも人間の生命・身体に危険のある事を知りうる汚染物の排出について企業は経済性を度外視して、世界最高の技術・知識を動員して防止措置を講ずべきであり、そのような措置を怠れば過失をまぬかれないと解すべきである」と断じた。

まさに企業の社会的責任を問う最高の法理を示した。この裁判は、国や自治体の責任を問うものではなかったが、このコンビナートの建設は明らかに国の地域開発政策であり、判決は国や地方団体の地域開発に落ち度があったことを指摘している。

この画期的判決の影響は大きかった。地元の八〇〇人以上の被害者の救済はもとより、企業は排煙脱硫などの公害対策をしなければならなくなった。一九七三年、政府は、この判決をもとに世界最初の公害健康被害補償法を制定した。また個別排出源規制から環境基準のための総量規制に切り替えた。この際、$SO_2$(二酸化硫黄)の排出基準を一日平均〇・〇四ppm以下に厳しくした。全国の企業の公害防止投資は一九七四年に九六四五億円(全設備投資にしめる割合は一七・七%)で世界一になった。石油ショックもあって、経済界は公害産業といわれた臨海性の素材供給型重化学工業から内陸型の自動車・電子機器産業へ重点を移した。また、政府は第三次全国総合開発計画で大規模コンビナート中心の拠点開発をやめた(1)。

四日市の公害は国際的に影響を与えた。私たちの一九七五年の世界環境調査で明らかにしたフィンランドのネステ・石油コンビナートがそれにあたるだろう(2)。

## 4. 四日市の再生を巡って

公害は環境破壊と地域社会の変容から起こるので、公害対策は被害救済で終わるのでなく、環境再生が最終課題である。日本環境会議は現地のまちづくり市民会議などの協力を受けて三年間調査し、判決後三五年を記念して『環境再生のまちづくり——四日市から考える政策提言』(ミネルヴァ書房、二〇〇八年)を出版した。要旨を簡単に紹介する。

まず三五年間の変化を産業構造からみる。コンビナートは素材供給型重化学工業の衰退と途上国への移転により、老朽化した。特に石油化学は国際的には大規模化が進んでいるが、ここでは中規模に縮小し、域内に遊休地が目立っている。石油化学は技術的変化があるので、中部地区の自動車工業などとの関係ではなくならないが、他のコンビナートとの関係や海外進出などとの関係でこれ以上の拡大はない。三重県は産業構造の変化に合わせて亀山のシャープやパナソニックの誘致など、電子機器産業のクラスター化を企画したが、域内の循環経済は作れず、コンビナートと同様に移出・輸出型になっている。

二〇〇一年に三重県・四日市市と企業は「四日市市臨海部工業地帯再生プログラム検討会」を発足させた。この検討会の意見交換の中から出てきたのは臨海部企業の個別的具体的な規制緩和であって、都市政策として臨海コンビナートをどのように改革するかではなかった。このようにコンビナートの改造、防災対策、遊休地の利用などは企業任せで、都市政策としての改革は進んでいない。

環境再生の課題は、コンビナートに隣接した市街地域を分離し、緑地帯など緩衝地帯を作ることである。既に黒川調査団は住宅の西部移転を勧告していたが、この計画は塩浜自治会の反対で挫折した。しかし公害地域の住民は自主的に移転を続けたので、コンビナート隣接地域は残された高齢者の多い災害危険地域になっている。無秩序な西部開発のため、農地と森林の減少が進んでいる。このような現状から次のような改革の提言がなされた。

産業政策の点では移出型産業の成長だけでなく地域内循環を進める部門として、医療や健康の質・環境の維持可能性を実現する産業政策と科学技術の発展が提唱された。まちづくりでは、何よりもまず「安全と防災のまちづくり」、「都市」と「農村」を共生させるまちづくりが提唱された。私は海と港を市民の環境として取り返すことを提案した。欧米はもとより小樽や長崎などは、市民を海へいざない、港湾地域を商業・観光地域として再生している。

## 無視された立地の過失

これら日本環境会議の提案を県・市・企業は無視し、一五年後、これらを含めてまだほとんど実現しているとは言えない。

当面する最大の課題は防災であろう。歴史的にみても、南海トラフをはじめとする地震は避けがたいであろう。地震と津波による災害に対してできるだけ被害を少なくする政策が必要であり、この点は宮入興一（愛知大学、災害の政治経済学）が四日市公害と環境未来館で行った講演「四日市臨海コンビナートの災害問題と都市防災の課題」が参考になる。「石油コンビナート等災害防止法」は、一九七四年の水島コンビナートの重油大量流出によって瀬戸内が広域に汚染された大被害を契機に、一九七五年に制定された。以後の地震、特に東日本大震災では津波の災害が深刻だった。これらの経験を参考にして、宮入は提言をしている。「コンビナートから周辺市街地に災害が及ぶ場合の初期防災の対応策に遅れがみられることである。周辺住民を含めた防災づくり、住民と企業との防災協定の締結、最大三万人といわれる住民の迅速かつ適切な集団避難、情報公開、事前訓練、防災教育の必要」があるとされる。

裁判で立地の過失が指摘されて以後、企業が移転するか住民が移転するか、どちらかの政策が必要だったのである。にもかかわらず、企業は移転せず、市は西部に住民の計画的な移転をさせる都市政策を行っていない。なし崩しにコンビナート周辺地域の衰退が進んだのである。判決後五〇年を経て、立地の過失を改革しなかったために、公害から災害へと被害の拡大が起ころうとしている。

## 5. 地球環境の危機にどう対応していくか

公害の教訓を生かすには、何よりも今後の地球環境の危機に対する政策の前進にある。四日市市は「環境計画」を立てている。その第一に掲げている温室効果ガス削減目標を見てみよう。

二〇一三年の四日市市の$CO_2$排出量の九〇％は製造業である。全国の三〇％にたいして異常に高く、この地域の$CO_2$削減は産業部門の対策に依存している。しかし二〇三〇年までの目標削減率は一四％に過ぎない。これでは二〇三〇年の国の目標は達成できない。産業部門の中心のコンビナートはどのような削減計画を持っているのか。市は「四日市コンビナートのカーボンニュートラル化に向けた検討委員会」を設置し協議を始めている。二〇二二年三月二一日の平野創（成城大学、経営史）による報告では、現段階では製造業の低炭素化は可能だが、脱炭素化はマネジメントが困難であるとしている。エネルギー部門の基本構造は変化せずに実現の見通しが立ちやすい。そこで、脱炭素化はエネルギー部門が製造業に先行する「段階的なカーボンニュートラル戦略」が必要と提言している。

この委員会はいまのコンビナートを維持し、エネルギー部門は大量の水素やアンモニアを新燃料として輸入する計画である。このために技術の革新、新燃料の貯蔵タンク・パイプラインの設備や新技術を担う人材育成、住民の理解と自治体の援助が必要である。しかしこれに伴うCO$_2$削減目標や、そのための水素などの新エネルギー転換の具体的な計画は示されていない。これでは、温暖化防止はまだ絵に描いた餅のようなものである。

先述したネステは二〇年前に自然エネルギーの導入に踏み切り、世界有数のバイオ燃料の生産企業となっている。四日市のコンビナート企業もこのような企業経営を学んでよいのでないか。

## 自治体経営で再生エネルギーを

大規模な投資と技術革新をあてにした不確実な新エネルギーの導入ではなく、既存の技術で可能な再生エネルギーの導入はどうなっているのか。環境省のREPOS（再生可能エネルギー情報提供システム）を使って、コンビナート都市の状況を比較した。

全国の再エネ導入の平均は二〇％であるが。**表1**のようにコンビ

**表1　コンビナート都市の再生エネルギー比較**

| 都市名 | 電力使用量 (A) | ポテンシャル量 (B) | 再エネ使用量 (C) | C/A (%) | C/B (%) |
|---|---|---|---|---|---|
| 四日市市 | 4,082,286 | 3,062,784 | 663,335 | 16 | 22 |
| 倉敷市 | 6,839,582 | 3,857,610 | 308,229 | 5 | 8 |
| 周南市 | 1,900,839 | 3,267,963 | 430,912 | 23 | 13 |
| 堺市 | 5,820,354 | 2,960,954 | 309,879 | 5 | 10 |
| 川崎市 | 9,026,305 | 3,150,846 | 462,722 | 5 | 15 |
| 鹿嶋市（茨城県） | 1,052,004 | 1,178,200 | 167,432 | 16 | 14 |

（単位：MWh/年）
（出所：環境省 REPOS）

ナート都市の再生エネルギーへの転換は遅れている。その中では四日市の電力使用量の一六%はバイオマス・太陽光発電などの再生エネルギーで供給されている。それでもまだ再生エネルギーの開発可能量の二二%しか開発されておらず、開発の余地が残っている。もはや躊躇する余地のない温暖化ガスの削減のためには、自治体が主体になって、住民とともに再生エネルギー一〇〇%を目指して取り組む以外にないのではないかと私は思っている。EUは一九八五年にヨーロッパ地方自治憲章を制定し、内政の権限を自治体にゆだねた。温暖化防止の主体も「持続する都市プラン」などで、自治体にゆだねている。ドイツは自治体が再生エネルギーを経営しており、協同組合などと協力し、再生エネルギーによる発電が全発電量に占める割合を四〇%以上にしている。日本の場合も、各地で自治体を核にした再生エネルギーの開発を軸に経済の地域循環型の内発的発展が始まっている。四日市でも再生エネルギーの開発に向けて自治体が核になり、住民が参加する運動が起こってよいのでないか。そのためには、市政はこれまでの企業本位ではなく、市民の環境と生活本位の都市政策へ革新しなければならない。

**[注]**

(1) 裁判は大気汚染が対象だった。他の公害は次を参照。異臭魚=海の汚染の解決については、田尻宗昭『四日市・死の海と闘う』(岩波新書、一九七二年)。農作物の被害については谷山鉄郎『四日市公害から地球環境研究までの三六年』(合同出版、二〇〇一年)。

(2) 一九七五年四月、私と宇井純は環境保護団体の頼みでネステを調査した。会社の技師は開口一番「ここは四日市の公害問題に学んでつくった」と述べた。ネステはヘルシンキから四五キロ北の松林六二五ヘクタールの中に点々として三つの工場がある。一つ一つの工場の自然破壊や公害の有無を確認し、一九六三年から九年間にわたってゆっくりと作っている。低煙突で、生態系への影響を長期にわたって調べている。重油の三二〇万トンのうち二二〇万トンは地下に埋蔵、工場用水は完全循環方式で、排水は魚を入れた沈殿池を通してフィンランド湾に流している。まさに四日市の立地の失敗に学んでいて、感心して見学した。それでもその後の住民集会では苦情が出ていた（都留重人『世界の公害地図 下巻』岩波新書、一九七七年）。

＊初出は『環境と公害』「四日市公害判決五〇年に思う」五二巻二号（二〇二二年）。二〇二二年八月二〇日の四日市公害判決五〇年展特別講演会「四日市公害裁判に参加して——四日市公害裁判判決五〇年に思うこと」への加筆。

# 第2章 「公害先進国」の経験をどう生かすか

## 対談 アイリーン・美緒子・スミス×宮本憲一

公害の原点と呼ばれ、一九五六年の公式確認から長い年月が過ぎた今なお解決の道筋が見えない公害問題、水俣病。深刻な公害が社会問題となっていた一九七〇年代、患者が向き合う現実を写真集『MINAMATA』(Holt, Rinehart and Winston, 1975) にして世界に知らしめたのが写真家、ユージン・スミスさんとアイリーン・美緒子・スミスさんだ。一方、宮本憲一さんは公害問題を増幅させた現代社会の構造的な欠陥を見抜き、一九六四年、警世の書『恐るべき公害』を出した。研究を重ねて、水俣病を防止できず被害を拡大させた原因を「政官財学複合体」にあると分析する。

二人には長年の親交がある。七五年にはアイリーンさんの助言もあり、宮本さんら公害研究委員会は世界環境調査団を結成し、カナダ先住民の間で起きていた水俣病を調査した。その後も二人はキーポン事件、ラブキャナル事件など、海外での現地調査を共にしている。対談では、公害と向き合ったそれぞれの歩みを振り返りながら、公害と苦闘した被害者や住民の活動の意義について語り合った。そして、いまなお解決していない水俣の教訓を未来にどう生かすか、環境危機をどう乗り越えるかについて提言する。

## 1．水俣の困難な道程

**宮本**　『恐るべき公害』を書く前に、厚生省に行きました。水俣病の担当官は東大の医学部出身の人で、「私は熊本大学の有機水銀説は正しいと思います。しかし通産省は反対していますので、政府としては原因不明と言わざるを得ません」と言うので、非常に腹が立った。『恐るべき公害』には、水俣病は有機水銀中毒であるとはっきり書きました。しかし、一九五六年に水俣病は公式発見されているのに、ぼくが知ったのは公害問題の研究を始めた一九六一年ごろだったのです。日本全体がそうで、その頃水俣病というものは知られていなかったわけです。しかも五九年に熊本大学の武内忠男さんが有機水銀中毒説を出して、その年にネコ実験で細川一医師がそれが正しいことを認めたにもかかわらず、政府は原因不明とした。そのときは厚生省も武内説が正しいと言っているのに、通産省はその説を取らず伏せられたのです。それを我々がどうしても明らかにしたいと思っていた。国際的にも学会では六二年には少なくとも有機水銀説は確定していたにもかかわらず、政府が対策をとらなかったため、六四年に新潟水俣病が発生するのです。新潟の昭和電工で全く同じようなアセトアルデヒドの製造工程から有機水銀中毒が出た。これは政府の大失敗です。にもかかわらず、政府はなかなかそれを認めなかった。五八年の段階で漁民騒動があったり被害者が座り込んで補償を要求したりすることがあって、政府は引けなくなったものだから、一人三〇万円の見舞金契約で反対運動を止めようとした。見舞金は、チッソの出した廃液が原因と認めたわけではない。後になって原因がはっきりしても、これ以上の補償はしないという約束までさせる公序良俗に反する決定だった。そのこともあって、新潟水俣病が発生すると、もう避けられないと六八年に熊本と新潟の水俣病を公害と認定したのです。

公害と認めても、具体的な賠償などの救済の動きは何にもなかった。見舞金契約をやり直すという動きもない。それで六八年の一月頃に新潟の患者が立ち上り、坂東克彦さんなどの弁護士を中心として訴訟が起こったのです。この新潟訴訟を起こしている患者が水俣の患者に一緒に訴訟を起こしたらどうかといって大挙して水俣に来たのです。当時の交通事情からいって大変だったと思います。それで水俣の患者に会って、「政府を信用してはだめです。訴訟しよう」と言った。そういう動きがあったので、当時水俣市議会議員で患者の側に立っていた日吉フミコさんからぼくに手紙がきた。日吉さんは広島の自治研集会でぼくの公害問題の講演を聞き、「すでに日本のあちこちで公害反対運動が起こっているのに、こんなにひどい目に合っている水俣で市民が立ち上がらないのはおかしい。どうしたらいいか先生と相談したいので来てください」というので、六八年に水俣で日吉さんに会った。そしてその年に水俣病市民会議ができた。日吉さんらにお会いして、訴訟すべきではないか、このまま黙っていても政府は救済をしない、と忠告した。

### 訴訟派と一任派に分裂した運動

**宮本**　実はその前に、水俣病の患者の連絡会が政府にちゃんと補償してほしいという要求を出したのに対して、政府から全部を一任してほしい、と言われていたのです。他方で新潟から訴訟をやったらどうと言われているものだから、患者の中は二つに割れた。患者の互助会長の山本さんは政府に一任した方がいいという意見です。それで日吉さんから、「すみませんけど山本さんに会って、水俣病問題は政府に任せてもだめなので訴訟をした方がいいと言ってほしい」と頼まれた。ぼくもそう思っていたので、山本さんのところに行った。しかし寒い土間に立たせて、家に上がれと言ってくれない。山本さんに、「あなたは政府を信用しているかもしれないけれど問題は解決しませんよ。だから政府に一任するのはやめて訴訟をする方針をとらないと大きな失敗をします」と言ったのですが、なかなか言うことを聞いてくれない。それで結局、その日はもの別れになった。

公害問題を抱える他のところは市民の支持があって運動団体ができていたのだけれど、水俣は遅れて六八年にやっと市民組織ができた。日吉さんが会長、松本勉さんが事務局長になり、石牟礼道子さんが支えるかたちで市民会議が動きだした。ただ、水俣はチッソの城下町なので、チッソを告発するとは何事かとむしろ市民組織に対する非難が強い状態でしたので、市民というより全国から支持を受けるかたちになった。患者の会は訴訟派と一任派に分かれ、訴訟が六九年六月に提訴されてようやく四大公害事件すべてで訴訟が始まった。ただ、水俣市民はどちらかというと一任派の方につくことになったものだから、水俣は他の三つの公害訴訟事件と違って非常に複雑になってしまった。市民と被害者が一緒に

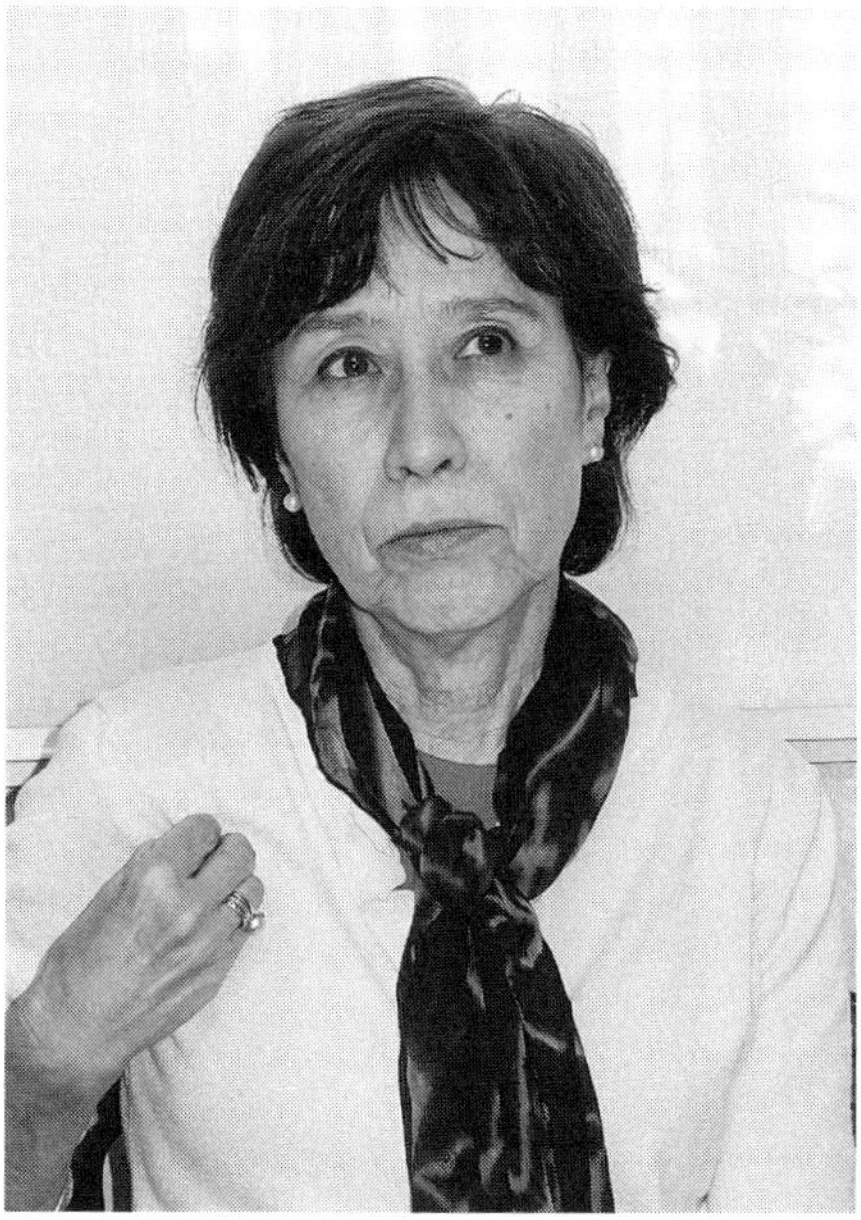

**アイリーン・美緒子**（みおこ）**・スミス**　一九五〇年東京生まれ。スタンフォード大学入学後、アルバイトでユージンと出会い、一九七一年に結婚。夫婦で水俣に移住して撮影を続け、一九七五年に写真集『MINAMATA』を出版。世界各地の環境調査に加わり、一九七八年には京都嵐山の宮本研究室に一時下宿した後、コロンビア大学公衆衛生学部・環境科学修士課程に入学。二〇二三年、脱原発を目指す環境市民団体「グリーン・アクション」の活動が評価され、若月賞を受賞。

なって裁判闘争をするのではなく、市民の中はバラバラなんです。特に当時は新左翼が「訴訟なんてするのはおかしい、司法に頼るのはブルジョア民主主義だ、むしろ直接交渉すべきだ」と言っていた。それで運動団体の方も、訴訟派と直接交渉派とどちらでもよい派という三つぐらいに分かれてしまい、水俣の問題を複雑にした。訴訟派がようやくできて動き出したのに直接交渉もはじまった。地元市民の支持が十分でなく、支持団体が分断していたので、水俣の運動は難しかった。最近になってようやく協同し始めましたが、水俣にアイリーンが入られた時にもいろいろと対立があったのだろうと思う。いま、町全体が水俣病の人たちを支持するかたちになっているかというと、まだまだそうではない。

そういう形で水俣訴訟と関係したのですが、ぼくは直接裁判には出なかった。新潟の水俣病には訴訟の原告代理人という形で参加し、当時は原告証人となった四日市裁判に死力をつくした。

とにかく、国がいつまでも水俣病を認めなかった。公害が一番ひどいのは水俣にもかかわらず、政府もチッソも財界も、それから一時期は研究者も一体になってチッソを擁護して、水俣病の解決を遅らせてきた歴史があった。そしてせっかく裁判に勝っても、一九七七年に水俣病の診断基準の変更があって、裁判で勝った病状を否定する形になり、その後二回も政治的解決をしなければならなかった。それでも解決しない泥沼に陥れたという意味でいうと、水俣は日本の公害事件の中で一番悲惨な状態を続けていると思います。

まだ言いたいことはありますが、アイリーンの方が水俣でずいぶん頑張って仕事をしていたのだから、アイリーンの話をききたい。

## 深刻だった公衆衛生の失敗

**アイリーン**　私自身は一九六一年に日本を離れ、六五年に一年だけ帰国して高校に通っていた。当時、水俣のことは何も知らず、先生が話された背景も全然知らなかった。水俣に初めて行ったのは一九七一年九月で、先生が話したことは、この前にこういうことがあったよと現地の人から聞いたり、本で知ったりしたほか、現地でリアルタイムに経験しました。水俣で三年間、写真を撮ったり、いろいろ見たり体験した結果、市民や社会が御用学者に騙されないためにはどうすればいいのか、それを学ぶ必要があると思って、一九八〇年にコロンビア大学の公衆衛生学部に入ったんです。インチキの疫学を見抜きたい、もっとちゃんと理解したいという思いからです。

先生のお話のなかでは公衆衛生的な失敗がすごく深刻だと思います。要するに、原因の会社がチッソであると確認されても、いや違う、どうのこうのと対策を先送りした。あの湾の中の魚が毒だということはすぐに分かったわけで、すぐに食品衛生法を適用しなかったということが一番の失敗。原因化合物質がどうやってできたのかとか、工場のどの施設でどう発生したのかという研究はもちろん大事だけれど、まずはとにかく毒だと分かった時点で漁をとめなければならなかった。レストランで出されている魚に毒が入っていると分かったらとめるのと同じ。みんな毒の魚を食べていた。一九五八年には、水俣湾の魚が一匹残らず毒であると証明できないから食品衛生法を適用できない、という発言で逃げちゃう。一九六〇年に米国の国立公衆衛生研究所疫学部長カーランドが出した報告[1]も無視した。あの失敗が今でも続いているというのが許せない。あのようなことが起こったら、本来、公衆衛生的にその場で食い止めなければいけなかった。公衆衛生的に対応できなかったすえ、疫学的にどういうことが起こったのかということについて、いまだに地域を網羅した調査がなされていない。公衆衛生がなぜこんな失敗をするのか。

あとは医学界の失点です。水俣病の判断条件が後退したこととか、認定基準が半世紀も変わっていないこと。有機水銀の研究がこれだけ発展して、微量でも脳に影響がある、胎児に影響があるということが分かったにもかかわらず、基準を変えていない。公衆衛生の罪、今現在も続く医学界の罪。学問の世界にたずさわっている人間がこれだけ機能していない結果です。

## 2．アイリーン、水俣での奮闘

**アイリーン**　偉そうなことを言っていますが、私は二〇歳のときに水俣のことを知ったわけです。それまで知識はゼロ、水俣という名前も聞いたことがなかった。二〇歳だった一九七〇年秋にユージン・スミス（一九一八―七八年）とニューヨークにいて知った。ユージンにはその六週間くらい前に初めて会いました。一九七〇年の八月です。ハリウッド映画「MINAMATA」（ジョニー・デップ製作、二〇二一年）のストーリーとは少し違います。映画と同じ部分は、夏のアルバイトとして富士フィルムのコマーシャルをコーディネートしたことです。最初は一〇歳以上年上のお兄さんのような家族の友達がこの仕事をする予定だったのですが、行けないので代わりにアイリーンやらないかと。それまでテレビの仕事もコマーシャルの仕事もコーディネーターも通訳のアルバイトもしたことがなかったのですが、引き受けてユージンのロフトへ行ったわけです。ユージンはずっとキャリアを積み重ねていて、自分の作品全部の最後の回顧展の準備をしていた。だけど準備が遅れているのを目の当たりにして、私帰れないわと思った。そのときは作品六〇〇点を展示するというのだけれど、写真のことを知らないから六〇〇点がどういう規模なのかも分からなかった。大変な仕事だとは思ったけど何も知らない。いろいろあって、ユージンは、私が帰ってしまったら死んじゃうとか言うので、とにかく残ってその作業に完全に漬かり、徹夜が続いた。

一〇月に元村和彦さんがやってきた。当時、やっぱり裁判した方がいいと裁判を始めて、その結果いろんな支援が始まり、全国に水俣病を告発する会ができ、全国の人が水俣病を知るだけでなく応援するかたちができてきた。元村さんはその応援者の一人だったわけです。元村さんは公務員の仕事を辞めて出版社を始め、写真の仕事をしていました。そこで、ユージンの回顧展をニューヨークの後に日本に巡回させたい、その時に日本に来ないか、水俣というところがある、と教えてくれたのです。公害で人が死ぬということを初めて聞いて、二人で水俣に行くことをその場で決めたのです。自分はいつも、大学に戻るかユージンのところにいるかとか、日本にいるのかアメリカにいるのかとか、どっちこっちと考えていた人間ですが、何の躊躇《ちゅうちょ》もなく自分で決めた。ここに関わりたいと思った体験でした。それが水俣との出会いです。

水俣に到着したのは一九七一年九月の初めです。その直前の八月中旬には写真展のために日本に来ていた。ちょうどその時に、たぶん砂田明さんのお芝居か何かで患者さんが大勢東京に来られていたのです。土本典昭さんの「水俣――患者さんとその世界」（1971年）が上映され、そこで患者さんと会いました。水俣に行く何日か前のことで、そのぐらいの予備知識でした。覚えているのは、『水俣病にたいする企業の責任――チッソの不法行為』（水俣病を告発する会、1970年）という本をたしか元村さんから渡された。でも、私の日本語力ではそんなレベルのものは読めなくて。日本にいる間の三年間、写真を撮っている時とか、いろいろな場面でカセットテープも録っていて、全部で二百何十本になりました。その始めの方のテープに、『水俣病にたいする企業の責任』を親せきや石川武志さんに頼んで朗読してもらっていました。読めなくても聞けば大半は分かるので。ユージンに伝えるのは私からでした。現場でいろいろ知っていく。前はこうだったよとか、座り込みとか見舞金契約はこういう状況だったよとか、どちらかというと実際に生でみんなから聞いていろいろ分かってきた。例えば、細川一先生の命日には先生の写真があって、裁判で証言してくれたこととか、過去のことについては大半を語りから知っていったのです。

### 水俣と重ね合わせた故郷

**アイリーン**　もちろん水俣を記録して世界に伝えるために水俣に行きたいわけですが、私たちの方がもっと水俣に行くことを必要としていた感じでした。

私にとって、ふるさとは日本だったのですが、五〇年代からの高度経済成長でどんどん変わり、子どもなりにいろいろな良いものがなくなっていくと感じていた。幼いときは物事を美しくしか見られないということもあるかもしれないけど、私にとって幼いころの日本は美しかった。日本の水はもっと美味しかったのに、それが変わっちゃった。私は東京オリンピック（一九六四年）の翌年に日本に戻ってきたので、ずいぶん変わっていた。後で日本が第二次大戦で何をしたかを知って裏切られたと感じましたが。ふるさとはどうなっているのか、都会でなくなったものが田舎にはまだあるのではないかと、ふるさとを求めていた。水俣に行ってはじめて、ふるさとに戻れた気がした。

初めは水俣弁がよく分からなくて。冗談みたいな話だけど、最初の三日間は、「おるげは病院に行った」とか、「おるげはこうした」と聞いて、おるげさんって本当にあっちに行ったりこっちに行ったりしていろいろなことをするのだなと思っていたら、「おるげ」って「自分」の方言だったのです。それぐらい分からなかったのが、最後の頃は東京から来た人に通訳するぐらいになって誇りを持った。それでも、患者さんの濱元フミヨさんとか上村良子さんがばーっと話されると分からなかったりが続きましたけど。

当時、新幹線で東京から大阪に着くと、今はないけれど在来線の寝台特急「なは」に乗るためにホームを移り、「なは」に乗ったら翌朝、熊本駅で寝台が座席に変わって、そこから水俣へ行ったわけです。バッグをいっぱい担いで。ユージンは、千葉のチッソ五井工場での事件で負傷してからあまり持てなくなっていたから、私が五個から八個ぐらい持って。今は新幹線でトンネルを通って新水俣駅に着き、そこから車ですぐなので、水俣に行く心の準備ができませんね。当時は二人で水俣駅を降りたら、駅の真正面にチッソがあって。駅を降りてすぐのその空間だけは昔と何も変わっていません。

**宮本**　水俣駅を出たらすぐ目の前にチッソの正門があるんだよね。

――それは企業城下町の象徴ですね。偶然の渦のようなものがあって、水俣が二人にいてほしい時期にユージンとアイリーンを呼び寄せたわけですね。

**アイリーン**　当時は裁判の真っただ中で、ちょうど西田元工場長が証言をはじめた時期なんです。全国で応援の運動が盛り上がっていて、いろんなタイプの人が行き来していました。弁護士もいれば新聞記者もいれば、各地から学生が駆けつけ、裁判で忙しい患者さんの畑の草むしりをする人、マッサージができますと言って座り込んでいる患者さんの肩を揉んであげる人、もちろん写真家もいて、すでに移住していた塩田武史さんもいました。塩田さんの案内で初めのころ、百間排水口とか八幡残渣《ざんさ》プールとかに行きましたし、初めに患者さんを紹介してくれたのも彼です。町の状況は大変でいろいろありましたけど、患者さんの闘い、市民運動をそこまでもっていくことがいかに大変かということを、私は目の当たりにせず、一番盛り上がって闘っているさなかにちょうど到着した感じです。

例えば、見舞金契約があって、政府が一任してくれと言ったとき、そのほうが無難ではと思うかどうか、政府のやり方を見てきた人にそれは絶対にやめた方がいいよとアドバイスされたとき、どう判断するか。さまざまに人間の葛藤があり、患者や支援組織の分裂もあった。そういう話は人づてに聞いて切実に感じましたが、体験としてはないのです。

## 智子ちゃんの母の覚悟

――一〇〇本の論文より一枚の写真の衝撃。写真集『MINAMATA』で、世界の人々に水俣でいかに深刻な被害が起きているかを伝えた。アイリーンがもしいなければユージンは水俣に行っていないと思いますし、二人だからできたというところがあったのでしょうね。

**アイリーン**　一つのハプニングだったと思っています。すごい熟練の人と初めて写真を撮る人が完全にチームになって一緒にやった。これは面白い現象だと思うし、他のものにも適用できることだと思う。教えるとはなにか、学ぶとはなにかを考えさせられます。

私の写真の知識は一〇〇%ユージンから学んだけど、教えてもらっているという感覚も、ユージンが教えてあげているという感覚もなかった。ただとにかく一緒に作業をしているというのは、面白い学びの方法だと思います。例えば、丁稚として何年も経験しないとちゃんと道具が手にとれないというのもありますが、ユージンの場合はそれをひっくり返したようなものでした。映画では、もう少しこういう風に撮れとか私に指導するシーンがありましたが、それはユージンの性格とは一八〇度違いました。ユージンは支配的でない感じで、ユージンも私も写真を撮っていて、しかもアシスタントの石川さんも一緒に写真を撮っている。ユージンは自分のフィルムが無くなったら自分で換える。石川さんも言うんだけど、アシスタントが横でただ撮り続けるのは普通ありえない。そういう人でした。

もう一つ、全体のこととして言うと、スケールが大きい大変なものにかかわると、だれでもスケールが大きくなるということです。いま二人の事例を話しましたけど、水俣にかかわった他の人も同じだと思います。弁護士もそうだし、支援に行った人も、マッサージで一生懸命肩を揉む人もそうだと思う。ただ肩を揉むだけでなく、この人を癒そうとものすごく努力し、マッサージ能力が輪をかけて高まったと思う。みんな、自分の能力を超えた体験をしたと思います。普通なら一緒に居られないような人たちが、我慢して我慢してドロドロしたところもある。

**宮本** 『MINAMATA』という写真集は歴史に残ります。今の地球環境問題で、いまだに途上国の人は公害で苦しんでいるわけだけれど、そういう社会的な災害とは何かということがこの本を見れば分かる。そういう意味で歴史的にいい仕事をされましたね。いろいろ大変だったに違いないだろうけど、素晴らしい仕事だった。上村智子ちゃんの写真「入浴する智子と母」はやはり象徴的です。あれでみんな分かるんじゃないか。ぼくがすごいと思うのは、ユージンは戦争のただなかで写真を撮っていたからね。命を懸ける、それから戦争の非情さや運命というものを見ているから、その目で水俣を見た。命がかかっているということが大きい。

**アイリーン** 戦争でユージンはずいぶん変わった。彼の文章によると、血まみれの子を抱いて死んでゆくその子の血が自分のシャツに滲んでいくときに、これが自分の家族だ、これが自分の妻だ、子どもだという体験をする。戦争に対する怒り、いつ死ぬかもしれないという戦場に一三か所行ってとうとう沖縄で負傷するのですが、その怪我の痛みをやわらげるためアルコール中毒になってしまう。本人の性格で冗談ばかり飛ばして、子どもみたいに飛んで跳ねているのと、「もう自分は自殺する」としょっちゅう言うところも、それから彼のユーモアや、実際に積み上げた写真の能力などが全部混ざってスケールの大きいものに出会ったとき、さらにスケールが大きくなった。

智子ちゃんの写真ですが、お母さんのあの気持ち、あれほど腹を据えてやることって普通はない。お風呂の中で裸になって子供を抱く。彼女が何年か後にNHKの番組で言っていましたが、やっぱりこの苦しみは見てもらわないと分かってもらえない、というあの発言、彼女の覚悟というものが大きい。智子ちゃんの存在と、お母さんの覚悟と、ユージンの全てがミックスされて、あの空間のなかで、あの瞬間ができたという感じです。実際にシャッターを押したのはユージンですし、撮ってもいいよと言ってくれたのはお母さんです。でも私にとっては四人であの空間を体現したという経験でした。あの写真は、光が三か所からこないと撮れないので大変でした。私は横でライトを当てていた。月日が経つと、周りや実際に写っている当事者、その家族、そして私たちも対応しきれない状況がいろいろあって今も苦戦しているけれど、あの場が必要とした場でできた写真だと思います。

**宮本**　本当にすごいと思った。一枚の写真の中に一本の映画のようなストーリーが込められている。すごい写真家だと思う。いろいろあったとは思うけれど、ユージンと付き合っていてよかったんじゃないですか。

**アイリーン**　私も本当にそう思う。私はいまだにアイリーンとユージンと書いた指輪をはめています。自分たちがああいう大きい仕事ができたというのは、みんなの思いがすごかったし、物事があんなに大変なことで、受けて立つしかない、ということでできたと思う。世界に起こしたインパクトは自分たちで計りにくいですが、まず『ライフ』誌に出し、写真集を出して伝えたということは間違いないことです。それで世界の公害に対して、こういうことは絶対してはいけないという影響がどれくらいあったのかは分からないし、いまも世界中で公害がありますが、それに対してどれくらい闘う力になっているのかは分かりませんが。

一〇年ほど前に中国で水俣の写真展をやったとき、中国の政治からして取材はなかなか難しいと思っていたのだけれど、取材がバンバンきてすばらしい若手のジャーナリストに何人も会った。写真雑誌の記者や社会派のジャーナリスト、科学雑誌の人、本当に若いジャーナリストが頑張ってたんですよ。どうやって公害問題を伝えるかというとき、自国の公害のことは書けなくても、水俣を通してならできる。だから夢中になって一所懸命に書いてくれた。その国の政治の事情などで言えないことがあっても、水俣のことを通して、各地で起こっている問題にメスを入れたい人たちの力になる。水俣の作品はそういうものでもあると思います。中国に行ったときにすごく感じました。

——ジョニー・デップ製作・主演の映画『MINAMATA』（二〇二一年九月日本封切）について、感想はどうですか。

**宮本**　映画としては大変すばらしい映画だったと思うけれど、あれで水俣の歴史とすると困ったことがあってね、ユージンが怪我をした場所も五井ではなくて水俣ということになっていた。

**アイリーン**　映画だからいろいろ変えられちゃう。内容について思うことはいっぱいあるけれど、水俣のことを知ってもらえたり、伝えていけるきっかけになれば。

**宮本**　事実から言うといろいろあるのだけれど、あの俳優がすばらしかったね。本当にいい俳優だな。ジョニー・デップは。

**アイリーン**　実際いくつかのシーンでは、本当に姿がユージンに似ていて。

**宮本**　本当に似ているなという感じだしよかったよね。しかしアイリーンの俳優はよくなかったな。

**アイリーン**　みんな私にそういうふうに言ってくれるんですよ。

**宮本**　茂樹（宮本の長男）が言ってたよ。アイリーンがあんなに黙って後ろについて歩くか、って（笑）。

**アイリーン**　ハリウッドはこわいですよ。すごく頑張った人たちが全く登場しなかったり、違うふうに描かれたり。当事者でそんな扱われ方だから、私が文句言っているようなレベルじゃないと思っています。

ちょうど映画のプレミアの時に、化学物質の公害に取り組んでいたIPEN（国際汚染物質排除ネットワーク）と環境市民団体グリーン・アクションでチラシを作りました。映画を観に来た人たちに配ったんです。水銀汚染が今では世界中でうなぎ上りに広がっていて大変な状況にあって、その主な原因は金の採掘と化石燃料を燃やしていることだと訴えた。石炭火力発電はすごく大きな問題です。大気を汚染してそれが海に落ちて、魚に入って、全く関係ない場所に住んでいる例えば南太平洋の人でも、汚染された魚を食べて水銀に暴露されているんです。だから石炭火力発電所と水銀汚染の問題が完全に繋がっているのです。日本は水俣病を体験した教訓があるので、そういう意味でも火力発電所を止めようという声をパワフルに発することができるはずで、国連の水銀に関する水俣条約にも大きく貢献できると思います。

## 3. 世界の環境問題の現場を歩く

**宮本**　一九七五年の公害研究委員会の世界環境調査のテーマの一つに水銀があり、どういう風にするか検討していると、宇井純君が、カナダに行ってきたらどうだとアイリーンが言っているから入れましょうと。我々もカナダの事件は知らなかったので、それはいいのではと受けたのです。

それでアイリーンも一緒についてきてくれて、オンタリオ州ケノラの近くにある二つの先住民の居留地を調べました。グラシー・ナロウズで五〇〇人ぐらい、ホワイトドッグで六〇〇〜七〇〇人くらいの住人がいる。原因は、そこから一〇〇キロくらい離れているドライデンカンパニーでした。苛性ソーダを作るのに水銀を使っていて、七トンくらい排水したという証拠があり、これが原因で湖を通じて居留地の川に流れ込んでいたわけです。カナダ政府は水銀値があることは分かっていても、感覚的障害ぐらいで大した事ではないと、なかなか被害を認めなかった。医師が現地に入ったのも我々が行く直前でした。

原田正純さんが中心となって、宇井君とアイリーンと私、現地で案内してくれたのは外科医の娘さんのジル・トーリーでした。彼女は専門が環境社会学なのかな、居留地に居ついている感じで、子どもと同じ寝台で寝るぐらい先住民の生活に密着して調査していた。二つの居留地で七〇人くらい調べたのかな。一〇日もないほどでしたが、向こうの酋長《しゅうちょう》さんが熱心に対応してくれたので短期間で調査できました。ぼくは社会的な調査に出ていて、もっぱら原田さんとアイリーンが診察にあたっていた。

**アイリーン**　そうね。私が通訳して。

**宮本**　我々の英語が下手くそだったので向こうは安心してくれた。英語のできる人間が来ると信用できないけど、あなた達は英語ができないから信用できると言われた（笑）。調査結果を発表した時、やはりカナダ政府は、水俣病が発生しているという我々の結論に反対なんです。カナダ政府は、「感覚障害だけでなく、例えば歩行が困難であるとか、目の神経がダメになっているといった二つ以上の症状がないと水俣病ではない、と日本政府は言っている。あなたたちは感覚障害だけでも疫学的に認めうると言っているが、私たちの見解と違う」と反論され、向こうで発表してもなかなか認めない。

そのときに宇井君と原田さんと私の三人は、やはり日本政府の態度を直さなければ世界の被害者が救われないということに気づいた。結局、水俣病が典型だというけれど、その典型の水俣病についての疫学的な判断を日本政府が誤っているのでカナダの先住民を救えない、そういう状態になっていることが分かった。そういう意味で、日本人の責任は重いと改めて痛感しました。

もう一つはぼくと関係があるのだけれど、二つの居留地の人間はダムを作るために追い出されたんですね。だから地域開発の犠牲なのです。もともとダムを作る場所で生活できていたのに、追い出されたから仕事がなくなっちゃった。それで公共事業と、魚を釣りにくるアメリカ人をガイドとして手伝う仕事しかなくなってしまった。このため、人生が嫌になってアルコール中毒になる人が増えた。それでカナダ政府は、水銀中毒じゃなくてアルコール中毒だっていう。そういう形で地域開発の犠牲、あるいは

カナダ北西オンタリオの先住民居留地の水銀汚染調査に航空機で向かう著者（左）と原田正純氏（左から2番目）、アイリーン・美緒子・スミス氏（同3番目）＝1975年

経済成長の犠牲になった居留地なのです。本当にその人たちが正常に仕事できるような仕組みを作る必要がある。病気の補償だけではうまくいかないと感じました。日本の場合も一緒ですが、本当に貧困な人たちが受ける社会的な影響はどこも共通しているということがよく分かった。

日本と同じように訴訟したらどうかと提案し、一九七七年に訴訟は始まったのだけれど、まもなくダメになるのです。一つは弁護士がお金儲けにならないから。グラシー・ナロウズとホワイトドッグの居留地ではお金が出せないものだから、ナショナル・インディアン・ブラザーフッドという彼らを支持する団体が訴訟費用などを引き受けていましたが、弁護士が次々に辞めていくのです。なかなか政府の判断基準がはっきりしないし、あまりお金にならないからです。

最後に一人だけ残った弁護士を励まそうと一九八三年、娘も一緒に日本に招待した。その弁護士は、日本では日弁連が人権擁護を掲げてお金がない公害患者の訴訟なども引き受けているが、カナダの弁護士会は経済組織みたいなもので資金がなければ訴訟できないのだ、と言っていました。せっかく呼んだその弁護士もしばらくして辞めてしまった。患者は孤立する感じで救済がなかなか進まなかったのです。

だけどアイリーンのおかげで、改めて水俣病について、正確な病状を日本の政府が認めないと世界の水銀中毒に悪い影響を与えることが分かったということは大きな収穫で、だから日本の方を直さなきゃならないとあらためて感じた。

## 被害者を繋いで活動家に

**アイリーン**　初めてカナダのことを知ったのは手紙だったんです。マリオン・ラムさんという観光をやっている裕福な方が、自分たちの大きな観光施設を閉めたのです。水銀レベルが非常に高いと数値も書いてくれて、こんな毒があると分かっているのに営業してはだめだと。その手紙を見たとき、この水銀レベルは本当かなと思いました。

ユージンの五井での怪我の治療のため、一度アメリカに行って、そのときカナダにも行ったんです。そしたらやっぱりこれは水俣病の症状だと思いました。それで、居留地から原田先生にコレクト・コールで国際電話をかけました。すると「アイリーンは何回も検診を見ているから、アイリーンやってみな」と言われて、私が視野をチェックすると、本当に狭くなっていた。やっぱり先生に来てもらわなきゃと思い、原田先生と宇井さんにいろいろお話しして、世界環境調査でカナダの水銀調査をしましょうということになってくれたんです。

**宮本**　カナダでのアイリーンの調査で撮られたネコのフィルムを宇井君が見て、完全に水俣のネコと一緒だと思った。これで水俣病がカナダにもあると確信し、どうしても調査に行った方がいいということになった。

**アイリーン**　先生たちが来てくれたことがすごく大きい。検診もできたし社会科学的にも研究できたし、大きいステップができたわけです。その後、私は絶対に被害者の交流が必要だと思って、カナダの先住民を日本に呼んだのです。新潟水俣病はカナダと同じく川だったので、新潟にも行った。水俣の患者さんとも会えて話を聞けたので、今度は水俣の患者さんにカナダへ行ってもらわないといけないと思い、川本輝夫さんと濱元二徳《つぎのり》さんがカナダに行ってくれた。現地の子どもも水俣の患者さんから話が聞けるじゃないですか。

私の活動家としての運動のスタートは、この患者さんの交流です。カナダから戻って原田先生たちにお話をして研究者がカナダに来てくださったことと、被害者同士の交流をお手伝いして橋渡しすることがきっかけで活動家になっていきました。宮本先生との出会いもその時です。

先生が言われたように、被害者が一番必要としているのは生活の基盤です。彼らが求めたのは、一人一人の補償をいかに高額にするかではなく、居留地の集落にお金がちゃんと支払われて、かつ集落の産業が成り立つような支援です。川の汚染のため観光関係で働いていた人が働けなくなって、急に生活保護受給者に変わってしまい、ダブルの打撃だった。それがずっと続いているのです。

日本の政府が逃げ回っているからカナダにも悪影響を与え、居留地の人々に被害を与えている。水銀汚染はとんでもない量なので被害を絶対に認めないといけない。先住民の居留地に対する差別があって、社会の弱いところに公害があるということも実感しました。川本さん、濱元さんと居留地の被害者と一緒にカナダ政府の研究施設に行ったとき、政府は先住民が食べている魚をネコに与えてネコ実験をしていました。どのレベルでどういう症状が出るか実験しているんです。止める方はほったらかしで。極端な差別じゃないですか。先住民の被害のことは全然気にしなくていいという感じを受けました。

**宮本**　日本に帰ってから、『世界の公害地図 上下巻』（岩波新書、一九七七年）に研究者がきちんと報告をまとめました。あの本はいい本で、すでに原発のことがはっきり書いてある。

**アイリーン**　それが研究者のすごいところです。帰ってからちゃんとレポートにまとめて残ると効果を発揮しますね。

## スリーマイル島原発事故

**アイリーン**　宮本先生にお礼を言いたいのですが、一九七八年に私が日本にきて京都に残れたのは先生のおかげです。日本で住むところがなかったのに、先生のお宅にお世話になって生活の基盤ができました。

**宮本**　そう、ぼくのところ（京都の研究室）に来ていたんだよね。

**アイリーン**　こう言うと誤解されそうですが、茂樹が「ぼくと一緒に暮らしてたよね」なんて言って（笑）。

**宮本**　茂樹が大学一年生のときです。

**アイリーン**　その頃、私は三年間、ユージンとの写真集の日本語訳をできないでいたのですが、翻訳を中尾ハジメさんがやることになった。あれだけうまく文章を訳してくれたのでコロッと惚れてしまった。彼が原発問題に取り組んでいました。

原発をどんどん日本に建てるということに対して、昔からの漁民運動とか農民運動の基盤があってみんな頑張っていた。その一つが四国の伊方原発で、伊方には絶対に原発を建てるべきではない、断層が走っているじゃないかというので、伊方原発を止める裁判があって、それを応援していた一人が中尾ハジメさんだった。四大公害裁判からの流れがあって、たとえば水俣で裁判をした方がいい、政府は信用できないと政府を見ていて助言、発言するということが積み重なって、そこで頑張った人たちがいた。判決の前に公害・環境法ができていたけど、四大公害裁判の勝利の影響が大きくて、その後の日本の環境が守られたといえます。

市民が原発に反対する裁判を立ち上げるという環境なんかは、全部それまでの運動の積み重ねの結果、起こっているわけじゃないですか。そういう長い社会運動の恩恵をみんな受けている。こういう恩恵を受けた結果、私が原発のことを知ることができたと思っています。

一九七九年のスリーマイル島原発事故のあと、中尾さんと伊方原発裁判の弁護士と裁判を応援していた京都大学の研究者が何日間かスリーマイル島に行った。すると、政府とは違うことを地元の人たちが言っていると帰国した中尾さんから聞いたんです。その途端、スリーマイル島に行きたいと思って今度は一緒に行った。なぜ行きたかったのかと言えば、現地で起こっていることがいかに大事なのかということを、水俣で川本さんたちに出会って分かっていたからです。原田先生のように現地の話をちゃんと聞く姿勢を持っている研究者がいたから、水俣病は終わってはいなかった、被害は続いていてもっと大きいと分かったわけです。その伝統というか、そういう努力の蓄積があるから、スリーマイルの現地の人がいろいろなことを言っているよと若い私みたいな人が知った時に、すごく敏感に反応できる。要するにスリーマイルに行ったのは、地元の人たちの体験と学者、両方が繋がって努力して、つまりこっちからも伝えに行くけれど聞く耳をちゃんと持つことで繋がるあのパワーを知っていたからです。地元の人の話をちゃんと聞く、そこから学べるということを水俣に教えてもらった。だからスリーマイルに行ったんです。

スリーマイルの人の話を聞いて日本に戻ってきたら、北海道から九州まで原発を止めようとしていた人たちが現地の話を聞きたいと言うので、日本中を回った。すると、いろんなところで必死になって原発を止めている姿を見ました。私がしゃべりに行ったのだけど、逆に全国学びツアーみたいでした。そうしてだんだんと原発にコミットするようになったんです。やはり、先生をはじめ先人たちの功績が大きかったです。一九七三年三月の水俣裁判の判決を目の当たりにして、いろんな人が繋がって司法も機能するときに正義が日の目を見るということを見せてもらった。

今の若い人たちに何を言いたいですかと聞かれることがあるけれど、言うのではなく、大人側が示すことだと思います。大人のやるべき仕事は、こうやりなさい、ああやりなさいという言葉ではなくて、こうやるとこういうことができると示すことだし、それを示せばその感激で若い人は走っていける。私が頂いたものは私のなかに感じるんです。自分にともった灯は自分の努力で保っているのではなく、私の前にいた人たちの努力が心のなかに居てくれているんです。

## 原発をなくす――グリーン・アクション

**宮本**　アイリーンは今、グリーン・アクションの代表をしているでしょ。グリーン・アクションのやっていることで感心しているのは、ものすごく具体的だということだね。つまり、原発のあるところは避難訓練をしなければならないけれど、実際に避難するところはあるのか、どうやって避難したらいいのか、避難する場所にちゃんと避難した人たちが暮らせるような体制が整っているのかというのは、今まではほとんど具体的に調べたことはなかった。ところがグリーン・アクションの人たちは、避難できるのかどうか調べている。その報告を見ると、実際に大飯発電所だとかで事故が起こったらみんな救われないのではないかということがよく分かる。報告の中には、避難場所になっている大阪の花の万博の開催地だった鶴見緑地を調べに行ったら、何の用意もなかったとある。だから、本当に事故が起こってそこにみんなが駆けつけたら、一日も生きていけないのではないかと。そういうことをきちっと調べれば、いかに原発政策がいいかげんなもので、なぜあれだけ福島で酷いことになったかがよく分かるし、福島の経験がまだ十分に生かせていないことが浮き上がってくる。裁判を起こすということだけでなく、具体的に調べているところが素晴らしい。

**アイリーン**　先生に褒められると認めてもらえたみたいですごくうれしいです。これは、避難計画を案ずる関西連絡会のなかでグリーン・アクションが京都の連絡先としてやっていることです。関西連絡会のなかで、美浜の会とかがものすごく具体的に調べています。私もこれまでに何十回も関西広域連合や福井県、そしてグリーン・アクションが担当している京都北部の舞鶴、綾部、福知山など七市町、京都市、京都府の行政に働きかけています。大事なことは、原子力の根底には庶民の問題があり、事故が起こったら自分の生活がめちゃくちゃになってしまうわけです。本当はすごく身近なもののはずだけれど、原子力発電は原子力工学とか手の届かないものにされてしまっている。

だけど避難計画というのはすごく庶民的な話です。私が自信をもって言えることは、東京で避難計画をプランニングしているお偉い官僚たちよりも、地元に住んでいるシングルマザーのほうが、実際にどうなってしまうとか、どう困るかが分かっているということです。事故が起こったとき、学校や保育園の先生、病院の看護師さんがみんなを避難させないといけなくなったら、どうなるのか。あっちにも子どもがいてこっちにも子どもがいたらどうやって迎えに行くのか。道路が混雑したらどうなるのか。そういうリアリティのある情報は庶民が一番分かっている。だから、庶民の場でこそ原子力は語れると思っていますが、まだ十分にそうなっていない。どうしても数人の活動家が調べて悩み、京都府の行政に行っても壁みたいなものを作られてぶち当たる、というのが現状です。

だけど、本当はみんなからしゃべりだすのがいい。すごくいい事例があって、ニューヨークのロングアイランドにショーラムという原発が建設されたとき、稼働前に避難計画が不十分だと言ってみんなが怒り出しちゃったわけです。私のペットはどうなっちゃうの、置いていくのは嫌だわとか、馬を持っている人は高額で馬を買ったのに自分の投資はどうなるのとか。要するに一人一人が「冗談じゃない、そんな迷惑はいらない」という風になる。そういう形に持っていくのがすごく大事です。まだそこまできていませんが、そういう可能性はあると思う。分かりやすい形で運動をしていくことが原発ではすごく大事です。

**宮本**　そうです、難しいことを言う必要はない。原発に対する反論は、自分たちの生活はどうなるのという、もっと庶民が具体的に分かる形にすればいいね。

## キーポン事件とラブキャナル事件

**宮本**　一九七七年にニューヨーク市が財政破綻して、大都市が危機に陥るということがよく分かりました。そのニューヨーク市の財政を調べるために短期留学をすることにして、半年間ニューヨークにいた。それでアイリーンに連絡した。アイリーンに英語を習わないといけないし、ニューヨークを案内してもらおうと思って。その際にバージニア州の農薬キーポン中毒事件のことを知り、これは調べておいた方がいいと思った。単に労働災害だけではなくて、キーポンを廃水で湾に流し込んだんだよね。アイリーンが書いたこの論文「アメリカのキーポン中毒事件」はいい論文だった。

**アイリーン**　私が本当に書いたのよね。

**宮本**　あとで日本語が大丈夫かって、ぼくのところに持ってきた。なかなかきっちりしたいい論文です。

**アイリーン**　きっと先生が書きなさいって言って、頑張って書かされた。

**宮本**　『公害研究』の一九七八年一月号に載ったんだけど、事件のことがすごく印象に残って、どうしても書いてもらいたいと思った。アライド・ケミカルというのはすごく大きな化学会社で、キーポン事件を起こしたライフ・サイエンス・プロダクツは子会社だよね。これを調べに行くために、アイリーンの自動車に乗せてもらって一泊か二泊の旅をした。

**アイリーン**　私はどうやって行ったか覚えてないけれど、運転もしたんですね。

**宮本**　この町に着いたら、「化学首都」と書かれた看板が立っていた。そういう町で起こった事件で、まず労働災害がひどくなった。しかも家へ帰ってから洗濯したりするから家族にも被害が出て、後のアスベストと一緒なんです。すごい労働災害事件だけれど、化学首都で大企業の圧力がかかっているものだから、医者がだれもちゃんとした診断をしてくれなかった。台湾からきた医者がキーポン中毒の医学的症状を明らかにして、キーポンの労働災害だということをはっきりさせていく。この診断がなかったら、みんなどうして病気になったかも分からなかったし、労働災害も伏せられてしまっていたかもしれない。

もう一つ興味深かったのは、全然処理しない廃水として湾に流し込んでいたから、漁業災害も起こっていた。労働災害というのは同時に公害になる。そういう典型例として非常に参考になりました。労働災害と公害の連続性に最初にぶつかった事件だね。後にアスベストもまさにそうだということが分かった。

**アイリーン**　ニューヨーク州のラブキャナル（運河）にも先生と一緒に行きましたね。

**宮本**　有害化学物質を廃棄していた運河を埋め立て、その上に建設された町の住民に健康被害が出た。日本に帰ったら絶対、スーパーファンド法（包括的環境対処補償責任法）をはっきりさせないと、と思って調査した。日本で都留さんと我々が重要視したのはストック公害（蓄積性公害）です。廃棄物を捨てたところで公害が起こった場合、責任は誰が取るのかということが世界的に明確ではなかった。土壌汚染の場合、それを知らずに買った地主が処理をしなければならない、というのがそれまでの考え方でした。つまり、地主が所有権を持っているのだから、そこが汚染されていたら地主が賠償するか正常化しなければならなかった。そうではなく、廃棄物を出した企業が責任を持たなければおかしい。日本に土壌法がないからいけないので、フローだけじゃなくてストック公害の損害賠償責任を明確にしなければならないと主張していた。日本では早くから我々がそう言うものだから、公害法の中に入れたのだけれども、その後も土壌法について言えば、必ずしも明確な規制はなかった。だから丁度、アメリカでそういう問題が起こったので、ストック公害をどうするかという観点から調べに行って、大変興味深かった。やはり、運河を埋めた業者が責任を持つべきかどうかという問題があり、アメリカはその後、スーパーファンド法を作った。帰国してから、日本も取り入れるべきだといろいろ書いた。

七七年はキーポン事件とラブキャナル事件でいい勉強をした。本当はニューヨーク市の財政危機が調査の中心で、その論文はたくさん書いたんだけど、キーポン事件の方はアイリーンに書いてもらったので、これでいいと思って書きませんでした。

## アスベスト被害の教訓生かせず

**アイリーン**　アスベスト研究の第一人者のアーヴィング・セリコフ博士と会ったのは一九八二年でした。私が大学院を終えたぐらいの時です。

**宮本**　七七年にニューヨークに行ったとき、実は慶応大学を出てニューヨーク市にあるマウントサイナイ医科大学の先生をしていた鈴木康《やす》之《の》亮《すけ》先生を柴田徳衛さんの妻の兄が紹介してくれた。アスベストで有名な鈴木先生が「宮本さん、アスベストを調べたらどう」と言われた。アスベストはもう相当大きな問題になっていて、主として労働災害だったので、そこまではできないと思い、話を聞いただけで頭に残っていなかった。

八二年に二回目のニューヨーク調査に行ったとき、偶然なんですが、朝起きたらニューヨークタイムズの一面に、裁判によって最大のアスベストメーカーだったジョンズ・マンビル社が破産するとあった。マンビルを救済できるように、賠償の会社を別に作って本業を維持できるように破産法を改正するという記事だった。鈴木さんに言われたときは放っておいて、五年経って来てそれを見てびっくりした。ものすごい事件です。

もう一つ、ニューヨークに住んでみて驚いたのは、建物にビニールをかけて中で作業をしている。あれ何って聞いたら、アスベストを除去している工事だと。それがニューヨークの大きな通りで随分あり、ここまでやらなければならないんだと、アスベスト被害の深刻さが分かった。ニューヨークタイムズの衝撃と、現実にすごいことになっているアスベスト除去作業、しかも裁判が二万件もある。これは調べた方がいいのではないかと思い、鈴木先生に相談したら、セリコフ博士に会ったらどうかと言われた。それでアイリーンに付いてきてもらったんです。

セリコフさんはものすごく親切で、半日付き合ってくれた。そのときセリコフさんに、「日本はいま世界で一番アスベストを使っている、自分の見立てでは毎年数千人死んでいるはずなのに、何も事件にならないのはどうしてなんだ。日本に帰ったら絶対に調べてほしい」と言われた。私はパブリック・ニューサンス（公害）をやっていて労働災害はやっていないからあまり興味がなかったと言ったら、「いや、そんなことはない。造船所の付近で公害事件が起こっている」と。戦争中に労働力が不足するため、学生や主婦が造船所で働き、一〇年以上経って被害が出ているということだった。たくさん文献をくれたので、これはやらなければと思って、『公害研究』に「アスベスト災害は償いうるか」を書いた。警告文を書いたけれど何も反響がない。これには驚いた。

大阪大学の後藤稠《しげる》さんという人が丸山博さんの後任の衛生学の先生で、彼はブレヒトの芝居が大好きな友人だった。それで帰国してからすぐに訪ねて、アスベストは知らないのと言ったら、「もちろん知っているよ」と言って、大阪のアスベスト被害は泉南地区で大変だけど、部落問題などがあってなかなか調査しにくいと言っていた。分かってはいるけれども、完璧にやる形にはなっていないのだと。裁判もボツボツ起こっているが、証人はアメリカから呼んだりしていると言うから、一緒にやろうかという話になったのだけど、それっきりになっていた。

八五年ごろにアメリカの航空母艦ミッドウェーが来て、それを艤装《ぎそう》するときにたくさんのアスベストが出て、そのアスベストを横須賀や横浜の路上に捨てていると新聞が書き立てた。国際的にアスベストの労働災害はもう分かっていたのに、当時の環境庁は工場周辺の調査をせず、地元自治体が言ってくればアスベストの大気汚染の状況を調べるということでお茶を濁した。大気汚染防止法を改正して一応は調査対象にアスベストを入れたのだけれど、環境基準が緩く、自治体が言わなければ調査しない。いくつか調査した結果は基準以下だったので、放ってしまったんだ。それで二〇〇五年六月、尼崎市のクボタショックで被害住民が訴え、初めて公害事件になった。だから、私も被害の危険性を知っていて調査をせず、失敗した。実にしまったと思いました。

**アイリーン**　私も公衆衛生学部にいたときに、セリコフさんとかNIOSH（国立労働安全衛生研究所）とかOSHA（労働安全衛生管理局）とかが八一年に取り上げていて、アメリカですごい事件になっていたけれど、では日本はどうなっているのかと思いつかなかった。失った時間を作ってしまった。

**宮本**　アメリカではアスベスト訴訟が弁護士の最大の儲け口になるぐらい大変な事件になっていた。びっくりするくらい大きな弁護士事務所になったのは、みんなアスベストのおかげだとか言っていました。すごい数の裁判が起こっていた。せっかくアイリーンと一緒に回って、八二年に分かっていたのに、二〇年間で一つ論文を書いただけで放置してしまった。日本はあの頃、世界一アスベストを使っていたことを知っていたのに調査しなかった。本当に生涯の失敗だったと思っている。

**アイリーン**　ユージンとの写真集『MINAMATA』のまえがきにも、アスベストって書いているのです。あの時から意識しはじめていたのに。先生の後悔は、いま何を取り上げないといけないのかを見抜くことが大切だということですね。一つの教訓です。

**宮本**　アスベストは日本の場合、まだまだ解決していないのだから、これからが大変です。キーポン事件でも、アメリカではキーポンを禁止したが途上国には輸出しているという。先進国が禁止しても途上国では同じことが起こる。

## 4. 水俣が照射する現在の環境問題

**宮本**　公害はまだまだ終わっていないということを、これから世界中に言っていかなければならない。WHOの報告ではね、環境汚染は依然として大気汚染だと。八八〇万人が毎年途上国で死亡していて、これは感染症よりも死亡率が高いと。

**アイリーン**　だから化石燃料を燃やしちゃいけない。

**宮本**　水銀の問題でも、水俣条約は発効しましたが、条約の加盟国でも水銀を禁止しきれていない。いまブラジルで金の採掘で水銀汚染が出ているでしょう。原発の問題もこれから、他の国でも被害が出てくるに違いない。日本の問題をきちっと解決できれば他の国にもいい影響を与えるということは間違いがないけれどね。

**アイリーン**　日本がやらなければならないことですね。やらないことで被害を与えている。

**宮本**　水俣の問題は被害救済がまだ進行中で、さらに環境再生をしていない。いま水俣で大風力発電基地を作る計画が出ている。その前の産業廃棄物処理場は拒否して、今度は風力発電をどんどん進めています。再生可能エネルギーの必要はありますが、十分なアセスメントをしないでやってしまっていますね。

**アイリーン**　今の時代に日本がエネルギー問題で一番貢献できるのは、省エネとエネルギーの効率化ではないでしょうか。東京電力福島原発事故後に首都圏でやった省エネは、ヨーロッパの環境学者の間ではすごく評価されている。あれをどうやって日本が記録しているのか、そして英語で海外に発信しているのか。緊急にやったので、エレベーターが止まったり、障がいのある人などはとても困った。悪い面がいっぱいあった。だけど、あの経験で学べたことは、工場などが節電した結果、たとえば中小企業ではあの後もずっと光熱費が下がっているという。みんなが必死に節電できる仕組みを作ったので、その効果は残るわけです。あれだけのことをできる国民性があるというか、そういう社会なのに、その努力をせずに原発をもう一回動かすとか、老朽化した原発を延長するとか言い、化石燃料もなかなか減らせない。電力削減が一番クリーンなやり方なので、活用していないのはもったいない。これからの一番大きな仕事だと思います。パラダイムシフトが必要です。

水俣で汚染が酷かったときに幼かった子どもたち、その多くが今も水俣病と認められていない。裁判もしている。要するに、よちよち歩きの子どもを未だに守れていないのが今の日本の実態です。福島で原発事故が起こったとき、一八歳に満たなかった子どもたちの甲状腺がんの発病率が高くなっていて、七人が東電を相手取って東京地裁で裁判をしています。そのことが福島の復興のためにならないとバッシングを受け、顔も出せない状況です。それでも裁判で証言して、法廷にいままで入ったこともない若い人が先頭に立って戦っている。福島事故の被害を受けた子どもたちがもう一度、先頭に立って戦わなければいけない社会、子どもを守れない日本社会とは何なのか。今も昔も被害者が戦いを強いられる状況。でも水俣で今、七万人以上が不十分であってもなんらかの救済を受けられるようになったのは、裁判をした方がいいと決めて裁判をやったからです。そして写真に白黒で写っている患者さんたちは、私たちの体の中の細胞と繋がっていて、今の若い人にとっては自分の親がきれいな環境で子どもを授かることができたのは、この人たちが関係している。みんなが恩恵を受けているわけです。

これは水俣からのメッセージだと思っています。

今年の春、患者さんと環境省に行ったら、二〇〇九年に水銀汚染の影響の疫学調査が法律で義務付けられたにもかかわらず、調査方法を今検討中です、と言うんです。ひどいですね。二〇〇九年からちゃんと調査しなければいけないのに。熊本県知事も四七万人を対象に調査が必要だと言ったけれど、政府はやらない。

**宮本**　本当に調査しない国なんです。アスベストを使っている工場と地域も全部調べる必要があるのに、日本はいまだにしていない。

**アイリーン**　今、本当に疫学としてやらなきゃいけないです。私は水俣と福島には共通点がたくさんあると思っていて、そのなかの一つは「データを取らない、証拠を残さない」。こういう問題に一つずつ対応するために、医学界や公衆衛生の人たちは何をしなければいけないのかを議論して、考え、整理していく必要がある。政府と企業もいままでのやり方を改善するために同じようなステップが必要です。

## 積み重ねた土台を活用して

**アイリーン**　私も高齢者の仲間に入りましたので、若い世代に伝える役割を増やさなければならないとずっと思っています。先生みたいに九二歳まで元気にやる自信はないのですが、頑張ってらっしゃるので、私も九二歳まで目標をあげないと。

先生とお話ししながら、自分がいま持っている意識はどう育ったのかを辿っていて、忘れていたことも思い出しました。セリコフさんに会ったこと、キーポン事件の論文を書いたこと。出会った人といろんな経験をさせてもらって成長したんだと痛感しました。

最後に言いたいことは、先人が積み重ねた土台の上に私たちは生きている。そういうのって見えなくて気がつかないんです。だけどその恩恵を受けていま、自分たちが頑張ることができているということです。六〇年代の初めから頑張っていた宮本先生をはじめ、多くの人の成果で土台を作ってもらった。それを大事にして私たちは頑張っていかなければいけないと思います。頂いたものがたくさんあって、それは自分の一部のようになっています。そのことに気がつきもせずに毎日過ごしていますが、あらためて感謝したいです。本当に先生ありがとうございます。

**宮本**　いや、こちらこそありがとうございました。

＊未公刊。二〇二二年一一月一五日に京都西院研究室にて対談。構成＝黒澤美幸。

(1) Kurland LT, Faro SN, Siedler H. Minamata Disease. World Neurol. 1960;1:370-385. カーランドらが水俣の実地調査と動物実験に基づいて、水俣病の原因物質は工場由来のメチル水銀であると断定している。

# 第3章　公害研究における水俣病問題の意義と課題

## 1.　公害環境研究の六〇年

私は一九六一年に公害問題が経済成長に伴って最も深刻な社会問題になっている状況を見たのですが、当時、経済学ではこれが全然取り上げられていませんでした。これは経済学のなかで最も重大な課題になると思い、それから研究を始めた訳です。これまでの約六〇年のこの公害環境問題についての研究者としての経験、そこから生まれる教訓のようなものを、特に、どうしてそのような深刻な公害と闘ったかということを最初にお話しします。その後で、最も公害の原型と言えるような水俣の問題について、なぜこれがいまだに解決しないのか、ということについて私の考えを述べさせていただきたいと思います。

日本は世界が経験するあらゆる公害を発生しています。そういう意味では、日本は「公害先進国」だという大変嫌なレッテルを付けられたのですが、実際大変な状況でした。当時、「公害」という言葉もない、辞書にもありませんし、そういう言葉が普及しておりませんでした。いかにそれが酷いことになっているかを示すために、私は全国の各県の地方紙、例えば熊本県でいえば熊本日日新聞を選んで、一年間、大気汚染、水汚染、騒音、公害、地盤沈下に関する記事を取り上げて、地図にスポットしてみました（第一部第二章図2参照・59頁）。これをご覧になって驚かれると思いますが、一九六一年から一九六二年という段階で、すでに日本は公害の渦の中にいたわけです。特に深刻でしたのは東京、大阪の大都市圏で、大阪などは一年間に一五六日、昼間でも車が電気を点けなければ走れない程の深刻なスモッグに包まれていました（同図3参照・59頁）。そして、東京も同様ですけども、河川は、ＢＯＤが二ｐｐｍという値が正常なのですけれども、大阪の河川は五〇ｐｐｍという完全なドブ川で、臭くて、およそ水とは言えない状態でした。これは東京の隅田川も同様でした。さらに、工場は、臨海部のガスや水を汲み上げて使いますので、大阪では三メートルを超える地盤沈下が起こっていました。東京も同様でして、このために伊勢湾台風など大型の台風が起きますと、沿岸部は壊滅的な被害を受けていたのです。さらに当時は、すでに四大公害問題が進行中でした。

### 政治経済制度に「構造的システム的な欠陥」

熊本水俣病の場合には、チッソ水俣工場から不知火海に排水として流出した有機水銀に汚染された魚介類を食べた人に起こる神経疾患でした。一九五六年に公式確認されていた水俣病について政府はなんら対策をとらない。当時の水質二法という唯一の公害法があったのですが、これが非常にルーズでＢＯＤだけしか調査をしておりませんでしたので、これを水俣病には適用しない。なんにもしない。実はもう既にこの頃には、熊本大学の発表などがあって有機水銀中毒であるという疑いが明らかになっていたにもかかわらず、そういう状態でした。一九六四年に第二の水俣病が新潟県で発生する。これは誰が考えても政府の重大なる失政です。これが、次の水俣病として非常に大きな問題を生んだわけです。

また富山県の神通川流域でイタイイタイ病が発生しました。これは戦前から発生していたと思われますけれども、カドミウム中毒です。これも説明すると長くなりますから一言だけ言っておきますと、四大公害の中で裁判で勝訴して以後、完全に公害事件として解決をしたのはイタイイタイ病だけです。三井金属神岡営業所（現神岡鉱業株式会社。以下、三井金属）と被害者、研究者の間で協定が結ばれて、毎年研究者と被害者が三井金属に乗り込み、神通川の流域を調べ、農地を調べて対策を取らせ、政府に要求をする。その結果として、いわゆる典型的症状以外の腎臓の細管がやられているというところを含めて、カドミウムの原因があると思われる患者をほとんど全て救済する。そして、汚染土で汚れていた土地を回復するということで、二〇一三年に企業と被害者の間で完全終結したという宣言を出しました。これは日本公害史の中に残る唯一の「被害者が主体になって解決をした例」です。それから典型的な日本の重化学工業化、都市化に伴う公害が四日市公害でして、政府は四日市型の開発を全国に進めていきましたから、四日市型の公害が全国に広がっていった。ですから、水俣が公害の原点だとしますと、公害対策の原点は四日市であると言ってもいいわけです。これも非常に重要な自然の汚染から始まって、非常に多くの大気汚染患者が出まして、大気汚染の救済法ができるきっかけになる大事件であったと思います。

このように四大公害事件は、ある意味では「企業の犯罪」と言ってもいいような、企業に大きな責任のある公害事件ですが、最初に記したように、全国に公害が満ち満ちていたというのは、実は日本の政治経済制度に致命的な欠陥があったわけで、私はこれを「構造的システム的な欠陥」と呼んでいます。産業あるいは交通体系、地域の構造、その他の欠陥、システム的な欠陥が被害を生んだのでありまして、ほとんど大企業は公害対策を取っていませんでした（同表1参照・63頁）。水に至っては処理を全くしていない状況が一九六五年の状態で分かると思います。

企業が公害対策について無策といってもいい状態であった時に、政府は経済成長を急ぎ公害対策を行わない。唯一、一九五八年にできた水質二法は、先ほど言いましたように水俣にも適用しない。地方団体は身近な問題として、いろいろ問題が起こるものですから、条例は作りましたけれども規制基準はない。しかも、企業はそういう条例に従わない。成長が大事なので、規制する条例には従わないというような状態でした。

そして当時は日本の大学だけではありませんが、内外の大学に公害や環境部門という研究組織はありませんでした。日本では一九六三年にはじめて「公害研究委員会」が組織されました。都留重人氏を委員長として私も加わったのですが、七人参加しただけです。七人の専門家しか公害に関心がなかったという状況でして、当時活躍していたのは公衆衛生学の関連の研究者で、社会科学分野の学部学科には公害と環境の講座は全くありませんでした。大学で公害の講義が始まったのは大阪市立大学が一九六九年の終わりからです。

公害に関係した工学や医学の研究者や医者の中には企業、政府の御用学者が多くて、被害の解明を妨害したわけですね。ただし日本というのはすぐにこういう問題で分からなくなると、アメリカやイギリスでどうやっているかということを参考にしようとするのですが、実はこの時期には欧米にも環境法の体系というのは出来ていなかったわけです。環境庁、環境省もなかったので、そういう意味で日本は深刻な公害を受けながら模索をせざるを得ないという状態であったことは間違いありません。

## 市民運動から自治体変革へ

しかし、本当に絶望的な状況があり、公害は深刻で次々と死者や健康被害が出るにも関わらず、何も解決する兆しがないというところで時期を画したのが、静岡県の三島・沼津・清水の運動でした。ここに政府は四日市の数倍の大規模なコンビナートを作ろうとしたのですけど、地元の人たちが反対を始めました。幸いな事に地元に国立遺伝学研究所と沼津工業高等学校の研究者がいまして、彼らは調査団を作り、市民、学生の協力で日本最初の環境アセスメントを行いました。そして、公害の恐れがあると報告をしました。政府は、ここが拠点だと思っておりましたので、慌てて、これも政府としては初めて黒川調査団（四日市地区大気汚染特別調査会）というものを作って最初のアセスメントをやりました。これは、お金を掛けまして、自衛隊機を飛ばしたり、最初の風洞実験をしまして、公害の恐れはないと報告しました。これに異議があると考えた地元の調査団は、通産省で両者の討論会を開催させ、その討論の結果、政府の調査団の方に瑕疵《かし》がある、間違いがあるという事が分かりました。これは反対運動にとっては非常に大きな科学的な後ろ盾になったのですが、大変感心したのは、地元でも市民が中心になって汚染地域を見学あるいは調査に行って、四日市や鹿島に行ったり、重要な所はほとんど調査に行き、三〇〇回もの学習会を重ねて、公害は反対である、という意思を明確にして、そして大きなデモを繰り返しました。最大の大会では三万数千人というような、ほとんどの住民が出てくるというような、そういうことをやって、遂に自治体が誘致に反対ということを決めざるを得なくなったわけです。これは日本で初めて、公害反対運動が政府や企業の政策を止めたのでありまして、その成果が非常に大きく、政府や企業にも衝撃を与えて、公害対策基本法を作らざるを得ないという社会状況に持っていくわけです。

市民運動は、実はこの三島・沼津の運動がきっかけになりまして、政策の転換をしうるという確信を得たのです。それを背景にしながら、まず憲法で保障されている地方自治の本旨に従って自治体を変えようという動きが起こりました。戦後の経験で非常に重要なのは、住民が基本的な人権を守るために運動を起こす。それから運動を背景にして、民主主義的な権利を使って、法治国家ですから法制や組織を変えるということなのです。典型的に二つの道を選んだわけで、一つは自治体を変えるということを進めたのです。全国で三分の一の自治体が政府に反対する社共両党、労働運動や市民運動の手で首長をたてたわけです。そして、一九六七年に政府も世界最初の公害対策基本法を成立させたのですが、経済界の圧力で、その目的は環境保全と経済成長を調和させるということになった。調和なんていうのはいい加減なもので、結局、経済成長になっていく。これで決めた環境基準は非常にルーズなもので、当時の東京や北九州の汚染地域と同じくらい緩い状態だったわけですね。しかし、自治体の厳しい条例その他が作られてきたために、政府は一九七一年に環境庁を創設して、環境行政を軌道に乗せざるを得なくなったのです。

一方で、先の四大公害事件の地元は、なかなか行政を変えるということはできない。それで最初の、これは本当に決意をして公害裁判を起こしたわけです。この公害裁判も非常に難しかったのです。初めて「疫学」というものが判定の材料にされまして、個別因果関係ではない集団的な健康被害が認められ、これも記録に残ることですが、四大公害裁判は全て被害者が勝訴をするということになりました。このために成果が上がりましたし、大企業も自治体も画期的な公害対策をせざるを得なくなったわけで、当時、OECDは「日本は数多くの公害防除の戦闘に勝利したが、環境の質を高める戦争には勝利を収めていない」というレビューを出しました。そして、下からの住民運動に支えられて「三万件の公害防止協定」「自治体の規制行政と公害裁判」という直接規制によって問題が解決した、という結論を出しています。確かに公害の初期の闘争に勝ったのですけれども、人格権は認められたが環境権は認められないということで、その後もシステムを変えるわけにいきませんでした。福島、沖縄の問題と、次々と公害がまだ続いているわけです。

## 2. 水俣病の教訓

そこで、これまでの経験を背景にしながら水俣の問題について申し上げてみたいと思います。

第一には、チッソが地域独占で住民の基本的な人権、民主主義の侵害と資源の占有をして、今なおそういう問題が続いていることです。第二は、科学者の失敗です。これは法的責任を問われておりません。第三は政府の失政です。これもまだ法的な責任が「完全に」とられておりません。ここで私が水俣病と言っているのは、熊本水俣病だけを取り上げております。新潟水俣病については詳細にふれません。水俣病の患者は、鹿児島県に二六・九％となっています（**表1**）。つまり水俣病の被害は熊本県を越えて広がっています。それからこれは特措法で一時金申請をした市町村別に見ましても、水俣市よりも他の地域のほうが、たくさんの被害者を抱え込んでいるわけです。これは私自身も水俣病研究について反省しているのですが、どうしてもチッソの所在する水俣に研究が集中してしまうのですが、本当は環境災害ですから、不知火海全域にわたって調べるべきではないかと思います。この地域は、私たちはチッソの企業城下町と言っているのですね。「チッソの共同体」である。この「チッソ共同体」というのは、石牟礼道子さんが言われたのですが、資源と土地、水、それから排水権、あるいは埋め立て権、それからエネルギー、あるいは人材、商業、そういう点についてチッソが独占をしていたということで、人々が「チッソあっての水俣だ」という形で生活をせざるを得ない状況であったのです。しかし、一九六〇年が別れ目で、電気化学から石油化学に構造が変化するとチッソの経済力は低下し、チッソの水俣ではなく、水俣のチッソになっていたわけです。ところが依然としてそのチッソの支配力と

**表1　水俣病患者総数**（2018年5月末）

| 補償制度（時期） | 熊本県 | 鹿児島県（A） | 合計（T） | A/T |
|---|---|---|---|---|
| 行政認定（1969年—現在） | 1,789 | 493 | 2,282 | 21.6% |
| 1995年政治的解決 | 8,831 | 2,706 | 11,537 | 23.5% |
| ノーモア水俣1次訴訟（2010年） | | | 2,794 | |
| 特措法（2010—2012年） | 37,613 | 15,543 | 55,950 | 29.2% |
| 合　計 | 48,233 | 18,742 | 69,769 | 26.9% |

いうのがあって、そのために一九五九年の不当な見舞金契約が結ばれる。それから、次々とこの水保病が広がっていくことについてそれを隠してしまう。それを暴こうとすると、例えば原田正純さんが調べに行こうとすると、「殺してやる」というような、水俣病を究明するということに対して地元で抵抗があったわけです。つまり、「その地域の市民が、本当に企業よりも自分たちの人権、あるいは市民としての連帯を守る、ということが遅れていた」ということが水俣病の解明を遅らせ、そして未だに解決しない問題として残っている。チッソの独占と、それに毒された市民の意識というものが非常に重要な問題を持っていると思います。

地元で市民運動が起こりましたのが一九六八年。政府が水俣病を公害として認めた年です。当時すでに新潟の水俣病の裁判が提起をされていましたので、新潟水俣病の原告や弁護士の支持があり、ここで裁判が提起をされるわけです。私も六八年に現地に入りまして裁判をした方がいいということで、被害者の会の会長と懇談しましたが、彼らは「政府に一任する」「裁判は嫌だ」と言って納得をしませんでした。それで、四大公害裁判の中で最後に水俣病裁判が起こるのですけれども、初めから被害者が分裂をする。以後も、被害者の運動が分裂する状況がずっと続いていくことになったのです。私がここで言いたいことは、特定の企業が地域の労働力、資源、環境を独占して自治体の行財政を支配する、最初の水俣市長は、チッソ水俣工場長であった橋本彦七さんですからね、そういう形で自治体を支配し、住民の基本的な人権を侵害するような企業共同体を地域で作ってはいけない、ということです。

### 研究者と医者と政府の失敗

次に研究者の問題ですが、公害というのは原因を突き止めるためには、既存の労働災害が参考になります。水俣病は、イギリスの農薬工場で発生した有機水銀によるハンターラッセル症候群が認定の基準になったわけです。イタイイタイ病はベルギーの工場のカドミウム労災が病因の判定となりました。アスベスト公害は工場の周辺で発生しましたので、これは労災と連続して病名を決めているわけです。しかし、ここが私は重要なことだと思いますが、公害は労働災害とは違うのです。

公害は環境を汚染して、生態系を通じて発生するのですね。水俣病の場合は排水口周辺の微量の有機水銀が土壌、水苔、プランクトン、小魚、中・大魚、人間という食物連鎖を通じて生物濃縮をし、汚染魚を食べた住民が有機水銀の摂取によって発病するわけです。労災は非常に限られた工場空間で、比較的短期間に濃厚な有害物質で直接暴露される。それと公害は違うのです。公害は環境災害なのです。原田正純さんが主張するように、水俣病は世界で初めての環境災害であると言っていいと思いますが、私はまず工学者が大失敗をしたと思っています。工学者の清浦雷作、北川徹三、チッソ工場長の西田栄一らは、仮に無機水銀を出していても、それは大河の中では拡散する、有機水銀でも必ず無害になってしまう、つまり自然の浄化ということを考えていたわけです。一次訴訟の中で、西田工場長は、「工場排水は水俣湾に排出され蓄積して被害を発生したので、〇・一ppm程度の有機水銀を八幡プールから河口、そして不知火海へ流しても大丈夫と考えた」と言っています。しかし、この決定的な間違いが不知火海全域に水俣病を拡散することになったのです。新潟水俣病の北川徹三は、昭和電工の排水口の水苔で見つかったメチル水銀は〇・一ppmと微量で、阿賀野川に流せば〇・〇〇〇一八ppmに薄まるので水俣病の原因ではないとして、農薬説を取ったわけです。このため、私もこの裁判に参加したのですが長くかかりまして、結果として裁判所は農薬説では解けない、となった。我々のエコロジーから来た生物濃縮説の方が説明がつくということで、北川説を退けたのです。その後でみますと北川説が成り立たないことは明らかだったと思います。水俣病は明らかに環境災害であって労働災害とは違うのです。

医者も失敗していると私は思っています。この水俣病が長引いている原因の一つは、一九七七年の水保病認定審査会で、医学者が一九七一年の規定を変えてハンターラッセル症候群の判定基準を取ったことです。それから一九八五年にも医学専門家会議でこれをまた推奨したわけですね。この審査会に属している医学者が現場で水俣病患者らを自ら診断して、病像を作り上げて疫学的な調査をしたというのではないのです。ハンターラッセル症候群の病像を水俣病として「患者を裁断」したのです。裁判では、民事訴訟から最高裁に至るまで、この政府の医学者の判断は採用していませんが、政府は労働災害を根幹としており、環境災害としての水俣病を未だに認めていないのです。認定患者は二二八二人ですけれども、この被害者の裁判運動の結果として、これまで約七万人が水俣病関連として認められていることからも分かりますように、原田さんが言うように七一年の最初の水俣病の判定基準は医学的に何も疑問点はなく、環境災害であることは現状を見れば明らかではないかと思います。

研究者とならんで、まだ責任が明確にされていないのが政府です。一九五八年、有機水銀中毒であるという熊本大学の発表があり、更に研究が進められまして、一九六二年から六三年には学会がこれを認めていました。私は一九六四年の『恐るべき公害』という本にはっきり水俣病の原因は工場排水だと書いたのですが、当時、私と面会した厚生省の役人は、「私もそう思うけれども、通産省が反対なので、政府としては水俣病の原因は不明だ」と言っていました。このために、新潟水俣病が起こったのです。実際にこの一次訴訟が提起され、終わる前後が本当は重要で、このあたりで問題は解決すべきでした。少なくとも六〇年代の段階で問題が解決する要素は全て揃っていたのですが、いまだに「患者切りすて」が繰り返されているのです。

## 「チッソ救済」の認定基準改定

この水俣病問題の解決を阻んだ七七年の認定基準改定の直接の理由は、患者の申請が激増しまして、このままではチッソが破産に陥る、ということです。チッソの救済策だったわけですね。福島原発の東京電力を破産させないために国がバックアップしているのと同じことなのですが、この時はチッソの補償金を熊本県債で不足を補うことにして、もし熊本県が補償を払えない場合には国が引き受けるとしました。これは大蔵省、今の財務省が財政としては認定患者は二〇〇〇名程度だとなんとかなるだろう、としていたのです。まさにいま二〇〇〇名程度にきちっと納められているのです。井形昭弘さんが中央公害対策審議会環境保健部会の代表になって、水俣病の認定基準を変えてしまうのですが、「医師が政治経済的な圧力のもとに屈していた」ことが明らかなのではないかと思います。しかし、裁判は政府の基準を認めず、判決は更に進んで、第三次裁判からは国の責任も認めていくのです。それで慌てた政府は二回にわたって政治的解決をしました。

一九九五年に一万二〇〇〇人、二〇〇九年に「水俣病被害者の救済及び水俣病問題の解決に関する特別措置法」（略して「水俣病特措法」）で第二次解決が行われて約三年間で六万人を対象としたわけです。こうやって申請し、検査を受けた人について水俣病とは認めず、「水俣病被害者」というあいまいな名称にして、一時金は一人当たり二一〇万円、第一次は二六〇万円でした。しかも、申請した被害者を検査して救済するのを三年間で打ち切ってしまったのですね。これは政府の法的責任を明らかにしたものではなく、「見舞金」だと私は思っています。政府は特措法で全部解決すると言ったのですから、これを三年間でやめるというのはおかしいわけで、被害がなくなるまでこの特措法をもう一度改正しなければならないと思います。

それからもう一つ、特措法は「チッソ救済策」とも言われているので、新しくできた「ＪＮＣ」、これはJapan New Chissoの略だともいわれ、全額チッソが株主で、チッソはここの配当金を受け取って賠償の借入金の返済をすることになっているのですが、このＪＮＣも水俣病と縁を切ってはいけないのです。今とにかく国に必要なことは、最も患者を診て検診し、対策を考えている人たちの病像を基にして、疫学的な調査として流域の全員検診を行い、政府の責任を全うしてほしい。

## 3．環境再生とまちづくり

環境問題というのは、汚染が最もひどくなった段階では公害になるわけですけれども、その前段階で環境の破壊、環境の侵害は起こり、地域独占のような形になりますと、景観や歴史的町並み、文化が破壊されて、人々が基本的人権も主張できなくなるという生活環境になってしまいます。そのため、私は環境政策の最終的な解決は、被害を救済するだけではなく、最終的に環境を再生し、まちづくりをしなければならないと思っているのです。

まちづくりというのは、日本では政府が地域開発計画で大きな企業を持ってきたり、大規模な公共事業を持ってきたりしてやってきたのですが、これは大失敗しました。三〇年に渡って失敗しています。最近では地方創生などと言って、我々がずっと主張してきた「内発的な発展」みたいなことを言い始めているのですが、あれも上からの地方創生であります。Sustainable Endogenous Development（持続可能な内発的発展）というのは、今ではＯＥＣＤでも取りあげています。それぐらい、これからの経済の発展は、政府指導の外来的な開発ではない総合的な目的と、できるだけ地域循環して利益が地元に落ち、住民福祉へ発展するような地域をつくる方法を取り、さらに主体が地元にある必要があります。公害の場合には、被害者を入れて発展しなければならないと思うのです。非常に典型的な例では、公害裁判で和解、勝訴しました大阪の西淀川では、被害者が補償金の一部を寄付してあおぞら財団という環境再生とまちづくりのための組織を作り、西淀川地域の公害地域を再生する事業をしています。また国際的、国内的に公害患者と連絡を取っております。このように、これからは被害者を入れた内発的な発展を理想として考えなければならないでしょう。

## 「内発的発展」への遠い道

水俣市の振興開発は、典型的な政府指導型の外来的開発から始まったといっていいと思います。国立水俣病総合研究センターは、環境庁長官だった三木武夫さんの提案でつくられた。三木さんと多少は議論していまして、出来るのは悪いことではないと思いましたが、診療しないことに驚いた。単なる研究所では困るじゃないかと文句を言っていたのです。それから水俣の浚渫《しゅんせつ》埋め立て事業、新幹線新水俣駅という形の大規模開発を政府が試みたわけです。しかし、この二〇年で人口が減少して老齢化が進み、製造額、所得は減少しています。特に心配なのは漁業と観光業が非常に衰退していることです。

市の財政は交付税と補助金に依存する形になっています。第二次産業ではリサイクリングの環境産業が新しく入ったのですけれども、依然としてチッソと関連産業が大半を占めています。新しい芽として考えている第三次産業の雇用面では、医療・福祉産業が最も伸びているのです。患者の救済を始めとして発達した水俣学の一つの成果として、こういう医療、福祉産業が本当に発展するならば、意味がある変化ではないかと思っているのです。水俣湾の浚渫が終わってから環境都市を目指した市の振興開発事業が展開しています。産業廃棄物を削減したということは、大変立派なことであったと思います。また、二三種のゴミ分別収集もなかなか面倒なことなのですが、これが実行されている。環境マイスター制度を作るとか環境教育が行われていることは大変進んでいることだとして、二〇〇八年環境モデル都市、二〇一一年日本の環境首都に指定されたということも、事業としては一つの成果だと思います。しかし、果たしてこれは「内発性があったかどうか」が問題です。そして、こういうことをやっても、「人口は増えなかった。減る一方ではないか」という批判があるのですが、環境まちづくりというのは、内発性があれば水俣市の在り方として妥当ではないかと思っています。

日本で被害者を入れたまちづくりの運動というのは、西淀川だけでなく、神奈川県の川崎とか兵庫県の尼崎、あるいは岡山県倉敷の水島などで行われています。この方向性が一つの環境政策としての環境再生の在り方ではないかと思っており、水俣の中でも実現されていくことを望みます。素材的に見ますと、水俣地域は自然環境に恵まれ、農・漁業の発展とその産物を利用した観光業の発展というのが考えられるので、その意味では「内発的発展をしうる主体」があればと思いますけれども、率直に言って今のところ、新しい内発的発展の道を進めていると高く評価することはできない。そのなかで、甘夏やお茶の輸出が進行しているので、これが一つの芽を開いていると思いますが、改めて漁業や海岸や山手の観光業をどうしていくのかが課題ではないかと思います。また、先ほど言った福祉・医療関連で地域ケアというものが理想的にここで行われていくとすれば、やはり全国の中でもユニークな再生になるのではないかと思います。

先ほど被害者が加わっていくということが重要だと言いましたが、その点では水俣病センター相思社があり、水俣病の資料整理や研究施設を作って交流を図っています。また、被害者が作ったと言われている水俣協立病院、あるいは原田さんが水俣学を作ろうとした水俣学研究センターがある。こういう所に、被害者を入れてこのまちを再生し、研究を発展させることを期待したいと思っています。やはり、「自治体はどうか」ということが非常に重要だと思うのですが、ここの自治体は政策がよく変わるので、環境都市を作ったのはいいことだとしても、必ずしも内発的発展の主流になっているとは思えないのです。私は、中国での水俣病シンポジウムに一緒に行った吉井正澄元市長を評価していまして、彼が始めた「もやい直し」、あるいは「村丸ごと生活博物館」というのは、一つの新しい文化的、コミュニティ的な連帯を作っていくと同時に、観光にも結びついていくのではないかと思うのですが、これも残念ながら訪問者が激減しているということなので、持続させることを市民も考えていいのではないかと思います。

一方で、相変わらず政府や県による地域振興開発が主流というか、非常に多いですね。地方都市でこれほど政府がいろんな計画を持ってきている地域はないのではないでしょうか。それは水俣病に対する慚愧《ざんき》の念で行っているのか分かりませんが、少しやりすぎだという気がします。例えば、環境省の環境白書は水俣を地方創生のモデルとして紹介しているのですが、中身を読むと、そこには、依然として生産の地域循環が少ない、貯金の資産は市外に流れてしまっている、サービスが地域外に流れていると悪いことばかり書いてありまして、どうして地方創生になるのか、これがモデルとして『環境白書』に載るのか分からないです。その後、小林光次官（当時）をサポートするきちっとした研究者を入れた「みなまた環境まちづくり研究会」が発足して、大きな報告書が出ています。これも分析では、地域循環について、あるいはそれぞれの施設について書いてはあるのですが、中身を見ますと、「何がこれからの水俣の発展の基軸になるのか」ということが分からない。ただ、お金をかけてつくったのだから市民がもっと読んで利用してもいいのではないか、とは思います。

もう一つ、チッソの子会社ＪＮＣが、今流行のＳＤＧｓの一つでもある「企業の社会的責任」（Corporate Social Responsibility）について報告書を出しています。読んでみましたが、驚いたことに、ＪＮＣの「ＣＳＲ ＲＥＰＯＲＴ ２０１８」には、水俣病のことは一言も書いてありません。しかし、真の地域貢献、真のResponsibility（責任）は被害者の全面救済であるはずです。そして、住みよいまちづくりへ積極的に事業を出すということではないかと思うのです。もしＪＮＣが水俣病と縁を切りたいと思っているなら、水俣市の再生は困難だろうと思います。「市民といかに連帯するか」ということこそ「ＪＮＣの持続的発展」になるのではないかと私は思います。

## 「現状復帰」という被害補償

水俣病問題は公害環境問題の原点です。被害者の救済、環境の再生のみならず、今後の維持可能な発展を考える場合に無限の教訓を含んでいます。しかし国内においては、この歴史的教訓に学ばなかった福島原発災害、アスベスト災害や、沖縄の辺野古基地建設などの失敗が繰り返されています。今後、工業化、都市化を急いでいる途上国にとっては、水俣病をどう解決するかは環境保全とＳＤＧｓの教科書であると言ってもいいと思います。私は水俣病の被害者が人間の尊厳を守り、安らかに一生を送るまで、国とチッソの責任は終わらないと思っています。そして自治体と住民は、水俣市で破壊されたコミュニティを安全安心なまちとして再生する責任を果たさなければなりません。

日本の場合、戦前の公害問題というのは財産権の侵害でした。例えば、漁業や農業が被害を受ける。それは戦前でも裁判になって被害者が勝ったことがありますが、戦後は健康被害なのです。健康が害される、あるいは死亡する。これは非常に難しい問題を含んでいるわけです。今までは、そういう問題を救済するとなると、医療過誤訴訟を見ると分かるように、その人間がどのような有害物質を取り込んだのか、どのように人体に到達したのか、その有害物質に関連する病気をしたのか、ということを個別に証明していた。四日市公害やイタイイタイ病裁判の判決では、集団的にある地域が汚染されて、その汚染された地域に一定期間住んでいて、必ずその汚染物質に暴露され、その汚染地域で起こっている病気が有害物質によるものである、という疫学的な判定ができれば、公害として認めました。これは、財産権あるいは個別的病理学による被害認定とは違う方法です。非常に大きな戦後の公害裁判の法理の前進であって、今はもう日本では行政法についてもその疫学的な判断を中心にしています。ただし、これについては、最近アメリカその他から、そういう総合的な疫学的判断ではなくて、病理学的な判断でいくべきではないかという批判も出ているようです。

このように「人格権」という形で健康被害を疫学的に認める方法ができたことは大きな公害史上における前進ではあるけれども、残念ながら今行われているのは民事賠償裁判です。お金、慰謝料なのです。公害の判定方法は、自動車の事故から起こった慰謝料の在り方を基本にして、責任を認めた企業あるいは国が慰謝料として払うという形になっているわけです。お金で解決するのか、ということです。また、お金で解決する場合には、重症だったら一八〇〇万円、そうでなければだんだん下がり、最後は「特措法」による水俣病被害者になったら二一〇万円。全部一緒に同額を払うことはできないので、被害認定をして賠償額を区分するのは悪いとは言えないです。法学上、法制上は間違いではないです。しかし、それでいいのかということはあると思います。一番大事なことは「原状復帰」なんです。その人が病気になって仕事もできない、楽しいこともできない。そこが問題なので、金をもらったからそれが回復するわけではない。その人が本当にいい治療を受けて、できるだけ原状回復するように努力をする。そしてできないならば、周りの人達がその人が安心して安全で暮らせるようにする、救済はそこまで考えなければならないというのが私の考えです。ですから裁判で勝ったら終わりでもないし、被害が認定されたら終わりでもない。やはり、「一人一人の人間がその人生、人権を維持しながら全うできる」というのが、被害救済の原則であると最後に付け加えさせていただきます。この国際シンポジウムで皆さんが水俣病問題の多面的な様相に学んで、このような悲劇を二度と繰り返さない教訓を得られることを切に希望します。

## 4. あとがき

二〇二三年九月二七日、ノーモア水俣第二次近畿訴訟の画期的判決がでた。原告の患者一二八人全員を水俣病患者と認定し、一人につき二七五万円の損害賠償の請求を認めた。まず病像ではメチル水銀への暴露と、四肢抹消優位の感覚障害との間に、疫学的因果関係が認められ、毛髪の水銀値が低濃度であっても、また暴露終了から長期間を経た遅発性水俣病の存在を認めた。また政府が二〇〇九年の「水俣病特措法」が決めた対象地域以外であっても、さらにアセトアルデヒド製造停止以後の発症であっても認定した。また民法の除斥期間についての政府の制限を認めず、不知火海でとれた魚介類を継続的に多食したことで、水俣病と認定した。

これは、疫学による判断と原田正純や患者を診断してきた現場の医師の意見に基づく原告の主張を認めたもので、これによれば政府の水俣病対策は全面的に改訂し、疫学調査を行い、水俣病患者の認定をやり直さねばならないだろう。ノーモア水俣第二次訴訟は熊本や東京でも行われて二〇二四年春に判決が出る。これらの判決の結果とその後の法廷闘争を待たねば、この画期的判決が確定するか、それに対応する政府の水俣病行政の改革が行われるかどうかは未定である。しかしこの画期的判決の意義は大きく、この趣旨にしたがって、政府の対策が改革されることを期待したい。

＊初出は『水俣学研究』(10)「公害被害の救済と地域再生の歴史的課題―水俣病を中心に」二〇二〇年。二〇一九年一月二二日の第三回環境被害に関する国際フォーラム講演への加筆。

視点

# 被害者への共感から始まる環境政策

黒澤美幸

水俣では水俣病患者の病状も深刻なものであったが、地域コミュニティに生きる患者の置かれた社会的な状況もまた悲惨であり、身体的、精神的、経済的にも二重三重の苦しみを受けた。現地に行ってそのような患者の様子を目の当たりにすれば、何とか患者に救済をと誰もが思うだろう。アイリーン・美緒子・スミスは写真家の夫ユージンとともに水俣で暮らす中で患者に共感し、水俣病という重苦を背負って生きざるをえない患者のささやかな日常と必死の抵抗をフォトエッセイ『MINAMATA』に表した。この本に世界の人々は心を痛め、アイリーンとユージンの視点に共感し、感じ取った。患者の惨状を知りながらも頑なに対峙し続けるチッソの写真は、企業の背後にあるものを暗示させる。患者が戦っていた相手は一企業のみならず日本の政治経済システムだったのである。宮本憲一は、水俣病は企業によって引き起こされた公害だが、同時にそれは政官財学複合体の引き起こしたシステム公害だとして、政府と学界の責任も重いと述べている（『戦後日本公害史論』）。

一人の写真がもとで、カナダの先住民居留地での水銀汚染の情報がアイリーンに届き、宮本を団長とする世界環境調査団とアイリーンの現地調査が始まる。すると、カナダでも被害者の置かれた同じ構図が明らかとなった。それだけでなく、重篤で典型的水俣病が世界で水俣病の判断基準となってしまい、典型的水俣病の症状が現れていないために水俣病を政府に否認され、積極的な対策がなされない状態が続いていたのである。

宮本は公害被害の実態から学んで、環境政策は次の五つを総合しなければならないとしている。①被害の実態把握と原因の究明、責任の明確化、②被害の救済、経済的補償、健康・生活の復元、③公害防除のための規制、社会資本や土地利用計画による環境の保全、④地域（環境）再生、⑤予防である。被害者の立場から公害論を作り上げていった宮本は、なかでも、被害救済については原状復帰を原則とする立場を採用する。損害賠償の支払いだけでは公害は清算できないというのである。

被害に対する環境政策の公準は、カップの社会的費用の理論を援用すると、第二定義である、人が生命を失わず、健康で安全に文化的に暮らせる状況を維持する水準に達するまで原状復帰することである（第一部第二章参照）。さらに言えば、死亡といった絶対的で不可逆的な社会的損失（人の生命は貨幣価値で表すことができず、貨幣的価値とは別次元の価値であるため、「費用」とせず「損失」と表現）については回復できないので、未然に予防することが環境政策の原則となる。この理論を現実の政策として実践しようと、被害者に共感し被害救済に苦闘する研究者の姿があった。宮本の編著書を追ってみよう。

一九七七年出版の宮本憲一編『公害都市の再生・水俣』（筑摩書房）は、患者の救済と同時に水俣地域の再生を願った研究者らの格闘の書である。異分野の研究者らによって執筆されていて、行政の責任を明確に追求する論文、医学的側面からみた水俣病の認定基準の問題点など鋭い論点の論文などから構成されている。ここでは、西村一郎の「水俣地域における住宅・住居地改善―水俣病患者の全面救済をめざして」に注目したい。移動の自由を奪われた水俣病患者が地域社会の中で人間らしい生活を取り戻すために、住宅と居住地域全体としての福祉水準の改善を、具体的な施策にして提言しているのである。西村は水俣病患者の住宅困難の事例を丁寧に分析した上で、水俣病患者のためのモデル住宅を提言し、これは現実に水俣病患者の佐々木つた子さんの住居で具体化した。提案に沿った家が建てられる様子が『水俣レクイエム』（岩波書店、一九九四年）に描写されている。患者に住みやすい住居環境をとの願いが込められて建設される新居を、つた子さんも心待ちにしていた。しかし新居に移り住んだつた子さんは、わずか九日間過ごしただけで水俣病で亡くなった。二九歳だった。この書は佐々木つた子さんが残した歌の数々を中心に、宮本をはじめ、つた子さんを取り巻く医師、研究者や家族、友人らの文章が添えられた、文字通りのレクイエムである。宮本の著作の中でも学術書とは違って、ヒューマニズムを感じる異色の書となっている。そこには公害の現場でじかに水俣病に向き合って痛みに共感した人びとの思いがそれぞれの言葉で述べられており、水俣病患者の被害の残酷さに胸が塞がる思いがする。

公害を解決するためには、患者に対する補償金、生活費や医療費、遺族の生活費の形で貨幣的に賠償する形での救済だけでは不十分であり、自然環境を再生し、地域社会を患者が人間の尊厳を持ちながら生活できるように福祉水準を高めることまで含めて、被害以前の原状に回復しなければならない。このことを、つた子さんへの共感を通して、理論ではなく心から納得させられるのである。

『公害都市の再生・水俣』から本書所収の講演「公害研究における水俣病問題の意義と課題」まで四〇年以上にわたって、宮本は水俣の被害救済と再生を一貫して訴えている。水俣病については、被害救済の基本である被害者を認定し、経済的補償をするという段階で今でも救済が滞っている現状がある。

しかし、本書を編集している最中に画期的な司法判断が下された(第三部三章のあとがきは、この判決が出た後に加筆された)。二〇二三年九月二七日、大阪地方裁判所は、ノーモア水俣第二次近畿訴訟の原告全員の水俣病被害を認める原告全面勝訴の判決を出したのである。これは水俣病特措法から漏れてしまった水俣病被害者の救済に一歩近づく判決と評価される。この判決を皮切りに、水俣病の被害者が全員救済され、水俣の地域再生が進むことを願わずにはいられない。

## 市民が判断する大切さを共有

アイリーンは対談の中で、これまでの連綿と続く公害反対の運動と、公害裁判での被害者と宮本ら研究者を含む弁護団の必死の活動のおかげで、現在の清浄な環境があることを強調した。そして、今では自らもその歴史に連なって、環境被害を予防するために脱原発と地球温暖化防止を目指して、環境市民団体グリーン・アクションで活動していることを熱く語った。そのなかで、原発をどうするかという判断は、専門家に委ねるものではなくて、市民が自ら判断して選択できる課題であるという重要な発言があった。自分の住む地域の原発避難計画を見れば、だれもが自分の現実的な問題として原発を考えることができるというのだ。

この議論は、かつての三島・沼津・清水の二市一町の住民と繋がる。石油化学コンビナートの誘致を阻止した際に、コンビナートによって自分たちの地域にどのような影響があるのか、住民は四日市など公害地域へ行き被害の実態を調べ、環境アセスメントを行なったり学習会を重ねて学んでいった。市民が地域開発の影響を自分の問題として具体的に考えた結果、開発をストップさせる判断を下したのである。その基底にあったのは、コンビナートによって地域で得られる貨幣的な価値よりも、人が生命を失わず、健康で安全に文化的に暮らせる状況を維持すること、ここに高い価値を認めたのである。開発を中止することは、環境被害を予防するための環境政策の手段として重要な選択肢の一つである。この結論が、本対談から導き出された最大の成果であろう。

原発の再稼働と新規建設が国策として進められている今、原発をどうするのかを市民が判断する時期にきているのではないだろうか。市民が主体となって福島原発事故での被害の実態を調べ、地域の原発避難計画を知って学習する。原発を自分に関わる問題として学習すれば、判断はおのずと決まるだろう。

宮本とアイリーンは海外での過酷な環境下で調査を一緒に周ったり、宮本の研究室にアイリーンが下宿したりと親交が厚く、対談では二人の思い出を談笑されていたのが印象的だった。アイリーンはグリーン・アクションの活動が評価され、二〇二三年七月に保健・医療・福祉の分野で功績のあった人に贈られる「若月賞」（第三一回）を受賞した。心からの喜びとしたい。

（敬称略）

# 第4部　自治と未来

## 社会の「容器」をどう提供するか

本書の最後は「自治と未来」と題し、加茂利男大阪市立大学名誉教授との対談、および論文「地方自治研究史私論」を収録する。「コモンズ」や「ミュニシパリズム」など、身近な地域での市民の参加や資源の管理が現代社会の課題解決のカギを握るという主張が近年注目を集めている。市場では適切に提供されない共同社会的条件をどのように提供していくのか。協議を通じてこれを配分する仕組みが「自治」であり、宮本経済学のテーマの一つでもある。対談では、第一線の研究者であり、かつ地方自治運動と伴走してきた二人の経験が語られる。大都市大阪、衰退から再生するニューヨーク、日本の都市社会政策を先導した関一。「自治」の創造と可能性が縦横無尽な語りから浮かび上がる。

# 第1章　地方自治研究史私論

## はじめに

日本地方自治学会は、一九八六年一〇月に創設されて三三年を迎える。戦後憲法で初めて「地方自治の本旨」が宣言され、画期的な制度改革が行われた。ところが、学会の設立は四〇年以上遅れている。それは、学界で地方自治の研究、広く言えば地域関連の科学の研究が遅れていたためである。地方自治は学際的な領域であるために、専門分化する近代科学の潮流の下では研究の方法論が成熟しなかったこともある。それだけでなく、長い間革新派やリベラルな研究者を含めて、民主的中央集権が統治形態の理想とされていたからである。杉原泰雄は、田中二郎の憲法論が典型で、多くの憲法学者がこれに従い、地方自治は中央政府が認める範囲での行財政の効率化のための分権と理解していたのである。地方自治が住民自治を基礎にした分権であり、民主主義は住民の自治権の確立がなければ実現しないということが、学界の中で認められるには時間がかかったのである。

経済学の分野でも、地域経済は国民経済の部分に過ぎないと理解されていた。地域が多様な自立した政治経済を形成し、歴史的な共同体を形成し、それが相互に影響を与えながら国民経済、さらには世界経済が動いていることが経済学界の中で理解されるには時間がかかったのである。後に述べるように、自治体の基盤である地方財政が国家財政と違い、独自性があり、それが地域経済、地域問題、地方自治によって規定されていることを研究者が理解するためには長い苦闘の歴史があったのである。柳田国男や宮本常一の民俗学や地誌学を除けば、他の社会科学の地域分野についても同じような戦後研究史の遅れがあったであろう。地域研究の独自性、地方自治の本旨の研究が今日のように開花し、独自の学会が設立されたのは、研究者の努力もあるが、戦後の政治・経済・社会・環境の変化と、その中で生まれた社会運動の成果によることがおおきい。

　ここではまず、戦後の地域研究の黎明期について簡単に紹介し、次いで地方自治研究に画期をもたらした自治労の地方自治研究活動の意義を述べたい。この運動は地方自治研究の学際的集団を生んだだけでなく、市民運動を生む手掛かりを生んだ。その市民運動が革新自治体を生み、政治史上、地方自治の独自性とその課題を明らかにした。革新自治体の衰退と新自由主義グローバリズムの到来は民主主義＝地方自治の危機を告げ、地方自治関連の学会の設立を生んだ。一九九〇年代は先進資本主義国に共通してグローバリゼーションによる国民国家の統治形態の改革として、分権化が進んだ。さらに二〇一〇年代にこの分権化政策の修正として広域行政と集権的ナショナリズムの動きによる政治の迷走が始まっている。特に日本は社会資本の老朽化、人口減少の始まり、東京一極集中と地方の衰退、相次ぐ災害、それに対応できない財政危機、政財界の腐敗、官僚組織の劣化によって未曽有の民主主義の危機に陥っている。沖縄問題がその象徴である。このような戦後の地方自治研究の変化について、本格的な著作が必要だが、その予備としての私論的なデッサンをしたい。

## 1．黎明期の地方自治研究

戦後憲法による地方自治制は挫折した大正デモクラシーの改革を継承し、国民主権と基本的人権と民主主義を実現する制度改革を示した。地方自治の本旨に従って、地方自治法、地方財政法などが制定され、普通選挙制度に基づく地方議会・都道府県知事公選制、公務員制度、行財政自治権、住民投票制度などが実現した。地方自治の顔といってもよい地方財政制度については改革が遅れたが、世界的な財政学者であったシャウプ博士によって、市町村を基礎とする財政制度が勧告された。この骨子は地方公共団体の財政は独立税としての地方税を主財源とし、国庫補助金を原則として廃止し、不足する財源として国税の一部を地方財政平衡交付金として交付する制度だった。これを受けた日本財政学を代表する神戸正雄博士の委員会は、国政選挙や国家的統計などのごく一部の国政委任事務をのけて機関委任事務の全廃を提言した。これは画期的な提言だった。しかし政府はこの二つの提言の実現によって集権的な行政が不可能になることを恐れて、全く反対の改革をした。

明治地方自治制以来の機関委任事務は継続し、むしろ高度成長期の環境・福祉・教育などは機関委任事務の急増を進めた。国庫補助金はシャウプ勧告の直後から義務教育国庫補助金が創設され、その後「土建国家」といわれるような公共事業補助金を中心に急激に増大した。地方財政平衡交付金は地方交付税交付金に改革され、地方団体の自主的な査定による補給金でなく、国税の一定割合を国が決めたモデルによって作成された地方財政計画に従って交付する制度となった。地方税は地方税法によって、独立税とはいえ課税対象と税率が定められた。地方債は国の財政投融資計画の中で、許可制にされた。こうして、憲法の地方自治権は財政制度の中で、中央政府の統制の下に置かれることになった。

国と地方の総合的財政支出の役割分担では国四対地方六となり、地方の役割が国際的にみても最も大きく、分権＝地方自治の国家のように見える。しかし税収入では国六対地方四となり、地方の自主性は小さくなる。特に国庫補助金が地方財政収入の四分の一を占めた。公共事業補助金は地方公共団体の事業の中では道路・橋梁など目に見える物的施設であり、人件費と違って住民には目に見える成果とされるので、政権党の地方支配の手段となった。私は補助金とその獲得のための陳情政治が日本の草の根保守主義の根源であると規定した。機関委任事務は府県の場合、事務の六〇％以上を占め、市町村ですら二〇〜三〇％を占めた。この機関委任事務と補助金事業は霞が関の事業官庁の権限と結びついているので、官僚の天下りを生み、事実上知事は官選のごとく中央政府に従属する状況を生み出し、また地方議会は政権党が多数を占める根拠となった。こうして憲法上の地方自治が実体的には自治権のない分権となり、中央政府の下部機構にされてしまった。その中でも戦後早い時期から京都の蜷川虎三府政のように中央政府に反対し、憲法の地方自治を高く掲げていたことは、後の革新自治体の先駆として重要な意義がある。

一九九六年、日本地方自治学会の席上、「私と地方自治」のテーマで報告したように、一九五〇年代に地域研究の重要性に気づいていたグループは多くなかった。東京では 辻晴明グループ、藤田武夫グループ、関西の島恭彦グループだけだったのではないかと思う。一九五三年に最初の米軍基地反対闘争で内灘問題が起こった。これは今の沖縄辺野古問題の前身である。最初は、オール石川で基地問題の担当大臣を落選させるような全国的な反政府運動だった。しかし、政府は基地承認の補償として公共事業を認め、国有地払い下げ、河北潟干拓事業などを約束して、地元の網元などの名望家層を切りくずし、地元の反対運動をおしつぶした。私はこの問題に日本の地域経済・行財政・政治の本質があると考え、他の金沢大学の同僚とともに「内灘村」（『思想』岩波書店、一九五四年四月）を発表した。これは地域経済・

行財政の最初の報告書として学会で注目され、阿利莫二さん、石田雄さんや柴田徳衛さんが私を訪ねられ、内灘に案内した思い出がある。

この時期に有名な藤田・島論争があった。この詳細は先述の「私と地方自治」に譲るが、島恭彦は『現代地方財政論』（有斐閣、一九五三年）の中で、現代資本主義の下で地域経済の不均等発展は必然的に進行し、この場合には地方財政平衡交付金のような財政調整制度では大都市以外の地方団体の財政の危機は解決できないと、シャウプ＝藤田武夫の古典的地方自治論を批判した。しかし、島恭彦は後に地方自治擁護の論理を書いて、現代資本主義の下でも地方自治運動の必要を認めた。シャウプは新古典派経済学派の経済学者なので、地域経済の不均等発展法則は認めず、不均等があれば競争原理の下で必ず均衡すると考え、交付金のような財政調整制度は一時的なものだと考えていた。しかし、現代資本主義の下では経済成長をすればするほど資本は東京に集中し、地域経済の不均衡が大きくなり、財政調整制度には限界がある。その点では島の指摘の方が正しかったといってよい。

神戸勧告による一九五三年の市町村合併は、戦後の地方自治体の体系を作った。勧告は必ずしも上からの強制で行う計画ではなく、市町村の自主性を尊重していた。しかし実際には、政府は憲法に反して上から合併交付金・合併債などによる振興計画のアメを示し、他方、期限を決めた強制合併のムチが施行された。このため、人口八〇〇〇人を目途とする合併が進み、一九六〇年、九八九五市町村は三九七五市町村に三分の一となり、政府の目標を達成した。この統治構造の再編の意義を明らかにしようとして、島グループでは資料の収集と実態調査を重ね、『町村合併と農村の変貌』（有斐閣、一九五八年）を出版した。自ら評価するのは烏滸《おこ》がましいが、これは今日まで繰り返された市町村合併政策の意義を明らかにし、明治地方自治制の本質とその後の大正デモクラシーの地方自治の意義を述べている。

統治機構の改革のために、日本は強制的にこれまで三回の大合併政策を行った。これは政府が近代化（工業化・都市化）を強制的に進める手段であり、このために生産・生活の共同組織だった村落共同体を法制上の自治体として認めなかった。このため、自生的な住民自治の近代的発展が阻まれた。このことによって成立した明治地方自治制の市制町村制は、自治体というよりは政府の下部組織としての性格が強いものだった。このため村落共同体は「区」のような名称で残り、入会権のある部落有林野や水利権のある水利組合は今なお残っている。昭和の市町村合併は、義務教育の中学までの延長や戦後の民生事業・公共事業費の増大に見合う広域合併をしたが、住民自治の発展には寄与しなかった。

## 2. 地方自治研究活動から市民運動へ

一九五〇年代前半、災害が頻発した。これは戦争中の治水事業の遅れなどが原因だが、戦後の地方行政の発展に財政収入が追い付かなかったためである。自治体財政は危機になり、生活保護費が支給されず、公共事業の支払いや職員の給与も遅配となり、職員の人員整理も始まった。政府は地方財政再建特別措置法を施行して、地方団体の財政権の一時停止という緊急対策をおこなった。当時分裂を解消して統一した自治労はこの危機を乗り切るために地方自治防衛大会を各地で繰り広げた。自治労は財政危機と政府の自治権はく奪によって、住民と自治体職員は同じように被害を受けたので、共同行動ができると考えていた。

しかし大会を開いてみると、PTAや町内会などの住民組織の代表は、教員の首を切っては困るが行政職員の仕事は無駄が多く、人員整理をしてもよいのではないかという意見を述べた。これは当時の自治労の若い幹部に大きな衝撃と現状批判を生んだ。そこで事態の打開を図るために一九五七年、「地方自治を住民の手に」というスローガンで、地方自治研究活動を始めることにした。これは、自治体労働者が住民とともに行財政を点検する学習をし、行財政改革の道を開こうとしたのである。

この自治研は、地方公務員が憲法に制定されている地方自治の本旨を実行し、特定の個人ではなく、全体への奉仕者であることを自覚させ、進んで地域住民の要求に応える労働者像を作り上げる始まりとなった。この集会はその後二〇年ぐらいはマスコミも報道するぐらい注目された。第一回の甲府集会の内容を一面使って報道した朝日新聞の見出しは「お役人の反省」だった。自治研は自治体労働者が地方行政の実務者であるだけでなく、地方自治のコーディネーターとしての役割を果たす力量をつける学習会だった。同時にこの集会は、助言者として参加した研究者に地方自治の実態と展望を学習する重要な役割を果たした。

一九五六年秋、私は武蔵大学の小沢辰男助教授とともに自治労本部に招かれて、自治研活動を始める意義があるか、研究者がこれに協力するかどうかを尋ねられた。自治労事務局としては、当時の地域研究者の意向を知るために、小沢は藤田武夫、私は島恭彦の代理としての了解を取りたいと考えたからだった。私たちは、この活動が当時の日教組の教研活動以上に政治的社会的に意義が大きく、研究者はまだ少数だが協力できるだろうと述べた。自治研はその後、島恭彦、藤田武夫、木村禧八郎や庄司光などの学会の会長クラスを入れ、柴田徳衛、吉岡健次、松下圭一など、第一線の若手研究者を助言者集団として組織する大きな集会になった。その後の自治研活動の展開と意義については『月刊自治研』六〇〇号などに譲るが、この集会に結集した助言者集団が学際的な地方自治学を作る主体になったといってよい。

自治研が政治や社会に大きな影響を与えたのは、一九六一年の「地域開発の夢と現実」というテーマで開いた静岡集会だった。当時、政府の高度成長政策の重点は、重化学工業を全国に配置する地域開発だった。全国の自治体がこの政府の政策の指定を受けようとして競争を始めた。自治体は企業の誘致のために道路・港湾・工場用地・用水などの公共事業を進め、減税政策を行った。これは福祉や教育などを遅滞させた。この状況に対して、自治研はこれまで、職場自治研として生活保護をどのように改革するかなど職場の個別的なテーマを研究していたのだが、地域開発が果たして地域経済を発展させ、住民の福祉を向上するかどうかを問うために政策を検討する自治研を行うことを決めたのである。

この集会で出席者に最も衝撃を与えたのは、政府の地域開発のモデルとされた四日市コンビナートで深刻な公害が発生していることが報告されたことだった。これまで石油コンビナートの排水で漁場が汚染されていることなどが伝えられてはいたが、この集会で大気汚染によって八〇〇人を超える喘息《ぜんそく》患者が出るなど深刻な公害が発生していることが明らかにされた。当局は専門家に依頼して、公害の調査報告書を作っていたが、今後の開発の妨げになるとして、これを秘密にしていた。その報告書を四日市市職労や三重県職労が勇気をもって公開したのである。地域開発に日本の未来をかけている政府と自治体に、これは決定的な批判となった。出席していたマスメディアが「四日市に公害が発生」と全国に報道し、雑誌『世界』は「地域開発の夢と現実」という特集を組んだ。私はすぐに四日市に調査に入り、これが公害研究のスタートになったのである。

自治研が開いた地域開発批判、特に公害問題は研究者の力もあり全国に広がった。特に一九六三〜六四年の静岡県三島・沼津・清水二市一町の公害反対住民運動が政府と企業によるコンビナートの誘致を阻止したことは画期的なことだった。この運動の独自性は、従来のように中央政府へ陳情するのでなく、徹底して地元で大衆の世論を作り、地元自治体に集中的に反対を運動し、議会と首長の政策を変えたことである。つまり、地方自治運動の成功だった。地元の研究者が環境アセスメントの調査をし、政府の調査団と公開論争をして、「公害のおそれがある」こと明らかにした。さらに住民は、主なコンビナートの現地調査をし、環境調査報告書や内外の研究を資料に三〇〇回の学習会をもった。科学運動だったことが反対運動の成功の原因だった。

政府と企業が総力を挙げた地域開発が初めて住民運動によって敗北したのである。このため、政府は公害防止の法制化を図り、経済開発だけでなく、社会開発をせざるを得なくなった。

この三島沼津型の住民運動は全国に広がった。当時工業化とともに急速な都市化によって、公害・災害、住宅難、交通マヒ、学校・保育所不足などの都市問題が爆発的に発生していた。これらの問題を解決するために大都市圏を中心に市民運動が広がった。それは従来のように労働条件を改善するための労働運動とは異なり、生活環境などの地域の条件を改善する新しい社会運動だった。この急速に社会運動として発展した市民運動を背景にして、社会党・共産党などの革新政党と総評などの労働運動が自治体改革を始めた。

## 3. 革新自治体の成果と課題

一九六〇年代の後半から一九八〇年代の前半にかけて、社共両党を中心として労働運動や市民運動に支持された自治体の首長が誕生した。この革新自治体は東京、大阪、京都、神奈川、福岡、沖縄などの府県、名古屋市、神戸市などの政令指定都市の大都市圏を中心に人口の四〇%を占めるほどに広がった。中央政府が自民党単独政権の時代に、文字通り地方自治の力を示す歴史的な時代となった。革新自治体は地域の性格、支持母体や首長の性格によって多様なので、一概に規定できない。しかし共通して、革命ではないが「憲法を暮らしの中に」というスローガンに象徴されるように、公害・環境問題・全面福祉・地方自治の面で中央政府のできなかった行政効果をあげた。

特に公害問題では、政府が世論に押されて一九六七年にようやく制定した「公害対策基本法」が、財界の圧力で「経済発展と生活環境の調和をはかる」という妥協的な目的とされた。このため環境基準などの規制値が財界の希望通りに東京都や北九州市戸畑区の汚染された現状の容認だった。東京都はこれを真っ向から批判して調和論を捨て、企業に最大限の公害防止を義務付け、環境基準を健康の保持のできる正当な基準にした東京都公害防止条例を作った。政府はこのため条例を法律違反としたが、都は世論と多くの研究者の支持を得て施行した。一九七〇年暮れに政府は公害の深刻化と国内外の世論に屈服して「公害国会」を開いて、調和論を捨て生活環境優先の公害一四法を制定し、翌年環境庁を発足させた。これは革新自治体＝地方自治の勝利といってよい。それ以後も総量規制、自動車公害規制など公害行政は自治体が先導した。また、福祉の面ではこれまでの貧困対策だけでなく、すべての子育て世帯や高齢者世帯が安心して暮らせる全面福祉を進めた。いわば政府に代わって福祉国家の政策を行ったのである。松下圭一はシビル・ミニマムとして、都市化社会の政策公準を提言し、それは革新自治体だけでなく一部の保守自治体の政策にまで普及した。

大阪府の黒田了一知事は日本で初めて文化行政を始めた。これまで教育委員会の中で処理されていた文化行政を独自の領域とし、国の経済主義に対して、文化こそ住民生活の基盤にあるべきだとしたのである。これは後に長洲一二神奈川県知事に継承され、行政の文化化とされた。当時、革新自治体は国よりも進んだ行政を進めているとして、「先取り行政」といわれた。この時代ほど自治体職員が国の規制を意識せずに自信をもって自由に発想し、新しい行政を考えた時期はなかったのでないか。しかし、一九七三年の石油ショックとそれに続く不況は財政危機を招いた。同和問題をめぐる革新自治体を支えた政党間の分裂もあって、革新自治体は衰退していった。

このユニークな革新自治体の成果と敗北についての本格的な検討はなされていない。今後の日本の地方自治の再生のために研究者による歴史の検証が必要であろう。今後の課題について当時の革新自治体と関係した経験から簡単に評論したい。

第一に、革新自治体は国と地方の行財政制度を変えることができなかったことである。一九七三年、東京都は「東京都新税財源構想」を発表して、国と地方を総合した税制改革の構想を示した。そこでは、国税の所得税、法人税、消費税などの主要財源が高額所得者や大企業に有利になり、不平等であるとともに税収の減少を招いていることを明らかにし、公害防止税のような企業の社会的費用の課税化を図り、その改革を通じて地方財源の確立を図ろうとしたのである。地方自治の基盤はそれにふさわしい地方財政でなければならないが、それは地方税だけの改革でなく、税制全体の改革、さらに機関委任事務のような歳出面での国と地方の財政関係を変えねばならないことを明らかにしたのである。この提言は基本的に正しかったのだが、遅きに失した。六〇年代後半に提示されたのならよかったのだが、すでに不況が始まった段階では十分な議論にならなかった。このため、法人の集積利益に課税する事業所税の採用と法人事業税の超過課税が認められるにとどまり、この課題は後世に託された。

第二は、革新自治体には産業政策がなかった。大都市は地方工業都市とは違い、中小企業の集合地である。当時の革新首長はマルクス経済学あるいは社会政策論者が多く、この都市産業は大企業の下請け、あるいは二重構造の底辺にあるので社会保障の対象であって、産業政策の対象ではないと考えていた。産業政策は国の事業であって、自治体はその能力はないとしていたのである。しかし、大都市の中小企業は大企業の下請けになっている分野もあるが、新産業を生むインキュベーターであり、精度の高い職人的な技量の継承をしている。その意味では、大都市あるいは中都市では独自の産業政策がなければならない。経済政策のないことが当時の革新自治体の大きな欠陥だった。自治体の経済政策は今後の課題であろう。

第三は、住民の参加について情報公開や具体的な行政制度が十分に作れなかった。一九七〇年代後半に重大な財政危機に陥ったニューヨーク市が、区議会よりも小規模の五九の地区コミュニティ・ボードを作り、イタリアでは地区住民評議会という小議会がつくられて、それぞれの都市の市民の活力を生んでいる。しかし、日本の革新自治体はこのような住民参加の制度を作れなかった。かつての保守系の有力者と同じように市民は陳情して要求を実現していることが多く、地域協議会のような無給の住民議会は実現できなかった。この住民参加の制度化の課題は今なお残っている。

## 4. 日本地方自治学会の成立

一九八〇年代に入り、世界的な不況の中で多国籍企業によるグローバリゼーションが始まり、イギリスのサッチャー政権とアメリカのレーガン政権は福祉国家的政策をやめ、民営化・規制緩和・小さな政府による新自由主義路線が始まった。当時、日本は自動車、電気機器産業を中心に成長し、他国に比べて不況を克服していたが、この国際的傾向を受け、東京都、大阪府、京都府、沖縄県などの革新自治体が消滅した。新自由主義は新保守主義でもあり、公共部門の労働組合を中心に労働組合を分裂させた。自治労も自治研活動も分裂した。市民運動を含めて社会運動が弱体化した。政治、特に政党・労働運動の対立が研究活動の対立にまで及び始めた。戦後憲法の地方自治の理念が革新自治体によって具象化し、理論的な体系が進み始めた時に、研究者組織の対立や研究者を政治的に分断するようなことがあってはならない。危機感を持った私は関西の研究者と会合を重ね、この機会に政治・労働運動から相対的に独自の地方自治研究の学会を作ったらどうかと相談をした。その支持を受けて阿利莫二法政大学長と会い、この際、政治労働運動から相対的に独自の研究者のみの学会を作るのはどうかと相談した。相当長い間話し合いをした結果、阿利莫二も偏らずに広く研究者を結集することに意義があることを認め、学際的な学会を発足することになった。阿利と私は陰に回ることにして、学会設立に積極的に動いていただいた佐藤竺が中心になって役員構成や規約などが作られ、日本地方自治学会が一九八六年一〇月に発足した。行政学、財政学、政治学、法学を中心に都市計画、地域福祉、公衆衛生、教育などの研究者による学際的な陣容で出発し、一九八八年から地方自治叢書（敬文堂）という学会誌を出している。

同じ頃に、自治体職員の中から研究者と共同の研究組織を作りたいという希望があり、田村明などが中心になって自治体学会ができた。これは自治研のように研究活動だけでなく、提言する組織である。発足の当初にあたって、相互に協力し、会員が重複することなどを了解した。また、京都大学に事務所を置いた地方財政研究所を母体にして一九九二年、日本地方財政学会が設立した。これも地方自治の危機を背景に地方財政の独自の研究発展を目的とし、日本地方財政研究叢書を機関誌として発行している。このように、戦後半世紀を経て地方自治関連の学会が設立した。

## 5. 新自由主義グローバリゼーションと統治機構の改革

日本地方自治学会が直面した課題は、政府の分権推進政策による新地方自治法の制定と三位一体改革、市町村合併などの統治機構の改革をどう評価するかである。このような統治機構の改革は、新自由主義グローバリゼーションによって国民国家の行政機能に変化が生まれ、内政の在り方を変えねばならなくなったためである。ヨーロッパの場合はＥＣ成立に合わせて一九八五年、ヨーロッパ評議会閣僚委員会は「ヨーロッパ地方自治憲章」を採択し、加盟国四四か国中四一か国が承認して一九八八年から発効した。この憲章は基礎的自治体を内政の基幹とし、補完性の原理で上級団体は補完的役割を果たすことになっている。分権は団体自治だけでなく、参加という住民自治を進め、分権を保障する財政の確立がうたわれている。これに伴って、北欧諸国では市町村合併が進み、仏伊ではコンミュンを残して広域連携を図る改革が進んだ。また財政改革が進み、特に中央集権国家である仏伊では地方税の新税の設立と強化が行われた。これに対し、米英では市場原理主義で、中央政府を「小さな政府」にするために分権化を進め、分権化した自治体は民営化し、あるいは市場原理で効率的に管理運用をしている。補完性原理によるヨーロッパの民主主義的分権と英米の競争的分権は相違があるが、市場原理が導入され始めた点では共通している。日本の分権推進委員会は当初、「ヨーロッパ地方自治憲章」を参考にしていたが、霞が関官僚機構の圧力のために英米型競争分権に加えて、中央集権政府の下部行政機関としての分権に代わり始めた。理念のあいまいな分権改革だった。

今回の改革では国と地方の事務配分に大きな変化はなく、地方への権限移譲は都市計画、農地転用など土地利用規制に関するものにとどめ、勧告の九〇％以上は関与の縮小や廃止に関するものだった。分権改革の法制上のもっとも大きな成果は、機関委任事務の廃止である。事務配分は自治事務と法定受託事務になり、法定受託事務についての政府の関与は限定的なものになったはずである。これは、沖縄の辺野古基地問題で法定受託事務の「公有水面埋立法」における国の関与で大きな疑問を残している。しかし、安全保障に関するものは国の事務にした。問題の財政改革は小泉内閣の「三位一体改革」に任された。

二〇〇二年度から二〇〇六年度の「三位一体」改革の結果、補助金は四兆七〇〇〇億円削減され、税源の移譲は三兆円だった。他方、地方交付税は五兆一〇〇〇億円削減され、地方財政は六兆円の財源不足に陥った。このため、地方六団体の反対の中で政府は地方再生対策費四〇〇〇億円、法人事業税の半分二兆六〇〇〇億円を国税の地方法人特別税に組み替えて補給した。三位一体改革はシャウプ勧告の趣旨に沿い、国庫補助金を削減して国税所得税の一部を住民税として還元するという措置をとったのだが、地方財政の極端な不均等の状況では、地方税の強化では解決にならないことが明らかだった。財政調整制度を地方自治の本旨に合うように地方団体の関与を認めるのかどうかが課題となった。最近政府は、国庫補助金に変えて地方団体の自主的な運用を認める地方交付金を出すようになった。しかし完全な地方の自由でなく、交付金事業は中央政府の行政に関係し、内閣や総務省の方針で交付金の目的が決まっている。このため、地方交付金は国庫補助金化といってよいのでないか。

分権政策では、基礎自治体の行財政能力を高めるために市町村合併が計画されていた。合併政策は一九九九年の分権一括法の上程から始まって、二〇一一年の東日本大震災で終わったと感じた。これは統治機構の改革であり、都道府県の行政のうち公共事業や福祉などの内政の根幹を分権化して規模の大きな包括的基礎自治体を作り、道州制の道を開く計画だった。そこで、二〇〇〇年合併特例法を改正して三二三二市町村を一〇〇〇市町村に合併する予定で、政令指定都市、中核市などの人口基準を改革して広域都市化を進め、小規模自治体には合併特例債や交付税の優遇措置で合併を促進しようとした。詳しい説明は省略するが、バブル崩壊以後、政府は日米交渉で約束した内需拡大のための公共事業六四〇兆円を景気回復対策とし、これを地方財政に押し付けた。このため、これまで公共事業の中心は国庫補助金事業だったが、それを地方単独事業に変え、最高時には地方単独事業が国庫補助金事業の二倍になった。

こうして戦後財政史上最大の財政構造の激変が起こり、地方団体はこの事業財源を地方債と交付税の元利償還率の引き上げによって行った。この結果、公債が増え、財政危機に陥っていた時に、三位一体による補助金と交付税の減額をうけたのである。このため、地方団体の中には合併によってこの財政危機を乗り切りたいとした。しかし、全国町村会など小規模自治体はこれまでの国の政策が地方自治を無視していることに強い懸念を持っていた。そこで「小さくても輝く自治体」の運動を起こすなど、合併政策に反対の動きをした。これは戦後の地方自治が根付いた行動といってよい。

市町村合併の最終的評価はこれからであろうが、すでに発行されている研究論文では、失敗に終わったという評価が多い。政府の目標は大きく下回り、合併後、一七三〇市町村にとどまった。特に一万人未満の市町村一五三七が合併後四五九も合併せずに残った。合併のデメリットとしては、①周辺部の旧市町村の活力の喪失②住民の声が届きにくくなった③住民サービスの低下④旧市町村地域の伝統・文化・歴史的地名の喪失――などが挙げられている。何よりも具体的な批判としては、市町村合併によって役場がなくなり、職員が激減したために、東日本大震災や原発災害では防災、災害時の救急活動、復興に大きな障害がでているという研究結果が出ている。市町村合併による基礎自治体の弱体化は今後の災害の頻発の中で、重要な問題である。今回の合併は集積の利益に期待したのであろうが、結果は新市町村の行政区域が広がりすぎ、周辺の旧市町村は分散の不利益を受け、生活困難になっている。地域経済の不均等はさらに深まり、改めて自治体の再建が問題になったのでないか。

## 6. 地方自治と公共性の危機

辺野古基地をめぐる沖縄県と政府の対立は、憲法における地方自治の危機を明らかにした。それは憲法の柱である平和、国民主権、基本的人権すべてにかかわる問題である。繰り返した沖縄の国・地方の選挙の結果と県民投票の結果を見れば、県民の辺野古基地建設反対は明らかである。にもかかわらず、辺野古の土砂投入をやめない政府の方針は無法無謀であり、これでは日本は独立国といえるのか、日本を分断国家にしてよいのかという国家の存亡をかけた問題となっている。多くの国民がこれを沖縄問題として矮小化し、この国民国家の危機を理解しないのは市民社会の危機といってよい。この問題をめぐって、政府は国民の権利である「行政不服審査法」をあたかも政府の権利であるかのごとく繰り返し違法といえるように使用して、明らかに「公有水面埋立法」の環境規制や国土の利用について仲井真弘多元知事の無法な埋め立て承認を認めた。沖縄県は国地方係争処理委員会に審査を申し出でたが、委員会は実質的な審議をせず、却下した。最高裁も辺野古基地建設問題では、翁長知事が提出した環境問題に関する第三者委員会の報告など県の主張を検討せず、仲井真元知事の埋め立て承認は違法でないとして、政府の埋め立てを承認した。今後も県と政府は法的な係争をするであろうが、行政的な対立を客観的に裁くべき司法や係争処理委員会が実質的な検討をせずに、辺野古基地建設が唯一の解決策だという安倍内閣の決定に従うのは民主主義の危機であるといってよい。

新地方自治法が制定された時に、安全保障問題について十分な議論がなかった。日米安保条約の下で基地の立地は、アメリカの世界戦略の下で日米政府が協議して決めている。戦時と違い、平和時には基地が地元住民の生命・健康を犯し、環境を破壊するなどの重大な損害を生む場合、あるいは地域経済の維持・発展に重大な支障が生ずる場合に、政府は住民の基本的人権と福祉を守る義務を持つ県知事の意見を聞き、その同意が必要であろう。とりわけ日米地位協定は、欧州の地位協定に比べて基地内の事件について国内法の遵守がなく、完全な治外法権である。したがって、基地が立地すれば自治体は経済計画や環境計画、治安など内政の権限が一切なくなる。この意味では、知事会が提言したように地位協定の根本的な改革が必要であり、改革のない限り、これ以上の新基地の建設は認められないのは当然であろう。日本政府は辺野古基地建設についてアメリカ政府と交渉すべきであろう。最近明確になったように、埋め立て予定地に軟弱な地盤が見つかり、これまでの工法では難しく、工事に巨大な費用と年月がかかるのでないかといわれている。安倍政権は末期に来ているので、この事実を検討せずに工事を続け、次の政権に解決を譲ろうとするのであろう。しかしこれは許しがたい暴挙であって、即刻工事中止をすべきであろう。

先述のように、市町村合併後の統治機構の在り方が問われるが、今の日本の地域政策は危機的状況にある。二〇〇二年、土木学会は人口減少社会の社会資本の提言を出した。エネルギー、上下水道、交通手段、医療、福祉、教育などの社会資本はライフラインといわれるように地域社会の生産・生活の基盤であるが、人口減少社会では、その整備はこれまでのようには進められない。我が国の社会資本は高度成長時代に建設されたので、五〇年を経て老朽化が始まっている。二〇一〇年代には地方消滅という言葉が生まれたが、東京一極集中と地方の衰退の条件の下で、社会資本や公共サービスをどのように公平に進めていくのかは全く新しい課題である。しかも大震災が繰り返され、南海トラフや東京直下地震が三〇年以内にかなりの確率で予測されている。温暖化による異常気象の災害も頻発している。この条件を打開するための財政は、アベノミクスという異常な財政金融緩和策によって、これ以上の拡大は難しくなっている。かつて「土建国家」といわれた時期には、行政投資は一九九五年度で五〇兆円に上ったが、二〇一四年度には二〇兆円台に落ち込んでいる。新自由主義の考え方で、公共事業の一部を公民連携で進めるスキーム（PPP/PFI）などで民営化しようとしているが、公共性に問題があって進んでいない。むしろ公営化に戻る傾向も出ている。

政府は社会資本重点整備法によって四次にわたり重点整備を進めているが、問題の基本的解決ではない。決め手の地域政策として「コンパクト・シティ＋ネットワーク」を掲げ、「立地規制法」によって地方都市に計画を作らせている。しかし、この上からの外生的開発はこれまで同様に失敗に終わる可能性が強い。市町村合併後の地方行政の劣化に対して、「自治体戦略二〇四〇構想研究会」では、分権改革以来の基礎自治体中心の政策をやめ、圏域という広域行政体を作る案が浮上してきている。社会資本、特に福祉・医療では広域行政が必要だが、それは基礎自治体の連携と府県の補完行政によって行うべきであろう。議会のない圏域の広域行政はいよいよ住民自治から遠くなる。この危機の時代に改めて狭域の住民自治の協議体を作り、自主的学習で地域の内発的発展に取り組む道が示されなければならないだろう。

この創立時以来の地方自治と公共性の危機の時代に、日本地方自治学会に対する期待は大きく、課せられる任務は大きいといわねばならない。

＊初出は『地方自治研究の三〇年』「地方自治研究史私論」二〇一九年、敬文堂。二〇一七年一一月一八日の日本地方自治学会研究会の講演原稿を基にした論文。

# 第2章　地域と自治体の未来像を探る

## 対談　加茂利男×宮本憲一

都市政治研究で日本の第一人者である加茂利男さんは、資本主義経済との関係を視野に入れて都市政治をとらえるスケールの大きな議論を展開している。「ぼくは宮本ゼミの一員」と公言する加茂さんと宮本憲一さんの出会いは、およそ半世紀前にさかのぼる。対談では、初めて共同研究した大阪の堺・泉北臨海コンビナートをめぐって、巨大コンビナートの功罪や開発推進側の「地域開発」イメージに感じたズレを語り合い、再生と変化が進む都市としてのニューヨークの魅力、一九八〇年代の大阪を舞台に広がった市民を巻き込んだまちづくりの取り組みを振り返る。二人は自治体問題研究所の理事長を務めた経験を共有しており、地方自治運動を支えるシンクタンクの意義や、組織運営の難しさにも話は及んだ。

日本ではかつて、地域の研究は「泥臭い仕事」とされ、地方は国の政治経済に従属しているという見方が強い時代があった。しかし、宮本さんをはじめとする様々な研究が地方自治の独自性や重要性を明らかにしてきたことが対談から浮かび上がる。最後は、危機に直面する自治の現在地から未来の展望をどこに見出すかがテーマとなった。

## 1．地域開発と自治体

――お二人は堺・泉北コンビナート開発をテーマに共同研究されました。宮本先生は地域経済論、加茂先生は政治学と研究領域が違いますが、どんなふうに研究を始めることになったのでしょうか。

**加茂**　日本の政治学は一九六〇年代頃からアメリカナイズが進んでいて、若手が留学するならアメリカという時代でした。そんな学会の風潮もあって、私もアメリカ政治学やアメリカ政治思想をちゃんとかじっておこうと考え、そういう方面の研究をしていました。

ところが、一九七一年のいっせい地方選挙で大阪市大法学部教授だった黒田了一さんが大阪府知事に当選するなど、七〇年代は大都市がほとんど革新自治体になる状況でした。こうした時代の流れ、時の勢いに私も非常に刺激をうけまして、日本の政治の大きな変化をきちんと考えなければならないと思い始めていました。ちょうどそのころ、七二年か七三年だったと思います。大阪市大の最寄駅だった阪和線杉本町駅の四番ホームでばったり宮本先生にお会いして、「堺・泉北臨海工業地帯の公害問題が大変な問題らしいのでグループをつくって学際的な研究をやりたい、君も政治学という立場から参加してもらえないか」というお話をいただきました。それで研究会に参加させてもらうことになったのが、宮本先生との最初の本格的な出会いだったと記憶しています。

アメリカ政治学の研究とは少し違う面もあって多少努力が必要でしたが、やってみると非常に面白いことがたくさん出てきました。そうした中で、調査をすることの重要性をいつの間にか身に染みて感じるようになっていきました。宮本先生からは、「加茂君、やはり社会科学というものは血の滴るような社会の現実とちゃんと直面する、直視することがなければ、本当にはうまくいかないんだよ」とも言わ

**加茂利男**（かも・としお）　一九四五年和歌山県生まれ。大阪市立大学卒業後、同法学部助手となり、一九八五年に教授、二〇〇七年に立命館大公共政策大学院の教授に就いた。この間、自治体問題研究所、日本地方自治学会、日本政治学会の各理事長を務める。大阪市立大学名誉教授、専門は政治学。著書に『都市の政治学』（自治体研究社、一九九八年）、『世界都市―「都市再生」の時代の中で』（有斐閣、二〇〇五年）、『地方自治の再発見―不安と混迷の時代に』（自治体研究社、二〇一七年）など。

れました。最初はあまり肌に合わなかったんですが、できるだけ現場に出かけ、人に話を聞くことを心がけるようになり、そういう癖がつくようになってきました。現場に行くというスタイル、研究のスタイルが自分の中に定着していったんですね。そういう意味で宮本先生との出会い、堺・泉北の調査は、私の学問にとって非常に大きな変化をもたらしたと思います。

**宮本**　私は、加茂さんをどこで勧誘したのか忘れているのですが、この問題に取り組むには前史があります。

　そのころの日本では重化学工業化・都市化にともなう公害が起こっていて、私は四日市の問題から公害の研究を始めていました。公害問題の中からは、四日市の二の舞をするなという三島・沼津のたたかいが立ち上がり、公害を中心とした都市問題を解決しようとした市民運動の力が、はじめて労働組合の運動とは別に社会運動として力を持ち始めてきました。こうした市民運動が総評の労働組合運動と結合し、それが背景となって東京都の革新自治体をはじめ、社共両党の支持による全国の革新自治体成立につながったのです。

ところが、大阪は東京などの動きに比べると少し違っていました。都市問題は深刻であったにもかかわらず、そのころの大阪府の政策は万博中心でした。また、万博以前から、大阪府では堺・泉北地域に重化学コンビナートをつくり、背後地にはニュータウンをつくるという大規模な開発を進めていました。これは、当時の自治体における最大の開発政策だったといってよいと思います。万博の事業を行う過程で災害が起こったり、いろいろ都市問題が生じたりして、開発政策は大阪府民の生活向上とあまり関係ない形で進められていました。開発を推進していた大阪府企業局は独立性が高く大きな自由を持っていて、大阪府の本庁とは無関係にどんどん進めていく状況でした。企業局は当時、「関東軍」などと呼ばれたりしていたのです。

コンビナート開発が進んでいた堺・泉北地域は、もとは海水浴場があり、漁業が盛んで、とくに北部の方は絶好の住宅地であったわけです。しかも大都市に近接しているところに大コンビナートを作るというのは世界的にも珍しい話で、この事業は他に例を見ない自然破壊と深刻な公害を引き起こすことが予測されました。私は一九六五年に大阪市大に赴任してきましたが、この計画は四日市どころではない大規模な社会問題が起こるだろうし、万博もやるということで、これは何とか止めなきゃいけないと考えました。万博によっておこる社会問題と企業局が進める地域開発によっておこる社会問題、これはどうしても調べなきゃならないと思ったのです。

## 公害をなくす会と黒田府政の誕生

**宮本**　ところが、大阪府は「我々は四日市の公害に学んだので、公害は絶対に起こっていません」という姿勢でした。公害は起こっていると思われるのに、科学的な調査がされていないわけです。それで、一九六八年一一月に「堺から公害をなくす市民の会」を作りました。大阪大学の丸山博先生と私が中心で、堺市の教員組合や労働組合、市民団体に集まってもらって会を作ったのです。「市民の会」は、一九七〇年三月から五月にかけて、新日鉄堺工場付近の三宝地区の松尾町と神南辺町一三三九人を調査した。その結果、その七・一％に慢性気管支炎の症状がみられた。とくに四〇歳以上の市民の一六・二％に有症例がみられた。四日市市や西淀川区よりも高率でした。これを発表したところ、府は慌てたわけです。公害がないといっていたのですから。幸い、のちに大阪市大教授になる大志野章さんが大阪府立公衆衛生研究所にいて、彼が我々の調査の跡付け調査を行い、有症率九％であることを確認した。大阪府も、堺・泉北の開発で公害が出ていると言わざるを得なくなりました。「大阪に公害あり」というのは、万博で浮かれていた全体の空気を変えることになったわけです。

そうやって調べ始めると、地元の堺だけでなくて、周辺にずいぶんたくさんの公害が出ていますし、もともと公害があった西淀川区民なども公害反対の声を強くします。府全域ではじめて公害運動が広がり、地元では大きな政治問題になっていきました。もともと地元の企業は堺・泉北の開発で必ずしもプラスになっていない、むしろ公害を受けていて、開発に反対だという空気がありました。堺市の商工会議所会頭の吉田久博さん（日本伸銅）は非常に優れた人で、我々に協力してくれました。そういう人を含めて、状況が変わりはじめました。

にもかかわらず、大阪府は万博と泉北一区の追加埋め立てというさらなる再開発を基本方針として出した。ますます公害が広がるのではないかと、堺、高石では三〇〇回を超える学習会が持たれた。高石市の議会は絶対反対だとして、大阪府議会が方針を決定するのを止めようと議会に座り込みする。次いで、堺市の市議会も同じような決議をする。地元の議会が大阪府の決めようとすることに反抗する状況が生まれたのです。しかし、府はこれらを無視して泉北一区追加埋め立てをした。一九七一年二月、五六団体を集めて「大阪から公害をなくす会」が結成されました。一方では万博万歳の状況があり、非常にたくさんの人を呼んで動いていたわけだけれど、他方では、大阪府が力を入れている開発に反対する空気が地元に広がっていました。その時に選挙が行われるわけです。

一九七一年四月の大阪府知事選ですが、左藤義詮知事は、万博が成功したということで「万博知事」と呼ばれ、非常に有力な候補でした。しかし、地元で開発への反対が起こっているし、大阪府全体でも公害問題についての連帯が起こり始めていたので、東京と同じような形の革新自治体を作った方がいいのではないかという空気が出てきました。そこで誰を候補に立てるかということになり、候補者推薦の委員長になったのが大阪市大の憲法学の黒田了一さんでした。ところが、いろいろ候補があがってもすっきり決まらない。ぼくも候補に挙がっていたそうです。仕方がないから黒田さんが「私が出ます」ということになったのです。これは非常に成功しました。黒田さんは旧制三高の出身で、関西の中では影響力の強い三高出身者が中心になって黒田さんを盛り立てました。出馬決定後に、大阪で二万人近い人を集めた公害反対集会が行われ、ぼくがそこで記念講演をしました。選挙が始まると、左藤知事が勝つと予測されていたけれども、約二万五千票差で黒田さんが勝った。左藤知事の地盤といわれていた堺でも黒田さんの票の方が多く、票差は二万九千票くらいでした。いってみれば堺市でその差がついた格好になったわけです。保守にとってみれば非常に痛手だったでしょう。

公害については、黒田さんは一九七三年に「大阪府環境管理計画（BIG PLAN）」を策定して全国最初の公害の総量規制をはじめます。そのリーダーだった大塩敏樹さんは京都大学で講師をしていた人で、厚生省の公害調査官を務めた後に大阪府にやってきた人でした。

## 学際的研究と調査が導き出した解答

**宮本**　大都市にこれほど巨大なコンビナートを作っていいのか、つくった場合にどういう問題が起こるのか。大阪府はコンビナート開発だけでなく千里と泉北にニュータウンも作っていますが、それも含めた開発計画によってどういう地域発展が考えられるかを調べることで、この時期における日本の地域政策の最も重要な問題について解答を得られるのではないかと考えました。そこで、大阪府企業局が進めている地域開発を全面的に調べ始めたのです。それをまとめたのが『大都市とコンビナート・大阪』(筑摩書房、一九七七年)です。

私は公害研究を始めた頃から、こういう社会問題は学際的に取り組まないと解けないと思っていて、今回のような大きなテーマではぜひとも政治学や行政学にも研究の中心に入ってもらう必要があると考えていました。特にこの問題では、大阪府や府内自治体の地方自治をどう考えるかが基本になってきますので、学際的チームを作りたかったのです。

こういう調査をするには、所属していた大阪市大の商学部ではなく、非常に優れていた法学部の方が信頼できると思い、若手の中心だった加茂さんに入ってもらいたいと思って誘いました。水口憲人さんも連れてきてくれて、加茂・水口という市大法学部の若手が入って核ができました。市大からは住田昌二さんなども参加し、塚谷恒雄君(京都大学)などのメンバーもそろいました。この「地域自治体問題研究会」の事務局を引き受けてくれたのは大学院生でした。地域経済学を専攻していた中村剛治郎君(大阪市立大学)、財政は遠藤宏一君(大阪市立大学)がやってくれた。他にも佐々木佳代さん(同志社女子大学)

や山田明君（大阪市立大学）、保母武彦君（大阪市立大学）が遠藤君とともに事務局を引き受けてくれた。メンバーが集まり、事務局も固まっていよいよ調査を始めたわけです。

遠藤君がつくった「堺・泉北コンビナート調査日誌」というものがありまして、これを見ると、大阪府の開発の審議会の中心だった京都大学の豊崎稔さんにまずヒアリングに行っています。豊崎さんは経済界、大阪府、大阪市で作った「大阪経済振興審議会」などに加わり、大阪府の地域開発では中心的な存在でした。豊崎さんは我々の意見の方にかなり同調していて、批判的な事を言っていました。「先生が決めたことなのに何でそんなに批判的なんですか」とおかしく思ったことを覚えています。審議会のメンバーで財界人の中心だった栗本鐵工所の栗本順三さんにも会いました。でも不思議にも、中心になった人はみんなこの開発に疑問を持っていて批判的だった。栗本さんも「先生の言うとおりで、大阪は商業都市なので、こんな重化学工業を呼ばない方がいいかもしれませんね」などと言っていました。栗本鐵工所は重工業ですが、素材型ではないんです。栗本さんは最後までいろいろ資料をくれたりして支持してくれました。

調査では行政当局が持っている資料を集めたかったので、革新自治体が誕生して非常にやりやすくなりました。我々はこの開発に批判的だったものですから、特に企業局職員は嫌がったようです。横田茂君（関西大学）と水口君が取り組んだ開発行政の調査は素晴らしいものでした。大阪府の行政が普通の行政体とは違って「やり過ぎている」ことがはっきりしました。そして、コンビナートに対抗する形で作ったニュータウンがイギリスのニュータウンと全く違って、都市ではなく大阪市に付属する住宅群でしかなく、都市政策になっていないことを明確にしました。大阪府の知事部局も協力してくれました。当時企画室長だった西村壮一さんが「本当はこういう調査をしてから地域開発をすべきだった。あなたたちがやってくれて大変助かる」ということを言っていました。私の頼みをいれて、彼はコンビナート全企業の首脳部を集めてくれました。私が調査の目的を述べた後に、彼は「この調査に協力してくださ い」と調査票を渡してくれたのです。この調査票はものすごい項目数で全部の回答は出ませんでしたが、コンビナート進出企業側もある程度調査に協力してくれました。

## 地元経済に合わなかった重化学工業化

**宮本**　調査は成功し、おそらく内容としては他に例を見ない形でコンビナートと衛星都市の実態と公害など都市問題の実態、それから当時の政治意識などを明快に示すことができました。大都市でこういうコンビナートを二度とつくってはいけないという結論が出たわけです。ぼくの日本語の論文はその後、ドイツ語に訳されて、ベルリン社会科学研究所のヘルムート・ワイトナーさんの本に入りましたし、ワイトナーさんと都留重人さんが一緒に作った本の中には英語の論文も入れました。この大都市とコンビナートの調査は私たちのやった研究事業の中で最も成功したものではないでしょうか。以後、大都市でコンビナートを作ることはなくなったと思いますね。

大阪府は、我々がやった調査を吟味したいといって再調査をしたのです。その結果、重化学工業の誘致はこれ以上必要なく、情報産業や機械産業も誘致すべきだったという結論になりました。その結論を受けて黒田知事は一九七八年に、堺・泉北の臨海部の開発は中止し、この地域は他の目的で開発するべきだという方針転換を明確にします。一定の学術的成果と行政的効果がこの研究では実現したと思っています。

この後も、この研究会は戦後沖縄と水俣について共同研究をやったのですが（補注『開発と自治の展望・沖縄』、『公害都市の再生・水俣』）、研究成果を出版した筑摩書房が一九七九年に倒産してしまい、専門家には渡ったけれども一般に普及するまでに至らなかったのは残念でした。加茂さんとは、この大阪研究の過程で知り合い、それから長い関係になっていくわけです。

**加茂**　中村剛治郎さんの力作があの本に収められていますが、その中でいわれているように重化学工業化という言葉は戦前から使われているのです。栗本鐵工所に代表されるように、加工型の重化学工業を大阪に作りたいという考え方は戦前からあったのですが、加工品をつくる元となる鉄や石油といった素材を生産する工業は大都市には向かないという考え方が大阪の財界人の中にあったわけです。そういう考え方がずっと支配的であったにもかかわらず、戦後になると、鉄や石油までひっくるめて大阪の中で作ったらどうかという考え方が、「重化学工業化」という言葉の同一性に引っ張られるような形で強くなります。

最終的には、素材型の重化学工業を引っ張ってくれれば、それが拠点となって工業全体が拡大するのではないかという一種の拠点開発的な発想が独り歩きするようになり、大都市にコンビナートを作ることになっていった。それを解明したのがあの研究会の一つの大きな成果だったのではないかと思います。

**宮本**　調査の結果は客観的数量的に出しているのです。コンビナートは被害を出すが、他方でそれほどの利益を上げていないことを明確にしたわけですね。地域産業連関もできていないことを明らかにした。都市の工業にふさわしいものが誘致されるのではなく、農薬を作るような石油化学を呼んでいます。しかも、地元資本の住友ではなくて三井を誘致する。つまり地元の利益、地元の経済と合わないわけです。堺・泉北の場合、公害のひどい鉄鋼を誘致したのは自動車工業を発展させようとしたからでした。ダットサン、さらにトヨタを誘致しようと考えていたけれども実現しなかった。また、鉄鋼産業を呼ぶのに十分吟味をしなかったので、誘致した八幡製鉄所の製品は結局、建築資材が多くて輸出向けになり、地元の機械工業化とは関係のないものになってしまいました。

社会的費用についても検討しました。公害によるマイナスと社会資本の建設のための膨大な費用との比較です。それを数量的にきちっと示したことで、決定的な結果が出たのだと思います。地域経済を理論的に進める方法が確立しました。

宇沢弘文さんも認めているのですが、コンビナートの社会的費用の評価は遠藤君の業績です。遠藤君は公害による被害の推計にとどまらず、被害をなくすための対策の費用を試算しました。その結果として、被害がないものを作ろうとすると膨大な投資が必要となって、コンビナートの所得では何十年かかっても返せない。大都市にはコンビナートをつくらない方がよかったという結果を出しました。いろんな意味で経済学の前進に役に立ったと思います。

大事なことを忘れていた。あなたたちが堺で公害企業反対の署名運動をやったでしょ。

**加茂** そう、先生、数を忘れているでしょ、約二四万人の署名です。

**宮本** あれはすごかった。

**加茂** あの当時、堺市は人口四〇万人くらいだったのではないか。

**宮本** 商工会議所の吉田さんも協力してくれたからね。

## 2. 都市化の時代と都市政策研究

――一九八〇年に宮本先生が『都市経済論』（筑摩書房）、一九八八年は加茂先生が『都市の政治学』を出版されています。そこで、お二人の都市研究についてうかがいます。宮本先生は、そもそもなぜ都市の研究を始めようと考えたのでしょうか。

**宮本** 最初に都市とは何かということに関心を持ったのは、金沢の三八豪雪でした。この時は長期間、完全に交通が途絶し、死者が出ても運べない状況でした。当時は水洗便所がないのでし尿もあふれ、赤痢がはやりました。この状況を見て、都市は農村と違う、都市の社会科学的な定義が必要だと思いました。農村の場合はどんなに雪が降ろうと自立していくことは可能だけれども、都市は雪を災害にしてしまうのです。都市問題から入って、都市とは何かを経済学的に考えはじめました。

助手時代、研究室に転がっていた本の表紙がものすごく派手で明るくてきれいなのに魅了され、斜め読みしていました。この本がルイス・マンフォードの『都市の文化』の英語版だったのです。読むと面白くて、「こんな面白い学問があるんだな」と思っていました。その時はそれで終わっていたのですが、金沢の問題にぶつかって、農村と違う都市というものの基本的な施設や基本的な性格はどういうものかを考え始めました。当時、『社会資本論』を書き始めて上下水道だとか清掃施設、医療、福祉といった社会的消費手段が都市の労働力の再生産の基礎条件であると定義したのですね。この議論は後に、住民運動の必要性は社会的消費手段の不足から起こるというところにつながっていきますが、私は公害や雪害のような災害の都市問題から都市論の研究に入ったのです。

戦後の復興は、廃墟の中から資本主義国を創造する実験のようなものでした。このため政府は先述のように、地域開発政策をとって急激な重工業化と都市化を進めました。一九六〇年代に資本は大都市圏中心に集積し、それに伴って民族大移動ともいえるほど農村から都市、特に大都市圏に人口が流入しました。都市は農村と違い、社会資本がなければ一日も存続できません。しかし、社会資本は公共性があり、市場経済では処理が難しくて建設に時間がかかり、輸入することもできません。しかも、資本主義社会では企業のためのエネルギーや交通手段などの「社会的生産手段」が優先的に建設されるので、市民のための上下水道、清掃施設、学校、病院、福祉施設などの「社会的生活手段」とその職員の供給は後回しになります。とりわけ日本の行財政は中央集権的で、都市の職員と財源は貧困なので、社会資本の建設は遅れます。こうして六〇年代には、公害・地価上昇のような集積の不利益と社会消費による深刻な都市問題が発生しました。私の『社会資本論』と『恐るべき公害』はこの時期に生まれました。

このような都市問題に対して農村政党の自民党政府は対応ができず、選挙でつまずき、失政も多くなりました。他方、地方自治の立場に立つ市民運動がおこり、この新しい社会運動の力を背景に社共両党や総評の支持を得た革新首長が大都市圏の都府県や市町村で当選し、その支配圏は全国市町村人口の四〇％を占める勢いになりました。このため、これまで研究の進んでいなかった都市政策の研究と提言が焦眉《しょうび》の急となったのです。一九六七年に成立した美濃部都政に『世界』の編集長であった安江良介君が都政のカギを握る特別秘書として参加しました。そのこともあって、岩波書店がかねて新分野として進めていた都市政策の研究会の中心メンバー、篠原一、伊東光晴、松下圭一、宮本憲一に依頼して「現代都市政策」の講座を出版することを決めました。日本では初めてのテーマで画期的な事でした。この講座は学際的なもので、松下君の提唱したシビル・ミニマムを理念としていました。

### 不十分だったシビル・ミニマム論

――講座『現代都市政策』（岩波書店、一九七二―一九七三年）では、共同編集者の松下圭一さんのシビル・ミニマム論を批判されていました。

**宮本**　松下君は旧制第四高等学校の同窓生です。彼は、現代日本は都市国家となり大衆市民社会になっていると捉えていました。他方で、政治は農村社会の基本的性格を持ち、中央集権の官僚支配を続けているので、深刻な都市問題が起こると考えていました。そこで政策の基本的思想を変えようと、シビル・ミニマムを提唱しました。福祉国家のナショナルミニマムではなく、市民の基本的人権と自治を確立し、農村とは違う都市の社会的基盤を整備する改革を提唱するものでした。シビル・ミニマムに基づく彼の都市政策は、国家が必要とする全国共通の公共事業でなく、都市の社会資本の充実を図り、市民福祉を実現し、公害・住宅不足・交通渋滞などの都市問題の解決を目指すものでした。この理論の基本には、私の理論がそのまま取り入れられていました。

その意味では、私はシビル・ミニマムには反対ではありませんが、経済学、特に財政学者としては不十分だと思っていました。なぜなら、大都市化によって地域経済の不均等発展が進んでいるので、今の市場制度の下では農村・地方経済の衰退はこれでは解決せず、また大都市の場合にも集権的財政制度の根本的改革なしにシビル・ミニマムは実現できないからです。私はシビル・ミニマムだけでは都市政策は挫折すると考え、研究会でもそう主張し、また革新自治体の政策にもそれを入れるように求めました。しかし、なかなか実現しませんでした。それで、『財政改革』(岩波書店、一九七七年)を出版したのです。

このような六〇年代後半からの具体的な経験の中から、日本最初の『都市経済論』を書いてみたいと思うようになりました。その基盤には、社会資本論と公害の経済学の到達点があったわけです。

**加茂**　一九八〇年、私がニューヨークでの在外研究から帰ってきたころ、宮本先生の『都市経済論』が出ました。それに刺激されたのが都市研究を始めるきっかけでした。といっても、帰ってきた当座は『アメリカ二都物語』(青木書店、一九八三年)のようなニューヨーク見聞記を書いたり、世界都市論や関一研究の仕事に追われ、直ちに都市政治の理論を考えようということにならなかったのですが、一九八五年に日本政治学会で「都市研究と政治学」というセッションをやることになり、奇しくも松下圭一さんの司会で私が報告することになりました。

そこで宮本先生の都市経済論にならって、都市政治の理論をつくれないかと思いついたのです。宮本先生はマックス・ウエーバーの『都市の類型学』を参考にして、「一般的に言えば都市は非農業的人口の集団的定住地であり、この定住地は政治経済学的にみて、⑴集中と集積、⑵社会的分業、⑶市場、⑷交通、⑸都市的生活様式、⑹社会的権力——という特徴を持っている」と言っておられます。ウエーバーの『都市の類型学』の「都市」の定義は少し込み入っていますが、一般的には巨大な一体的定住を示す「大集落」で、「市場定住地」だといっています。宮本先生の都市概念のなかにある「社会的権力」は直ちには出てこないのですが、都市が「都市経済政策」ないし「経済規制」をおこなう団体でもあるとも言っていて、これが宮本先生のいう「社会的権力」にあたるんだろうと解釈していました。ウエーバーはこういう一般的な定義をしたうえで、さまざまな都市のパターンを論じており、これが「類型学」になるのだと思います。

政治学会の都市と政治についてのセッションで発表するにあたって、私は「政治における都市、都市における政治」というタイトルをつけました。西洋語の政治の語源はポリスであり、アリストテレスの「政治学」は「ポリスに関する事柄」という意味だったので、政治と都市の概念はもともと重なっていたのではないか、ポリスが成立して初めて「政治」という社会現象が生まれ、政治的共同体としての都市のなかで政治的な活動が活発に営まれるのだという、非常に概念的な話をしたわけです。学会は研究者の集まりですから、概念的な話はけっこう受けたように思います。松下さんがどう思われたのかは分かりません。

この学会をきっかけに都市政治の理論を考えてみようと思うようになり、一九八八年の『都市の政治学』につながったのです。この本でかねて考えていたように、都市と政治の概念的な重なりをアリストテレスから出発してマキャベリやルソー、マルクス・エンゲルスの「都市」概念も引用しながら論じました。マルクス・エンゲルスになると、都市は「市民階級の団体」であり、労働者や農村での手工業の発展を抑える「所有の保護」のための団体で、「都市と農村の対立」を引き起こすとされます。宮本先生の「シビル・ミニマム」論批判に通じる話だと思いました。

こんな調子で一応、都市政治の理論をまとめたつもりでしたが、この理論編をもうすこし丁寧に体系的に展開できなかったかという気持ちが残っています。

松下さんの理論についてちょっとコメントしておきます。

松下さんとはいろいろな場面で接点があり、大阪市大法学研究科に集中講義に来てもらって、大学近辺の居酒屋で宴会をやったり、後には私が付き合いのあった八尾市に講演にきてもらったりしました。ざっくばらんな人柄で、大学院生や自治体職員とも対等におしゃべりして気を遣う人で、私は大いに好感を持っていました。ただ、松下都市論には違和感がありました。松下さんは工業化の進展とともに都市は全般的な生活様式になり、都市対農村という生活様式の分裂は消失し、農業地域に住む農民も都市型生活様式に包摂されるとして、こうした全般的な「都市型社会」の生活に必要な社会保障、社会資本、社会保険などのシビル・ミニマムの公共的整備が必要だとする「シビル・ミニマム」論を提唱しました。

ここには都市化を進歩と考え、農村を軽視する「都市主義」的な思考があるような気がして納得できなかったのです。また二〇〇〇年に地方分権一括法ができたとき、私は税財源配分の分権化が行われず、機関委任事務は廃止されても通知とか指針とかいう形で国の自治体への関与の余地が残されていたことを批判したのですが、松下さんからは、機関委任事務を廃止した「分権一括法」の意義を過少評価するのは間違っているとお叱りを受けました。逆に私の方は、松下さんが平成の市町村合併についてほとんど議論していないことに違和感を持ちました。二〇一三年に出た『二〇〇〇年分権改革と自治体危機』（公人の友社）でも、市町村合併や道州制などの自治体区域の再編のことには触れられていません。私の方は「小さくても輝く自治体フォーラム」などを通じて、自治体の区域再編は自治体の存立の問題だからこそ、小規模自治体はこれを簡単に受け入れるわけにはいかないのだと思って取り組んでいたので、松下さんがこの問題に触れないのが理解できませんでした。

## 3. 最先端都市ニューヨーク

――ともにニューヨークに留学されました。お二人がニューヨークを選んだきっかけや、当時のニューヨークの状況についてお聞かせください。

**宮本**　都市経済論の対象として考えた場合、一番面白そうなのがニューヨークでした。都市の先端、都市政策の先端を走っていると思ったのです。それで、一九七二年に国際財政学会があったときにニューヨークに行きました。当時、従弟で大阪大学歯学部助教授の岩壺克哉君がニューヨークの研究所にいたので、都合がよかったのです。

この時期はちょうど、ニューヨーク自身が変わり始めていたときでした。それを見て、都市が大きく変貌する時期が来ているのではないか、これはちゃんと調べた方がいいと思いました。改めて『都市の文化』を読んでみると、マンフォードも典型としてニューヨークを徹底的に分析していました。都市を考える場合、まずニューヨークを考えてみて、そこから出発してもいいのではないかと考えました。

私の場合、マルクスから都市論に入っています。ですから、都市と農村の対立をどう解消するかというマルクスの地域政策の基本にあるテーマを大きな課題だと考えていました。資本主義社会では都市化していくことによって農村が衰退するので、そのこと自身が一つの大きな矛盾を生む。それゆえ都市と農村の対立が資本主義社会におけるもっとも重要な、社会的、地域的な対立になるというのがマルクスの見方でした。この問題をどう解くかも都市論を研究する者の一つの課題だと思っていて、都市化の極限の大都市の場合にどう考えたらいいかを研究しようと思ったんですね。そこで一九七七年にニューヨークに留学しました。

加茂さんと違って、私は大学に行かずにＩＰＡ（ニューヨーク行政研究所）にいって、ライル・フィッチ所長やデビッド・マメンさんなど、都市研究者と付き合いました。また、ニューヨーク市の財政局長のジョン・Ｌ・ファーバーさんと仲良くなって、ニューヨーク市役所に出入りし、資料も沢山手に入れることができました。ニューヨークはちょうど七〇年代に入って大転換している時期でした。それまでニューヨークは全米最大の工業都市だったのですが、大きく産業構造が変わり、商業、金融の街に変化していきました。

一方、ニューヨークはアメリカの都市の中では社会福祉が充実している街です。いわば「福祉国家」のようなものです。たとえば当時、医療費が一割ぐらいの負担だったと思います。かぜをひいて病院に行ったのですが、ほとんど払わなくてすむくらいでした。カナダは旅行者も医療費がタダなのですが、アメリカの場合は莫大なお金を取られると思っていたが、そうではなかった。それだけニューヨークはアメリカのなかでは特別な地域で、福祉が充実していたのです。産業が転換して収入がなくなっているのに福祉をしたものだから、大赤字になるわけです。私が行ったのはこの財政危機をどうするかという立て直しの最中でした。

マンフォードは、パトリック・ゲデスのエコロジカルな都市論をもっと発展させ、都市を生物と同じように生成、発展、死滅または再生すると考え、「都市輪廻説」を唱えました。『都市の文化』を書くにあたって、マンフォードはニューヨーク市を端から端まで何度も歩いて実態調査を重ねました。独占資本主義、信用経済、金銭的名声というメガロポリス・ピラミッドの三面が無計画な人口の広域化と企業の過密化を進め、やがて地価上昇や犯罪などの都市問題を引き起こして、その解決を公共部門にゆだねる。その結果、経済・財政の危機に導くと予言しました。また、マンフォードがそれ以上に都市の衰退の要因としたのは市政に対して住民が無関心になり、都市がテクノクラートに独占されて住民の参加がなくなることでした。

私は、ちょうどマンフォードが予言したような危機に直面したニューヨークの中に入ったのです。すごく参考になりました。つまり、都市をエコロジカルに見るべきだということです。かつて世界の文明の頂点に立っていたニューヨークが貧困と犯罪のまちになっていました。私は七三番街のインターナショナルハウスにいたのですが、この横は黒人の多い住宅街でした。そこで暴動が起こって、いつもお酒を買いに行く酒屋が襲撃されているのを見ました。世界文明の頂点に立っている町が全く市民に捨てられてしまい、危機に陥る状況を見た。まさにマンフォードのいうとおり、都市が衰退して市民が都市を破壊することがありうることを目の当たりにしたのです。

ニューヨークは再建にあたって州の管理下に入るのですが、市民が再生を求める形で市民参加の新しい形が作られていきます。行って驚いたのは、行政区は五つですが、もっと細かく分かれて市民が参加できるコミュニティ・プランニングボードが設けられていて、それが電話帳にも載っていたことでした。住民の力に依拠して都市を再生しようという動きがでていて、これも参考になりました。衰退、そしてその再生のためにどうしたらいいかについて、都市政策のあり方について、ニューヨークでずいぶん貴重な経験をしたように思います。

それはともかく、ニューヨークはいい街ですからね。まず面白い。メトロポリタンやブロードウェイに行くと、いくつもの芝居や音楽が見られる。文化の街だなと感じました。司馬遼太郎の言ったとおりだと思いました。つまり、ニューヨークの良さというのは、多様性でいろいろな文明がまじりあって出来上がったもので、京都の文化などとは全く対照的です。いわば、いろいろな色が混じって黒になっているのです。たくさんの色を混ぜていくと黒になるように、ニューヨークは黒の文化なのですね。たくさんの民族の文化が入り混じって一つの独自の文化を作っている。そうした面白さはちょっと他のところでは味わえない。ロンドンもそうかもしれないが、ニューヨークはとくに面白いです。学ぶこともあったし、楽しむこともあったので、アメリカにいくならニューヨーク、と加茂君に勧めたのです。

## ワールドシティと「二都物語」

**加茂**　そのとおりです。少し話を戻しますが、結局、都市というのは生活手段を自給自足できない世界です。したがって、水にしても灯をともすためのガスにしても、共同でそれを供給しないとできません。だから、遡ると一八七〇～八〇年くらいにイギリスのバーミンガム市で、ジョセフ・チェンバレンという市長がガスと水道の社会主義、つまり、ガスや水道など私人が自給できないような生活手段を共同で金を出して供給するシステムを作り始める。それが都市的な生活様式のそもそもの発端だったと考えています。

宮本先生がおっしゃったように、一九七〇年代以降のニューヨークは残念ながら一時ほど調子は良くないわけです。他の都市に比べればましですけれど、逆にいろいろ費用もかかります。私などは、連れていった娘がひきつけを起こして熱を出し、ホームドクターの車で運ばれてマウントサイナイ病院というセントラル・パークのそばの病院に五日間入院しました。余計な話ですが、この病院は、「ある愛の詩　ラブ・ストーリー」という映画でヒロインが入院したところです。その病院で、私の娘が退院したときに出された請求書が一〇〇万円でした。五日間で一〇〇万円、ちょっと目をむきました。ニューヨークといえども、昔みたいにシティ・カレッジの授業料はタダ、病院に入っても全部タダであるというようなことはなくなってきているのですが、他の都市、例えばシカゴなんかに比べると、ニューヨークはやっぱり公的福祉が充実しているといえると思います。

私がニューヨークに行こうと決めたのは、在外研究のタイミングが回ってきたときに、堺・泉北の研究会で宮本先生に相談したところ、「ニューヨークに行ったらどうか。面白いよ」と言われました。「面白いよ」というのが決定的でした。それで、ちょうどニューヨークが衰退しつつあると思われていたタイミングであえてニューヨークに行ったのです。

あの頃のニューヨークを描いた映画は、例えばチャールズ・ブロンソンの「狼よさらば」とか、ロバート・デニーロの「タクシードライバー」とか、殺伐とした映画ばかりで、恐ろしいイメージでした。ところが、ちょうど私がニューヨークにいる間に、新しい変化が起こってちょっと別のニューヨークを浮かび上がらせていました。産業構造が変わって、工場労働者があまりいなくなります。ニューヨークは六〇年代から七〇年代にかけて八〇万人くらい人口を減らすのですが、それに代わってサービス業や金融・保険・不動産業といった分野で働く人たちの雇用が増えてくるわけです。

また、市民たちが市のサービスや市そのものの復活を待っていてもしようがないと考え、自分たちでブロックつまり南北、東西の通りに挟まれた住区という単位で、日本の町内会みたいな組織を作り、自分たちで公園の修理をしたり、犯罪が起きないようにみんなで協力して見回りをしたり、いろんなことをやり始めるわけです。このブロック・アソシエーションがニューヨークの中に姿を現し、それが市民たちの中に、ニューヨークをよみがえらせる機運を作り出していくわけです。マンフォードの輪廻でいえば、落ちるところまで落ちたニューヨークが、そういう活動の中でだんだんと再生を始めるのです。また、一九七五年にはニューヨーク市が市憲章（チャーター）を改正し、「コミュニティ・ボード」という都市計画や予算配分の優先順位について住民の意見をまとめて市と交渉できる組織を作りました。そのコミュニティ・ボードは全市で六〇前後あり、小さい行政区みたいになったのです。

都市そのものは有機体ではありませんが、都市をつくる人間は有機体で、落ちるところまで落ちると、そこから何とか立ち直ろうとする努力を住民たちが始める、そういう機運が起こり始めたのがちょうど七九年だったんですね。

一九七九年一月一四日の「ニューヨークタイムズ・マガジン」のカバー・ストーリーに「アーバン・ルネッサンス」というタイトルのレポートが掲載されました。そこでは、ニューヨークは落ちているばかりではない、よみがえりつつある、とくに、高次のサービス産業などについては世界一だという考え方が打ち出されます。その後ニューヨークの再生が目に見える形で始まっていきます。

七〇年代の衰退から八〇年代に入ると、アーバン・ルネッサンスの時代に入ったという調子のいい議論も始まります。まんざら嘘でもなくて、七〇〇万人ちょっとくらいまで落ちた人口がだんだん戻り始め、八〇年代の終わりくらいには八〇〇万人にまで回復しました。移民労働者を含めて世界中から労働者が集まり、多国籍企業で働いている外国人も含めて人口がどんどん増え、まさに輪廻といえば輪廻、再生過程が始まっていきます。

マンフォードの都市輪廻説を見ると、最後はネクロポリスでほとんど衰退、衰亡、消滅してしまうかのように見えるのですが、都市をつくる人間たちの営みが都市を復活させる機能を果たすのだということが私の頭の中にも少し出てくるわけです。特にニューヨークは世界都市、ワールドシティと呼ばれ、都市に戻ってくる中流層がジェントリー、中流層が増えてくる現象がジェントリフィケーションと呼ばれていました。ワールドシティとジェントリフィケーションという言葉が、八〇年代以降のニューヨークを考えるうえで重要なキーワードだと思えるようになってきました。私は宮本先生の「ニューヨークは面白いよ」という言葉を話半分に聞いていたのですが、やはり面白いなと思いました。

宮本先生が書かれた本に、夜遅くブロードウェイの劇場でミュージカルを見て、一杯やって帰るとき、地下鉄の駅にやってきて、そこでなんか怖そうな黒人の人に出会ったという話が出ていたと思います。すごい度胸だなあと思ったんですが、ぼくもニューヨークを調査しているうちに、ハーレムが怖くなくなってきました。ブロック・アソシエーションやコミュニティ・ボードのリーダーみたいな人達を訪ねてインタビューする作業を始めたとき、ハーレムのあたりはできれば足元の明るいうちに行きたいなと思っていたのですが、夜八時に来いと言われてこわごわ行ったのを覚えています。でも、行き始めるとそれがまたやみつきになって、結構夜にハーレム近辺をうろつくのが平気になってきました。どこが危ないか、いつが危ないかがだんだん察知できるようになり、ニューヨークで生きていく術みたいなものを経験から学ぶようになってきました。そうなると、ニューヨークが本当に面白くなってくるのです。「ニューヨークは面白い街だよ」の意味がだんだん自分の経験を通して分かるようになってきた気がします。そのあたりから、都市そのものを研究する視点が変わってきたように思います。ただ、高次サービス業に携わるジェントリーが増えると、彼らの生活にサービスを提供する下層のサービス労働者も増えてきて、人口が増えるだけでなく、都市住民の二極化も起こってくる。そのことを「二都物語」と呼んでみたのです。

## 4. 一九八〇年代大阪の都市づくり、都市論

——八〇年代は日本でも都市のあり方に関心が集まった時代です。お二人が足元の都市づくりにどう関わってこられたかをうかがいます。

**加茂**　大阪に戻り、ミナミ（船場以南）で開かれた「大阪をあんじょうする会」（大阪都市環境会議）の会合に出席し、若手経済人の集まりであるＪＣ（青年会議所）の人たちにニューヨークの経験を話したところ、すごく面白がってくれました。ＪＣを中心にした若手のミナミの企業家たち、商業者たちはその頃、いろいろ新しい活動を始めていたのですね。街をきれいにする、掃除をする、それから街を面白く

する。面白い街でないと人が寄り付かないというので、ちょっと無理やりみたいなところもありましたけど、「アメリカ村」とか「ヨーロッパ村」という名前をつけて町の個性を出し、街を演出し始めるわけです。そういう活動を若手のまちづくりの担い手たちが始めたことに、私も非常に興味を惹かれました。面白い街をつくる、それを通していい都市をつくる活動をしているミナミの人たち、商業者やアーティストたちを名前も顔も出して紹介する本を高田昇（COM計画研究所代表）さんたちとつくりました。それが『大阪盛り場図鑑』（創元社、一九八五年）です。これを読んで面白いと思い、ミナミへやってくる若い人たちがまた増えていったようです。

ニューヨークのブロック・アソシエーションなどの活動は、ミナミのJCの人たちの関心も集めたようで、ニューヨークの再生の話をしろというので講演に行きました。その講演のタイトルが「それからのアイラブニューヨーク」。面白いタイトルをつけるなと思いましたね。八〇年代になって、ミナミの盛り場の雰囲気がなんとなくギアが入って面白くなってきた気がしています。近年は「ネオ中華街」といわれる、人も言葉も文字も中国人、中国語がマジョリティというエリアも生まれているようで、街の雰囲気もだいぶ変わっているようです。

**宮本**　「大阪をあんじょうする会」の設立は日本環境会議と関係しています。日本の場合、革新自治体や公害裁判のおかげで一九七〇年、一挙に公害（環境）一四法ができ、かつ公害裁判でほとんどが勝訴したために、世界的にもまれにみる形で目に見える公害をなくすことに成功していったわけです。ところが、これは本当の意味で身についていなかったということなのですが、企業の公害防止対策は一九七三年の不況が始まると後退していきました。

一九七七年に水俣病患者の切り捨てが始まります。労働災害の基準で線引きをするので、環境災害である水俣病の患者がどんどん切り捨てられていきます。チッソの救済と政府の財政的な問題が理由で、二〇〇〇人までは救済できるけれど、それ以上増えると対応できないというのが当時の政府の本音でした。それで、七七年に水俣病の認定基準が変えられてしまったのです。同時に、大気汚染のNO$^2$の規制基準も緩和され、急激に発展していた公害対策、環境政策があっという間に不況と企業の圧力で後退していきました。「日本は非常にひどい公害を起こしたけれども、環境政策の前進もすばらしかった」と世界が非常に驚いた状況が急に抑制されるようになりました。

それで、私は都留重人さんと相談して日本環境会議を作りました。研究者を集めた学会は中立で提言してはいけない、政策提言するものではないという原則があるから学会を作るのは難しい。けれど、提言ができるような研究者の会議があってもいいのではないかということで、学際的で市民に開かれた提言する会議として一九七九年に日本環境会議をつくりました。第一回会議では日本の環境政策がどうあるべきか、第二回会議では都市の環境政策、アメニティを提言しました。

日本環境会議の第二回は一九八〇年に大阪で行いました。この大阪の会議で、「日本都市環境宣言」を出しました。これは高田昇君が原案を書いて、ぼくが直して採用しました。この時に会議を開いた中之島公会堂は満員でした。あの公会堂が埋まるくらい日本環境会議に対する市民の熱意があったんだと思います。そこで都市環境宣言を採択した。これはやはり地域におろすべきだという意見が出てきたので、私が代表で高田君を事務局長にして組織を設立しました。正式の名前は「大阪都市環境会議」だったけれども、「『あんじょうする会』にしようや」という声が出てきました。私は大阪人ではないから「あんじょう」という言葉がよく分からないのですが、「よくするということ?」と尋ねたら「違う、違う、〝あんじょう〟するんだ」と言う。結局、「しょうがない、あんじょうするというセンスがみんなが分かっているなら、あんじょうする会でいこう」となりました。都市環境会議なんていう名前はどこかにすっ飛んじゃって、「あんじょうする会」になったのです(補注「あんじょう」は「うまく」といった意=『大阪ことば事典』)。

「あんじょうする会」は、中之島まつりと共同する取り組みをしていました。当時、大阪で稼いだ所得の高い人たちは奈良や西宮に住んでいて、大阪に居住していませんでした。大阪に住んでいるのは貧困な人たちが多かったのです。中之島まつりは、今の大阪はその良さが分からなくなって衰退しているけれど、どんなに住みよいかを広め、みんなが愛せるように、そしてもっと中産階級を呼び戻したい、という願いを込めた取り組みでした。中之島まつりでは、都市計画など建築関係の人たちが中心になり、落語や漫才の人たちが協力してくれたり、建築専攻の学生たちが無料奉仕をしてくれたりした。「あんじょうする会」も、まちを楽しくしよう、アメニティのある街にしようということで共同していました。加茂君が言ったように、まず賑わいをつくろうというまつりです。大阪はもともと賑わいのあるまちですから、もう一度、大阪の中で賑わいが芽吹くようにということです。

もう一つの大きな目的は水都再生でした。「あんじょうする会」では、『泥の河』(筑摩書房、1978年)を書いた宮本輝さんを呼んでいろいろ議論しました。なんとかしてもう一度きれいな水都にしようというのが基本にあったんですね。賑わいと水都の再生です。

その中で、若い人たちが都市論の勉強をした方がいいということになり、宮本塾というのをやりました。さすが大都市だと思ったのですが、大盛況でした。裁判官が来たり、大阪外大のモンゴル学科の課外講義みたいになってモンゴル語専攻の学生が全員来たりしました。宮本塾で一番みんなが興味をもったのが、マンフォードの『都市の文化』でした。宮本塾は、私が大阪市大を定年退職になり立命館大学にかわるまで一〇年以上続き続きましたが、残念ながら主力メンバーがみんな立命館に移り、終わってしまいました。一九九〇年代の初頭に木津川計君(『上方芸能』編集長)や高田君やぼくや加茂君が順番にいなくなって、「あんじょうする会」も自然消滅した感じになっています。

## 「都市格」と「水都再生」を後押し

**宮本**　八〇年代全体として革新的な運動が停滞している中、中之島まつりなど大阪の中で活発な都市づくりの取り組みがあったのは、「あんじょうする会」のおかげだと思います。なんかやってるぞ、という感じでした。結局その後、府や市も水都再生に動いて政策の中心が取られてしまった感じですが。八〇年代のそのころ、我々は「都市格」ということを言っていました。大阪には都市格がない。やっぱり都市格のあるまちをつくらなきゃならないと。

大阪市の第七代市長の関一は、「大阪都市協会」という研究調査したり文化を進めたりするような団体を作りました。東京でいえば市政調査会（現在の後藤・安田記念東京都市研究所）にあたるようなものです。一九二五年の大阪都市協会設立総会で大阪をどうすべきかを議論する中で、「都市格のあるまちをつくる」ということが提案されました。大阪を産業経済が発達するだけでなく、文化豊かな都市にしなければならないという意味合いです。木津川君もそれを使ったのですが、「あんじょうする会」も、賑わいがあるだけでなくて都市格のある大阪にしようと打ち出しました。大阪というと「どつく」など、どこか下品な感じで見られるのはおかしいのであって、大阪にはそうではない伝統があり、都市格のあるまちにしなければならない、というのが「あんじょうする会」から出た一つの提案です。

大阪ガス社長の大西正文さんが大阪商工会議所の会頭になるとき、私のところに秘書課長が来ました。実はうちの社長が商工会議所の会頭になって大阪を立て直すときの標語を何にしたらいいかを考えていて、先生の「都市格」を読んで「これだ」と。都市格について少しお聞きしたいと言ってきました。そして、うちの社長が会頭になるときには是非ご出席くださいとも。そこで私は、都市格について支持してくださいと申し入れました。「あんじょうする会」は八〇年代から九〇年代にかけて、大阪の都市政策に関してある程度支持されていたのだと思います。

たしか一銭もカネがなかったはずです。みんなの厚意で集まっている団体ですが、本を出したり行動したり発言したりすると、必ず朝日新聞などが取り上げてくれて、我々がやることはかなり目立っていました。市民が都市政策をつくるべきだというニューヨークから学んだ考え方での運動としては、一定の役割を果たしたと思いますが、やはり人だなあ。中心になっていた全員が立命館に行ってしまい、消えてしまった。その後、大阪はだんだん維新の会に流れてしまって、今は本当に情けない状況に陥っていますが、これもなんとかしなければという感じがしています。

水都再生も、当時における一つの新しい動きでした。そのころ、高度成長政策によって埋め立てや干拓で破壊された海岸と湖を保全しなければならないという空気があり、水都再生の提案が全国的に大きな課題となっていました。宍道湖の水都再生の画期的な成功にも関連しているし、「あんじょうする会」にはいろんなところから水都再生をどうしたらいいかという働きかけがありました。当時、熱心にがんばっていたのは北海道の小樽運河の保全です。小樽で中心になった峰山冨美さんは、「あんじょうする会」とずっと連絡をとって交流しており、我々も何度か小樽に応援に行きました。西武の社長はぼくと会っていたとき、「これは大事なことだ。小樽運河は残した方がいい」と言い、小樽運河を残さないなら西武は小樽への進出から撤退します、とも言いました。それが非常に大きな影響を持ち、幸いにして運河は残ったのです。そういう意味で、「あんじょうする会」はわりと全国のその後の水都再生の旗頭になっていて、琵琶湖保全の国際会議でも中心的な役割を果たしました。大阪では府と市の事業で水都再生が成功したと言われているけれど、大阪の歴史に「あんじょうする会」のことを一言でも書いてほしいと思っています。

**加茂**　西武の社長は堤清二氏ですね。中之島というのは、関一が行った大阪の都市づくりの中でも重要な位置を占める場所だと思います。パリのセーヌ川にシテ島というノートルダム寺院が立つ島がありま す。対岸にパリ市役所を臨むこの島と同じような形で、大阪都心を流れる川を中心に水の都にふさわしい景観を作ろうという発想があったのではないでしょうか。

## 関一の都市社会政策

――宮本先生を代表に関一研究会がつくられ、関一の再評価もされました。

**加茂**　第七代大阪市長の関一については、近代大阪を語る場合にはやはり触れておかなければなりません。関はもともと一橋大(旧東京高商)の教授で、商工政策という講義を担当していた人ですが、そのテキストの中で、都市というのは社会問題の吹き溜まりみたいな場所である、そういう社会問題を解決するにはいろんな考え方があるけれども、自分は社会改良主義の考え方を取りたい、と書いています。社会改良主義の例として、ジョセフ・チェンバレンのガスと水道の社会主義とか、アルフレッド・マーシャル、ロイド・ジョージなどイギリスの社会政策の分野で活躍した人たちをあげていて、そういう人たちの政策を踏襲しながら大阪の街を少しずつ良くしていきたい、という考え方を示していたわけです。

宮本先生も私も在職した大阪市立大学、旧市立大阪商科大学についても関は述べています。これまで市町村が大学を設立することは考えられなかったけれども、あえてそれを市民の手で作ることには意味がある、もし大学をつくるのであれば、国立大学、帝国大学や早稲田・慶応のような私立大学ではない、都市に密着し、都市の改良に役立つような大学を作る必要がある、と書いています。

関さんの考え方は、都市改良主義というものだったと思います。都市改良主義というのは、その当時のアメリカやイギリスの著名な社会政策家と共通する考え方でした。関さんに対する評価にはいろいろあり、「都市官僚の草分け」みたいに言われることもありますが、それはあの時代が生み出したアンビバレントな状況を表すものでしょう。つまり、関一の都市改良主義は、大正デモクラシーの流れをくんだ合理的、開明的なリベラリズムの側面と、大正デモクラシーから治安維持法、昭和二年の田中義一内閣による山東出兵へと、リベラリズムから急激に軍国主義の方向に切り替わる時代の影響を受けた側面もあると思います。一方では合理的・開明的な思想を持っていながら、あの時期の世界の政治的軍事的環境の中で、日本が急激に軍国化していく時代を生きた大阪の助役、市長としての両義性をもった政治家といっていいのではないでしょうか。私はあくまでも関一という人を世界の都市改良主義者の系譜につながる人物として評価したいと考えています。だからこそ公設市場をつくったり、市営住宅や商科大学をつくったり、市営事業として電気事業だとかいろんな事業を行うことが出来た人物なのであって、あの時代にそうした人物が出たのが大阪という都市の逸することのできない出来事だったと思います。

**宮本**　都市政策に関して言えば、私は関一が行った業績の大きさは大変なものだと思います。明治の終わりから大正の初めにかけては、市議会が大変混乱していたのです。よくいわれるように公共事業にたかって「砂利を食ってしまう」というような形で、本当に市会議員そのものが不道徳な状況で、それを正したのが池上四郎でした。池上市長は会津の出身で警察畑の人でした。あの頃会津は「逆賊」だったから、警察に行く以外に官僚になれなかったんでしょうね。警察出身で内務行政に秀でた人でしたから、大阪市会を正常化できたわけです。そして、大阪市政が軌道に乗るようになったときに考えたのが、大阪の近代化のためにはどうしても科学が必要で、そういうことができる人がほしいということでした。そこで京都大学の戸田海市教授に相談したら、社会政策学会の中で活動している関一という人がいいのではないかと推薦されたのです。

そのころ日本の経済学の中心は社会政策学会でした。ここには河上肇もいて、「関―河上論争」は非常に面白いです。単に学会で活躍しているというのでなく、関は若いときに新潟の商業学校の校長に

戦前の大阪市長、関一の功績について講演する著者＝1986年4月、大阪市中央区、御堂会館

なったりして経営手腕もある人でした。文部省も、日本の商学あるいは経済学の発展の行政的な問題に関して頼りにしていました。日記などを見ても、何かあると文部次官が関の家にまで来ています。そういうところを見ると、非常に行政力のあった人だったようです。

関は一橋を代表する教授でした。彼は、一橋を帝国大学に昇格するつもりだったのですが、運動して失敗します。反対論は非常にくだらないもので、一橋のような実業的な所を帝国大学にするのには反対という意見があったようです。関は、一橋の天地だけが自分の志を伸ばすところではないと、多少一橋の内部についても批判していました。それで、池上の要請に応えて一橋を辞め、大阪に来るわけです。

大阪で関がやったことは、加茂さんが言われたように、社会改良あるいは社会政策的なことでした。彼は「都市社会政策」という言葉を使っているのですが、これは非常に素晴らしいと思います。というのは、社会政策というのはきわめて具体的なもの、つまり、住宅だとか保育所だとか市場だとか病院だとか、そういうものなんですね。地域的なのです。彼が社会政策を都市社会政策と言ったのは、研究する上で非常に重要なことです。

関は「都市社会政策をしよう」としたわけですが、そう簡単にいかないのも事実です。当時の日本ではやはりまず産業の発展になりますから。ですから、第一次都市計画（補注　一九二一年事業認可）では道路、電車、軌道、港湾といった基本的な社会的生産手段を作ったのです。これはこれで、産業都市大阪の骨格を作ったことは間違いないわけです。その後の第二次都市計画（補注　一九二八年「総合大阪都市計画」として認可）については、関は思い切って都市社会政策をしたいと考えていたのですが、それをやり遂げることはないまま死んでしまいました。

そうはいっても米騒動以後、かなり都市社会政策に手を付けています。米騒動があった時期には、保育所だとか住宅だとかもともと考えていた都市社会政策の必要性が誰の目にもはっきりしました。実際に福祉施設や市場のほか、郊外に労働者住宅を作ったりしているのですが、本格的には第二次都市計画でやりたかったんだと思います。しかし戦争でだんだんそういうことが難しくなる中で死んでしまうのです。彼はチフスで死ぬのですが、皮肉なことです。彼にはチフスについて書いている論文があるのですが、日本はだめだ、他の国ではチフスは研究室にしかない、日本ではチフスのために死ぬ人が多い、と嘆いている。そういうものにかかって死んでしまうのです。保健衛生についてはやり残したこともあって、残念だったのではないかと思います。

この時期の関をどう位置付けるかという話がありましたが、ぼくは大阪市大で関一を研究したジェフリー・E・ヘインズ君の言っていることが気に入っています。当時、アメリカなどで「進歩主義」（progressivism）が一つの流行になっていて、関もその一部だと。つまり、福祉国家に入る前の自治体社会主義だとか、戦争に入る前の改良主義や進歩主義の流れの中の一人として評価できるのではないか、ということです。

## アメリカから来た関一研究者

**宮本**　せっかくヘインズ君の事が出てきたので彼のことを話しましょう。ぼくは彼のことは何も知りませんでした。突然フルブライト協会から書類が届き、あなたのところでカリフォルニア大学のヘインズ君を受け入れてくれないかと要請がきました。何を研究するかといえば、関一だという。それで驚いてね。もちろん関一について全く知らなかったわけではありません。特に公害研究委員会のメンバーだった柴田徳衛さんは関一が大好きで、彼の『現代都市論』(東京大学出版会、一九七六年)の中で関一についても書いているし、自分が死んだときに天国で一番初めに関一に会いたいと言っていた。だから知らないわけではなかったけれども、単なる社会改良主義ではないのかと思っていました。ただ、革新自治体の経験から我々も都市社会政策が必要だと考えていた。社会政策はビスマルク型で国家がやれば事足りではないのだと。社会保障や社会保険とかは国家がやるべきことかもしれないが、具体的な住宅だとか保育、医療はやはり都市社会政策なので、都市の仕事だと考えていた。だから、そういう視点で来る人があればこちらもいい勉強になると思ったのです。ヘインズ君は大秀才なんだ。カリフォルニア大学の成績表ではほとんどの科目がAでした。

**加茂**　先生は「黒船襲来」と言っていましたね。

**宮本**　驚いてね。大秀才をどのように指導したらいいのかと思った。まさに黒船の来襲で……。慌てて「関一研究会」を作った。情けない話だが、関一がつくった大学で、関一文庫があるにもかかわらず、関一の研究はほとんどやっていなかった。でも、いい機会だった。ヘインズ君が来なかったら関一再評価とか関一研究は起こらなかった。これは確かに文明開化だね。大阪市大にとってみれば非常に重要な仕事をしてくれたと思います。

うちのゼミに来たので地方財政から勉強させました。日本の地方制度を分かってもらわないと、関一の意味が分からないことになると思ったのです。彼は地主制の勉強はしていました。彼の先生は有名な日本の農業の専門家だったので、相当地主制については詳しかったのです。日本の地方自治は地主の地方自治と官僚の地方行政が結合してできあがっていく。それが大正デモクラシーの中で産業化が進み、労働者階級が増えて中間層が増えてくると都市政策の新しい背景が出てくる、ということを学んでほしいと思って、藤田武夫さんの『現代日本地方財政史』（日本評論社、一九七六—八四年）を使ってゼミで報告しろと言った。

私は、彼が書いた『主体としての都市』（邦訳 勁草書房、二〇〇七年）が関一研究の手本になるのではないかと思います。本の最後のところで、関は結局、彼の理想を成し遂げられなかったとある。満州事変の始まる後半は自由でなかった。関の一番の親友は美濃部達吉ですが、上京すると美濃部達吉や岡実に会っている。関の持っている天皇制に対する考え方や憲法に対する考え方は天皇機関説だったと思う。

関に対する批判としては、市民参加に否定的で優秀な行政官に依存したことがあります。しかし一番感心したのは、市民がみんな「関さん、関さん」って呼ぶんだね。それが関の市民性を象徴する。司馬遼太郎も関さんと呼んでいました。司馬遼太郎は一番初めにぼくたちのやった『関一日記』（東京大学出版会、一九八六年）の仕事をほめて、「いい仕事をしてくれましたね」と言ってくれました。宝塚のプロデューサーが「あんじょうする会」に入っていたんだけれど、その人と木津川さんに誘われて、関一がよく通っていたという料亭に連れて行ってもらいました。そのころはまだ娘だったという女将さんがでてきて、「先生、あんなに素敵なきれいな人はおまへんなあ」と言っていました。自分は娘だったけれど、関さんが来たときは何とかお酌したいと出て行ったという話をしていたところを見ると、相当な人気があったのは間違いない。そういうふうに慕われたことだけでも素敵な市長だということだと思います。

**加茂**　関一は毎晩、公的な会合や会食のあと「少酌」と称して一人二次会をやっていたんです。お酒が強かったんだと思います。私はヘインズ氏とは大いに仲が良かった。彼が関一の研究をして論文を書きに大阪まで来たということで、彼の話を聞きたいという要望がいくつかあり、何回か講演会をやりました。そのたびに、彼がしゃべってぼくが通訳した。コンビで関一をネタにいろいろしゃべって回った。ジェフが「漫才コンビみたいやな。どっちがボケでどっちがツッコミや」と言っていたのを覚えています。とにかくすごい勉強家で、身を削るようなすさまじい勉強の仕方でした。ぼくは、そういう人がやってくるほど関一は研究に値する人物なのかと、関一研究会の事務局を担当しながら再認識した覚えがあります。宮本先生が立命館に移られた後、ヘインズ氏がサバティカルを使ってもう一度市大に来たことがあります。その時は私がホストとして彼を受け入れる形をとりました。市大のゲストハウスが満室だったので、ひと月ほど私の家に逗留してもらい、家族ぐるみで付き合いました。

## 5. 地方自治運動との関わり

——お二人が地方自治運動と地方自治研究をつなごうとする姿勢が見えてきました。このスタンスは大学にとどまらず、自治体問題研究所という場でも貫かれていますね。

**宮本**　日本では、地方の研究、地域の研究は泥臭い仕事だと思われていました。戦後、本格的に地方を調べる研究者は少なく、東京の辻清明（東京大学）グループと、西では島恭彦（京都大学）グループが地方に関心を持って研究を始めていました。

当時の日本では、極めてリベラルな人たちも含めて、民主主義とは民主的中央集権という考え方だったのです。中央集権国家が民主的であれば地方も自然に民主的になるということで、地方自治を確立することについては必ずしも一致していませんでした。他方で、新しい憲法で地方自治が掲げられ、実際の行財政上の大部分が地方に移っていきますし、官選から民選の知事になって地方自治が施行されていきます。その中で地方はどういう仕事をすればいいいか、現場も迷っていました。そこで、統一したばかりの自治体労働組合の総連合、自治労が勉強会をしようと、日教組が当時やっていた教研の真似をして、地方自治研究集会をやることになりました。地方を研究している学者は藤田武夫さん（立教大学）と島さんでしたが、お二人に直接相談に行くのは気が重いので弟子と話そうということで、自治労に小沢辰男さん（武蔵大学）と私が呼ばれ、そこで地方自治研究集会を開くことが決まったわけです。だから最初の段階から相談に乗っていました。

始めてみると、これはものすごく大きな意味がありました。それまでリベラルな人も、共産党を含めて地方自治が分かっていなかったのです。地方の現場でやっている労働者の仕事の中から地方自治を考えるのはきわめて新鮮な意味がありました。しかもそれは全部、具体的なんです。地方自治研集会の発展は非常に注目され、『世界』や『中央公論』を含め、初めからほとんどの新聞・雑誌の記者が出席していました。二回目くらいからは日本の第一線級の学者が参加してくれました。若いほうでいえば私や松下圭一氏が入っていますし、いわば一種の学会としてトップを行くような形の研究集会が始まりました。

ところが、その中で二つに割れていきます。我々は「地方自治は国民の地方自治なのであって、地方自治研究集会も国民の地方自治研究集会であるべきだ」という主張でした。それに賛成する人もいたけど、自治労の幹部は「これは自治労の研究集会だ」といって対立がずっと続いたのです。最初に『自治研の手引き』（全日本自治団体労働組合、一九五八年）を出したのですが、これは、自治研とは何かということを私や小沢さんも加わって書いたものです。その中でも、「自治研活動とは住民のための地方自治をつくり、民主主義をいっそう発展させるための自治労の運動である」というふうに、国民の地方自治運動と自治労の運動とが並列され、妥協案の形になっています。そういうことがあったものですから、国民の自治研、市民の自治研でなければならないという場合、今の自治労のやり方だけではうまくいかない、本当の地方自治ではない、ということで、別の研究所をきちんと作ろうということになりました。そして生まれたのが「自治体問題研究所」です。だから、自治体問題研究所は市民の自治、地方自治をどう発展させるかが目的で、自治労とは違うことをはっきりさせるために作ったものです。

一九六三年の設立時、私は最初の記念講演をしたのですが足が震えました。宮本は何を言うんだという顔をして前に偉い先生が並んでいるのです。その時は「地域開発政策の問題点」というテーマで、高度成長の中における市民の基本的な人権をどう守るかをはっきりさせなければならない、という話をしました。それ以来、自治体問題研究所と関係するようになりました。初代理事長は、茨木市の市長を務めた田村英さんでした。この人は海軍中将で理科系の人で、きわめて客観的な人でした。その後、島先生が第二代の理事長、第三代が私、第四代が加茂さんという形で続いていくことになりました。

私ははじめから市民の自治研と考えていたのですが、研究所の財政の中心は自治労が出しており、会員読者も自治体職員が中心でなかなか市民に広がっていかない。これが悩みの種でした。いい看板を掲げてがんばるのは選挙の時くらいで、市民を巻き込まないと実現しないから巻き込むけれども、普段はどうしても自治体労働者が中心でした。

研究者を巻き込む点では、いわゆる「島道場」が始まりました。自治体問題研究所の中に研究集会をもち、そこに研究者が参加し、一種の研究集団でもあるということになりました。自治体問題研究所は、最初から『住民と自治』という雑誌と地方自治関係の著書を出しました。

革新自治体の間、自治労自治研は大きな力を持っていたのですが、七〇年代にはいると自治研集会の中でも対立が起こってきました。市民が入るようになってきたのです。それまでは自治研集会をやると大部分が自治体労働者だったのですが、市民が入ってくる。市民は労働者自身を批判するわけです。公害なんかで頑張っている市民が来て、「お前たち何しているんだ」「こういう状態を放っておいていいのか」と。そうすると、研究集会の中での対立が起こってきます。市民の意見の方を取るべきではないかとまとめると自治労からは異議が出る。初めから対立があった中身がだんだん厳しくなってきました。それで、革新自治体が崩壊するときになって、とうとう自治労も分裂、自治研も分裂することになりました。自治体問題研究所にとっても自治労が分裂したことは痛手で、「宮本は市民派だ」など、いろいろ言われました。

分裂したときに一番困ったのは、左翼系の自治労連が「財政的に大変なのでもう自治研には金を出したくない」と言い始めたことです。これは非常に困りました。えらそうに「市民の自治研」と言っていても、財政的には自治労連の支持がないと成り立たないわけです。これを納得させるために、「ここで君たちが下がったら名折れだ」「民主的自治体労働組合なんて言えるのか」とだいぶん論争になったけれども、最終的には自治労連も自治体問題研究所を発展させることで合意しました。

――宮本先生が自治体問題研究所の理事長に就任されたのは、ちょうどそのころになるのですね。

**宮本**　労働組合との関係や組織運営、財政問題が、島さんを継いだ時の最大のピンチでした。労働組合の衰退とともに、研究所の財政的な基盤が非常に難しい状態がずっと続いているので大変です。困っただけによくなったこともあります。だんだん市民的になってきて、市民も一緒になってまちを調査して議論する「まち研」をつくる、市民を巻き込むほうがいいと吹田などでずいぶん市民集会が行われるようになってきたのは本筋だなと思っています。自治体問題研究所の出版物もかなり大学の中でも使われるようになっています。そういう意味では、自治労でなく市民の研究所になっていきつつあると思います。

大阪の自治体問題研究所は、やはり黒田府政を支える上で非常に大きな役割を果したと思います。これは、西堀喜久夫君や門田眞一君がいた頃ですが、例えば、革新自治体を支えていくために『躍進大阪』をつくりました。神戸大学の新野幸次郎さんを呼んだりして、それまでの左翼だけではなくてリベラルな人たちも入れるように努力しました。

研究所の理事長については、理想をいえば投票で選任でしょうが、必ずしもそれがベストというわけではない。日本環境会議を作ったときもそうでしたが、日本ではこういう社会組織では必ず政党間の対立があるのです。規模が大きくなればなるほど政党間の対立が大きくなるのは原水爆運動でよく分かったので、日本環境会議も絶対に政党の対立を持ち込ませない方法を考えて作りました。中心は研究者にして、研究者で理事会をつくり、理事会から理事長を選ぶというようにしたのです。自治体問題研究所の場合も、研究者を中心にして理事長を選ばないと、また政党の対立が入り込んだり、いろいろな意見が対立したりしてうまくいかないだろうというので、研究者が理事長になっていく形にした。できれば学際的に理事長がいろんな学問分野から出てくる状態にした方がいいと思っていました。

後任については、関一研究会でずいぶん面倒をかけたから頼むのも悪いなと思ったのですが、他に適任はいないので理事の人たちと相談して加茂さんになっていただきました。私は良かったと思います。「小さくても輝く自治体フォーラム」というのは大ヒットですよね。研究所の歴史の中で記憶に残るいい仕事をされた。国際的な調査もされているし、その後の研究所の発展にとっては、加茂さんが引き受けてくれたことは、私の大きな貢献だったと思っています。

## 平成の市町村合併と「小さくても輝く自治体フォーラム」

**加茂**　私は、大阪研究所（大阪自治体問題研究所）が設立された七三年くらいに大阪研に入る形で全国研にも入り、研究所の活動を始めました。そのため、主として大阪研を舞台に西堀喜久夫さんらと一緒にやっていました。

宮本先生が九八年に理事長を退かれることになり、宮本先生から「加茂君やってくれ」と言われた。ぼくは、宮本先生に言われたら断れる立場ではないので引き受けた。それがちょうど平成の市町村合併がスタートし、日本中の自治体が大騒ぎになっていた時期だったのです。そこで何人かの首長と相談し、強制的な合併政策に抵抗する運動をやろうということになって始めたのが「小さくても輝く自治体フォーラム」だったわけです。これは、運動としては成功したと思っています。行政学者の大森彌さんも、「小さくても輝く自治体フォーラム」の精神は気に入ったといって、わざわざ押しかけで講師にやってきてくれたりしましたし、すごく話題になった、新聞ダネにもなった運動でした。政府が目指していた大規模な合併は何とか回避することができたと思います。そういう運動がやれて、自分としても非常に良かったと思っています。

「フォーラム」の運動が始まったいきさつについて少し詳しく話しておきたいと思います。私が宮本先生から自治体問題研究所の理事長を引きついでまもなくの二〇〇二年秋、地方制度調査会でいわゆる「西尾私案」が出されました。基礎自治体としての事務を提供できない小規模な自治体は、合併するか一部の事務を府県が行うことを法で定めることを提案したため、小規模自治体は存亡の危機を感じ、事実上の強制合併に反対する声が沸き起こりました。こうした事態に直面して、研究所は中央大学の駿河台記念館でシンポジウムを開き、小規模自治体の長のうち長野県栄村の高橋彦芳村長、長野県泰阜村の松島貞治村長などを招いて西尾私案にどう立ち向かうかを議論しました。司会役だった私が、「このままだと法に基づく強制的な合併が実施されかねない。これに対しては小規模自治体同士の連携で対抗する必要があるのではないか」と高橋村長に問いかけたところ、高橋さんは「そうですね。そういうことを考えてみましょうか」と答えられた。それがはじまりでした。

お茶の水駅近くの居酒屋に高橋さんを誘い、自治体問題研究所の事務局メンバーを交えて何をどうするかを相談しました。その中で高橋さんが、「小さい村や町が山や森、川、農地を守ってどう頑張っているかを知ってもらう意味で、日本有数の豪雪地域である栄村に、いちばん雪深い時期に全国の小規模自治体の人たちに集まってもらいましょう」と断を下したのです。小さい自治体のリーダーには大胆な知恵者がいるものだと感じ入り、二〇〇三年二月に栄村で「小さくても輝く自治体のフォーラム」を開くことになりました。高橋さんのほか、北海道ニセコ町の逢坂誠二町長(現立憲民主党衆議院議員)、福島県矢祭町の根本良一町長、群馬県上野村の黒澤丈夫村長、福岡県大木町の石川隆文町長に呼びかけ人をお願いし、自治体問題研究所は事務局役に徹することにしました。東京の都道府県会館で呼びかけ人がそろって記者会見を行ったところ、大変な反響でたくさんのメディアが集まり、「小規模自治体の挑戦」を報じてくれました。全国紙の地方版や地方紙に大々的に報じられた結果、「フォーラム」についての問い合わせや参加申し込みが引きも切らなくなり、研究所の事務局メンバーは栄村と東京の間を奔走して準備に当たりました。そして迎えた二〇〇三年二月二二日、栄村がいくつかの駅に出した送迎バスには、これまで面識のなかった人たちが大勢乗り込み、栄村の登り口である飯山線の森宮野原駅からぞろぞろ群れを成して歩きました。その光景は壮観でした。

栄村の村営スキー場で、自治体問題研究所の竹下事務局長の総合司会で「フォーラム」が始まりました。参加者は六〇〇人にのぼりました。高橋さんは、「我々は小規模町村といえども法と正義によって自分たちの町や村の将来を自ら決めていく権利が保障されていることを全国の仲間と結んで訴えることで一致をみた」と発言しました。小規模自治体リーダーの熱い思いに触れた気がしたものです。矢祭町は町長に加えて町議会議員全員が参加していました。北海道から奄美大島にいたる地域から参加があったことが報告され、参加者の多くは名状しがたい感銘を覚えました。日本の地方自治史のエポックに立ち会っている感覚を共有していたのだと思います。「フォーラム」で採択された「雪国からのアピール」は、「(フォーラムでは)小さな規模の自治体がそれを利点として住民の共同体的団結を土台に困難をはねのけながら、保健、福祉、教育を進め、地域の経済と産業を発展させている姿が生き生きと報告され、参加者の胸を打ちました」「私たちは国全体の自然と農林漁業を支える小規模自治体を守ることは全国民の課題であり、政府の義務であると強く訴えます」と述べています(自治体問題研究所編『ここに自治の灯をともして』自治体研究社、二〇〇三年)。

「フォーラム」をやったおかげで、あの頃の数年は毎週一回、必ずどこかに出かけ、合併問題について講演したり、総務省出向の府県の地方課長とディベートしたりしていました。あの間のぼくは研究者ではなかったなと思うくらい、よく働いたという感触が残っています。そのこともあって、平成の合併の波が一段落すると同時にくたびれてしまって、岡田知弘さん(京都大学)に後を譲ることになりました。大変な数年間ではありましたが、自治体問題研究所に「小さくても輝く自治体フォーラム」という成果を残すことができたのは非常に幸せであったと思っています。私も予想しなかったことですが、「小さくても輝く自治体フォーラムの会」という組織ができ、いまでも年一回の「フォーラム」を続けています。奇跡的にさえ思えます。(追記「フォーラム」の最初のリーダーだった高橋彦芳さんが先頃亡くなられました。彼の訃報に接して「フォーラム」の思い出がひとしおよみがえってきた気がします)

## 6. 社会の危機と自治

――身近な地域こそ課題解決のカギを握るといった主張が注目を集めています。加茂先生が書かれたように、「地方自治の再発見」の時期がやってきているのかもしれません。今どこに注目すればよいとお考えでしょうか。

**加茂** ハイパーアーバナイゼーションという言葉が出てきているのですが、二〇三〇年には世界人口の六割は都市人口になるという話だそうです。考えてみれば恐ろしいことで、どの国であろうと都市に人が集まってくる。都市に人が集まるようにするためには、都市的空間を作らないといけない。都市的空間を作るためには森林は邪魔であるということで、森林の伐採が急激に進んでいる。今、南米では毎年ものすごい大洪水が起こっています。あれは人が都市的空間に集まってきて森林がなくなっていく結果、土地の保水能力がなくなり、雨が降ったらどうしようもない大洪水になってしまうということです。それが毎年、しかも方々で起こっている。そんなことが続いていくと、いったいどうなるのか。身の毛もよだつような感じがします。なんとかそれを食い止めなければならないのですが、そのために何が必要なのか。私にもほとんど分かりません。

けれども、社会空間を人間の手でコントロールすることのできるようなシステムが作られていかないと、どうしようもない。社会空間を管理するためのしくみを世界的に張り巡らさなければならないということだと思います。困ったことに、そういう危機的な状態に関してちゃんとした情報が人々に入ってこない。情報の操作、コントロールが大国によって行われてしまっていて、何が起こっているのかさっぱり分からない状況があります。それを何とかして克服していく必要があるのではないか。そのためにも、人間が自分たちの手でコントロールすることができる空間ごとの社会生活の単位というものを意識的に作り出していく、それに必要な情報をちゃんと作り出していくといったことが必要になるのではないかと考えています。これは、気が遠くなるほど難しいことで、どうしたらいいのか本当のところはよく分かりませんが、なんとかしてそういう仕組みを作り上げる努力をするより仕方がないのではないかと考えています。

**宮本**　これだけ軍事化すると中央集権化します。沖縄を見たら分かります。沖縄の地方自治は本当に無視されているといっていい。これだけ選挙ではっきりと辺野古の基地反対が明示されているのですが、南西諸島における沖縄を要塞化するような軍事化も進んでいます。沖縄県に駐留する第一五旅団が師団に昇格されて二個連隊の四〇〇〇人になると、いよいよ沖縄の自治は無視されるようになる。沖縄だけでなく、こういう形の安全保障で戦争をする体制にしていくと、地方自治がないがしろになります。私は、二〇〇〇年に地方分権改革がなされたとき、残された最も重要な問題が安全保障だったと思うのです。そのことは何度も強調したのですが、西尾勝（東京大学教授）さんはこのことについて語らなかった。

しかし、実際に戦時体制になった場合、国民保護法で苦闘するのは自治体なのです。どうやって市民を避難させるのか。原発の避難でも分かるように、これはもっと大変なことです。人間を分散させたり守ったりするなんてほとんど不可能に近いことなのです。したがって、地方自治を守ることは戦争をしないということなのです。戦争をしない国にしないと地方自治は守れない、というのが結論なのです。ただ、そうすると今の時代にどうしたら、というところに返ってくるのだけれど。

原発にすると集権化するので、自然エネルギーにしないと分権化しないと思います。ただ、これは我々がやっている国家経済研究会での今後の中心課題になりますが、いま自然エネルギーも集権化していきます。自然エネルギーの本社が中央に集中しつつある。どうしたらいいかというと、ヨーロッパに学ぶ以外にやはり方法はない状況です。ヨーロッパのように地方自治憲章のような形にして内政を全て自治体に委ね、はっきりした分権化の道にもう一歩進まないと、軍事化が進む沖縄のように地方自治の侵害が明確な形で起こってくるのではないかと思います。

一方で、維新（補注　地域政党としての大阪維新の会と国政政党としての日本維新の会）の動きを見ていると、なるほど政治は地方から変え得るのではないかという気がします。維新は議会や市長を次々と取っているんですね。かつて革新自治体がやったようなことを上手に進めているわけです。そういう意味では、もう少し日本のリベラルな人たちも地方自治を理解し、地方の選挙からどんどん若い人も選挙に出てもらって地方から変えないと、いよいよ大変なことになってくるのではないかと思います。オール沖縄のようなものが出てきたりすることが地方自治の展望を開くのではないか。オール沖縄式に、一つのアイデンティティ、地方のアイデンティティを作ることによって地域が発展するという方法が必要で、その意味では、保守革新をこえて、憲法を守るためにひとつのオール沖縄的な組織ができてくると、地方自治が生きてくるだろうと思います。ただ、沖縄でもオール沖縄が危機に陥っているところを見ると、今の日本の傾向からいえば、残念ながら難しいところに来ていると思います。

## まずは「下がらないこと」

**宮本**　しかし、ここからが問題で、下がったら大変なので、今はどうやったら下がらないようにするか、実際に研究所なんかも財政的に危機に陥っているけれど、潰さないように、今ある地方自治を発展させようと頑張っている。「小さくても輝く自治体」もそうだし、地方自治で頑張っている市町村もあるわけです。そういうところが下がらないで、ずっと地方自治を進めていく力を持つ。沖縄なんかでもこれ以上、政府にしたがって下がらない方がいいと思う。これ以上下がらないのが第一原則。ただ、このままだと国政自身もうまくいかなくなるのではないか。こういう形で集権化を進めていくと、東京一極集中は止まらないわけで、ここに災害が起こってくると日本の経済はおしまいになってしまう。地方自治を無視して、あるいは地方自治をこういう形で軍事化の中で制限していくと日本は終わりになるので、研究者ももう少し頑張ってもらわないといけないと思います。

全体としての日本の社会運動がもう少し前に出てくることにならないと、地方自治そのものも蘇らないだろうと思いますが、温暖化防止の運動でも日本は欧米の若い人たちに比べると遅れています。日本の若い人たちは自分の未来があるのだから、温暖化防止、軍拡反対、原発反対でももっと前に出るべきですが、うまくいかない、出て行かないところがある。これは、自分で自分の首を絞めているようなものです。まず軍事化や地球環境の破壊を食い止める。現状を維持して、少しでも前に出ていくようにする。今はそのことしかいえません。

世論が変わると恐ろしいことになります。世論が変わってしまうと、軍拡反対と言えば「お前はスパイだ」とか「お前は売国奴だ」とかというふうにののしられるようになる。「沖縄を守れ」というと「お前は中国派だ」とか言われるようになったらお終いで、そうすると抵抗が出来なくなってしまう。このあたりで安保三文書（補注 二〇二二年一二月の閣議決定で大幅変更がなされた「国家安全保障戦略」「国家防衛戦略」「防衛力整備計画」の三文書）を覆す運動を起こさないと地方自治も守れないのではないかと思っています。

結論にはならないけれども、「自治体戦略二〇四〇構想」が打ち出しているような「圏域」というのは地方自治を破壊するから止めてほしい。そして、都市のあり方についてももっと慎重にあってほしいと思います。急いでコンパクトシティをつくると大変な失敗になるだろうと思っています。コンパクトシティを作るときは十分な熟議と討議をしてほしい。いまは全体的にピンチの状態に置かれているので、そのくらいのことしか言えないのが残念です。

**加茂**　先生が「下がらないようにする」と言われたのはいい得て妙で、変なことをするよりは、ちょっと我慢して、いい社会空間のあり方を探したらどうかというのはぼくも言いたかったことです。沖縄は人口が増えていますね。いまや人口一三〇万人だそうです。沖縄にも何か社会空間としての魅力を感じる人がいるからこそ、人が他から移住してくるわけです。「ゆいまーる」（絆）といわれる相互扶助組織が地域ごとにあって、人々のつながりが強い。移住者もそういうつながりにはいっていくなかで、「オール沖縄」は後退しても未来への種子が社会の底流に残っていくかもしれないと思いたいのですが、他方で「敵基地攻撃能力」を備えた自衛隊基地が南西諸島一帯につくられていくのを見ると、下手に希望は語れません。

＊未公刊。二〇二二年一二月二五日に宮本背広ゼミ研究会で対談。構成＝栗本裕見。

視点

# 市民が握る都市再生への原動力

栗本裕見

宮本憲一の地方自治論はユニークである。地方自治制度に焦点を当てた静態的なものとした地方自治論が多い中、宮本は地方自治の動態をあらわそうとしている。「地方自治の三面」の議論はそれを端的に示すものである。三つの面とは、第一が地方自治制度とそれに基づく公権力の政策、第二が世論を含めた地方自治運動、そして三つ目が政府・自治体の行財政と地方自治運動がぶつかり合うことで生ずる地方自治の「現実」である。特に「地方自治運動」には、国と自治体の政府間の関係をめぐる動き、市民・住民の政府への要求運動、地域の自治組織やＮＰＯ、企業によるまちづくりの取り組みなど、幅広い実践を含んでいる。宮本は、背広ゼミでも「国と違って地方では自治体（政府）もコミュニティだよ」と話すことがある。セクターを超えた様々な主体が「自治する」のが宮本の地方自治論の特徴といえる。宮本の政治経済学は、市場では適切に配分し得ない共同社会的条件に注目したものであり、それをどのように配分するかに焦点を当てている。そこでは当然、市場以外の主体＝協議体を通じた配分が重要になる。地方自治論においても政府、市場、地域社会の三者が体制にどう規定され、現実の問題に対応するのかが組みこまれている。

宮本も加茂も「自治する」ことに深く関わってきた。堺・泉北臨海コンビナートの公害反対運動や平成の市町村合併など、対談で紹介される出来事からは、専門家として市民運動に知見を提供しつつ、現実から研究を進展させている往還関係が浮かび上がる。

## 都市の輪廻と再生

現在の日本では、高齢化や人口減少など社会の縮小・衰退を実感させる状況が現れている。この点からみて、対談でとりわけ印象深かったのが一九八〇年代のエピソードである。宮本と加茂は、一九七〇年代から八〇年代にかけての在外研究でニューヨークの衰退と再生を目の当たりにした。産業構造の変化が市の財政危機をもたらした一方、再生過程ではコミュニティボードやブロックアソシエーションなどの市民の取り組みが原動力の一つであったことが語られる。この経験は、『都市経済論』や『都市の政治学』といった研究書だけでなく、市民運動への関わりにも反映した。「大阪をあんじょうする会」の設立や大阪ミナミの事業者との交流、『都市をどう生きるか』（小学館、一九八四年）、『アメリカ二都物語』等の講演録やエッセイの発表など、宮本と加茂は、賑わい、アメニティ、水都再生をキーワードに市民の手によるまちづくりに関して積極的に発信していた。革新自治体の退潮と保守化が進展し、かつてほどの社会運動の盛り上がりが失われたこの時期、市民の側から都市のあり方を考える試みを二人は後押しする役割を果たしていた。

都市に多様性や交流を呼び戻し、文化的な社会空間をつくりあげるというまちづくりのイメージは、マンフォードが『都市の文化』で説いた都市の発展と衰退の循環と重なっている。「エオポリス」から始まる都市は、「ポリス」「メトロポリス」と発展し、「メガロポリス」では、文化的産物の標準化や文化・芸術の衰退、量に対する信仰や官僚主義などが衰退の徴候として現れる。さらに「ティラノポリス」ではいたるところに寄生状態がひろがり、最後の「ネクロポリス」では、戦争・飢饉・疾病が都市と農村のいずれをも悩ませ、死者の都市となる。この後にやってくるのが再生renewalである。マンフォードはネクロポリスに包摂されない地方や他の文明からの新しい組織の移植、そしてセツルメントハウスのような小地域での人間的、文化的な生活の実践に再生の契機を見る。八〇年代、バブル経済に向かう直前の大阪で、人間的な都市の再生を求める動きが作られてきたのである。

## メッセージ「足元を掘れ」

現在の社会が直面する「戦争・環境危機・パンデ

ミック」という三つの危機は、まさに「ネクロポリス」の像と相似形であり、私たちは「再生」という課題の前に立たされている。対談の最後で、加茂は社会空間に改めて注目することを提案している。現実には、国際的な政治・行政区域の再編の潮流や、ジェントリフィケーションなど社会空間じたいの流動化が進んでいる。他方で「小さくても輝く自治体フォーラム」のような地方自治運動やエネルギー自治を目指す取り組みなど、社会空間を（再）発見して守る、さらには新たな社会空間創出の可能性も現れている。

宮本、加茂の経験からは、もう一つの社会空間の重要性も指摘できるだろう。それは、市民と科学をつなぐ場の存在である。三島・沼津コンビナート反対運動の成功要因の一つは、反対運動が科学的根拠に基づいていたことにある。科学は、公権力と地方自治運動のぶつかり合いから生じる地方自治の「現実」を動かす重要なツールなのである。対談で示された自治研や自治体問題研究所の経験は、こうした場が存在することの重要性とその運営上の難しさを示唆している。だが、市民を支える科学の必要性はますます高まっている。

宮本、加茂の対談の最後は、今の状況は厳しいが「これ以上、下がらない」ことが重要だというメッセージで締めくくられた。たしかに、一気に課題が解決するような方策は見つからず、どの方向に展望があるかは未だ見えない。だが、身近な社会空間には、未来への種が埋もれている可能性はある。宮本は、ゼミ生に「足元を掘れ、そこに泉湧く」とメッセージを寄せてきた。身近な社会空間を守ること、デザインすること、それが「自治する」ことであり「足元を掘る」第一歩なのではないだろうか。

（敬称略）

# おわりに

本書はもちろん宮本憲一先生の著作ですが、この本を出版する作業は「宮本背広ゼミナール」（以下「背広ゼミ」）との共同作業によるものです。背広ゼミはすでに、二〇二一年に宮本憲一先生卒寿記念として『未来への航跡　環境と自治の政治経済学を求めて』（以下、『航跡』）を本書と同じく、かもがわ出版から編集・刊行しており、本書はその続編にあたるものと考えています。

「背広ゼミ」は、宮本先生が教鞭をとられた金沢大学、大阪市立大学、立命館大学の三大学にわたる歴代のゼミ卒業生を中心にした研究会です。あくまでも「ゼミナール」なので、単なるＯＢ／ＯＧの集まりではなく研究会として開催されてきています。

その成り立ちは、卒業生が一九六八年、宮本先生を囲んで勉強会を始めたのが出発点とされており（遠藤宏一「教育者・師匠としての宮本憲一先生」『航跡』所収）、半世紀以上を経て現在に至っているものです。名称は、都留重人先生が主宰していた「背広ゼミ」（参照、塚本文一「『背広ゼミ』から見た教育者　都留重人先生の横顔」尾高煌之助・西沢保編『回想の都留重人　資本主義、社会主義、そして環境』所収、勁草書房、二〇一〇年）に倣ったといわれています。

背広ゼミが始まってからの〝通史〟を描くことは、保管されている資料の制約などがあり困難といわざるを得ないのですが、宮本先生が立命館大学に移られてほどなく、一九九六年六月に京都・西院に研究室をオープンしたことを契機に、そこを拠点としてほぼ月一回開催の勉強会として、「宮本背広ゼミナール」をあらためて開催してきており、その間の記録資料が概ね残っているので、それらにより「京都・西院研究室での背広ゼミ」（以下、「京都西院背広ゼミ」）の活動などを記すこととします。京都・西院研究室は二〇二三年九月にクローズしたのですが、開催場所を先生の京都・嵐山の居宅に変えるなどして継続しています。

京都西院背広ゼミは、四半世紀にわたり約二三〇回開催され、次のような活動をしています。古典を中心とした約七〇の著作を輪読するとともに、時代時代の課題について書かれた著作群を購読し、参加メンバーによる報告があり、現地視察（例えば、二〇一八年に福島第一原発の現地視察を実施）を行い、時には宮本先生ご自身による報告があるという「研究の場」です。コロナ禍以降は、オンライン形式を併存したゼミ開催が定着し、京都まではなかなか足を運べない卒業生がオンライン参加できるようになり、ゼミ活動は活性化していると感じています。

また、都留背広ゼミには及ぶべくもありませんが、①翻訳書（ジェフリー・E・ヘインズ著、宮本憲一監訳『主体としての都市』勁草書房、二〇〇七年）の刊行、②『航跡』の編集・刊行、そして③本書の刊行と、出版事業にも取り組んできたところです。

さて、宮本先生は、この「背広ゼミナール」の場をとても大事にされてきており、滋賀大学長として、滋賀県彦根市に在住された期間（二〇〇一年七月～〇三年七月）を除いて、ほぼ例月の「背広ゼミ」にご出席されています。別の言い方をすれば、全ての「背広ゼミ」に参加されているのは、先生だけということになります。

生涯研究者であるとともに、生涯教育者である宮本先生がかつて、「背広ゼミ」についてこう語られたことがあります。

自分自身の命も早晩、終わりを迎えるだろうことは当然意識します。それでも、研究と教育は生涯の仕事です。……長野県佐久市での市民講座「信州宮本塾」（参照、『航跡』所収の吉川徹「宮本先生に学んだこと―信州宮本塾の二九年」）は二〇年以上続き、手弁当で通っています。大阪市立大学などのゼミ生ＯＢとの勉強会「背広ゼミ」も毎月、続いています。どちらも最期まで続けたいと思っています。

（「歴史に学び、公害を絶つ」毎日新聞、二〇一四年一〇月一七日掲載／『戦後日本公害史論』出版後のインタビュー記事）

背広ゼミに参加する卒業生は、何らかの職業をもっていたり、就いた職業から退いた後も様々な社会的な活動に携わっている方々ですが、いまなお教育者としての宮本先生からのご指導を受けることができる「教育の場」に刺激を受けています。

一方で、研究者としての宮本先生は、近時は特に本書に登場するような〝いまの書物〟を取り上げ、皆で講読・議論しているのですが、もはや大学で教鞭をとられることがなくなった宮本先生の「研究の場」としての背広ゼミでもあります。

本書に幾つか収録されているように、近年、例えば「五〇周年記念」といった冠の講演がたびたび先生にオーダーされ、その講演活動の大半に背広ゼミ・メンバーが同行しました（それは〝旅する背広ゼミ〟でもありました）。さらに、本書に収録された四つの対談の企画・運営も背広ゼミが担いました。本書はそのような意味で、宮本先生と背広ゼミとの共同作業によるものと考えています。

背広ゼミのような場を、宮本先生は「共同体のはじまり」になるのではないかと位置付けています。人と人の共同行動はあたりまえで、「困ったときは他の人に助けを求めて組織をつくって一緒に動くのが人間の普通の行動だ」ととらえているからです。本書にある数多のエピソードからは、宮本先生が教育の場でも、社会運動の場でもすぐれたオーガナイザーであることがうかがえますが、根底にはこうした人間とその共同行動に対する信頼があると言えるでしょう。

ただし、現状は共同行動のきっかけがつかめず、「みな（自分の見解と同じ）『共通の意見』を求めているけれど、足を動かして（共同行動をして）いない」のであり、住民の危機ともいうべき状態だと先生はとらえています。どうしたら一緒に動いていけるのか。宮本先生は学習すること、議論することから始めてはどうかといいます。

本書は、ゼミの場で「○○さんと対談したらどうか……」、「対談や講演を本にしたらどうか」といういわば雑談、思い付きから始まった企画ですが、書籍として世に出すにあたっては、『航跡』に引き続き、かもがわ出版にお世話になりました。編集長の吉田茂さん、担当いただいた樋口修さんからは有益なアドバイスをいただきました。お二人からいただいた「過去を振り返る対談集というより、〝現在〟を正面から取り扱っている内容だ」とのコメントは、私たちに背広ゼミの価値を再認識させてくれるものとなりました。この場を借りてお礼申し上げます。

二〇二四年二月

編集委員／宮本背広ゼミナール事務局
栗本直樹
栗本裕見

**書籍約1万冊など研究資料を寄贈した金沢大学宮本文庫。宮本憲一先生と背広ゼミナールのメンバーら＝2023年10月**

【宮本背広ゼミナール】

金沢大学、大阪市立大学、立命館大学の三大学にわたる歴代のゼミ卒業生を中心にした研究会。1968年に宮本先生を囲む卒業生の勉強会として出発した。1996年に京都・西院に宮本先生の研究室が開設されて以降、ほぼ月1回のペースで研究会を開催している。詳細は「おわりに」を参照。

編集委員（五十音順）

**加藤憲治**（かとう・けんじ）　大阪市職員
**加藤正文**（かとう・まさふみ）　神戸新聞経済部長・特別編集委員・論説委員
**栗本直樹**（くりもと・なおき）　大阪市職員
**栗本裕見**（くりもと・ゆみ）　大阪公立大学都市科学・防災研究センター客員研究員
**黒澤美幸**（くろさわ・みゆき）　立命館大学OIC総合研究機構客員研究員
**山田　明**（やまだ・あきら）　名古屋市立大学名誉教授

○本書の写真のうち、帯と2頁の著者近影、25頁の斎藤幸平氏は神戸新聞社提供、156頁の四日市公害訴訟報告集会は「四日市公害記録写真集」（四日市公害記録写真集編集委員会）より転載、ほかは著者提供と宮本背広ゼミの撮影です。

宮本憲一（みやもと・けんいち）

環境経済学の第一人者。大阪市立大学名誉教授、元滋賀大学長。1930年台北生まれ。旧制第四高等学校、名古屋大学卒。金沢大学法文学部助教授、大阪市立大学商学部教授、立命館大学政策科学部教授などを歴任。『社会資本論』『都市経済論』『環境経済学』『戦後日本公害史論』など著書多数。2016年、『戦後日本公害史論』で日本学士院賞。京都市在住。

われら自身の希望の未来――戦争・公害・自治を語る

2024年3月20日　第1刷発行

著　者　宮本憲一

発行者　竹村正治
発行所　株式会社かもがわ出版
〒602-8119　京都市上京区堀川通出水西入
TEL 075(432)2868　FAX 075(432)2869
振替01010-5-12436
ホームページ http://www.kamogawa.co.jp
印刷所　シナノ書籍印刷株式会社

ISBN978-4-7803-1315-4 C0033